डॉ. रेणु रघुवीर कावडिया

INDIA · SINGAPORE · MALAYSIA

ISBN 979-8-88833-308-2

२० सप्तम्बर २०२२

प्रस्तावना

'बिखरे मोती' पुस्तक को मैने प्रारंभ से अंत तक पढ़ा। यह पुस्तक बहुत रोचक व प्रेरणास्पद है। डॉ. रेणु ने इस पुस्तक में सामाजिक ज्वलंत समस्याएँ, मानवीय मूल्य, महिला सशक्तिकरण, बालकों की सुरक्षा, आत्महत्या, भाषायी मर्यादा, शिक्षा, पर्यावरण आदि विभिन्न मुद्दे उठाए हैं। इनका सटीक विश्लेषण करने के साथ साथ समाधान व सरल संकल्पों को भी रेखांकित किया है। वस्तुतः डॉ. रेणु का हृदय व्यक्ति के जीवन को संजोने, व्यवस्थित व आनन्दमय बनाने में ही रत है जो इस रचना में स्पष्ट दृष्टिगोचर होता है।

डॉ. रेणु गत 40 वर्षों से शिक्षा के क्षेत्र से जुडी हुई है। वे एक जानी मानी प्रतिष्ठित शिक्षाविद है जिन्हें शिक्षा के हर पहलू से गहरा सारोकार रहा है। ज्वलंत मुद्दों को लेकर भी वे सदैव मुखर रही हैं, व विभिन्न समसामयिक विषयों पर गहरी पकड़ रखती हैं। प्रतिभाशाली एवं लोकप्रिय लेखकों में इनकी गणना होती है।

प्रस्तुत पुस्तक में लेखक की लेखनी को पैनीधार पाठक को बांधे रखती है, प्रभावित करती है। यह पुस्तक सभी वर्ग के व्यक्तियों के लिए उपयोगी है।

कृति की भाषा सरल, रोचक एवं मन को झकझोरने वाली है। पुस्तक निश्चित ही पठनीय एवं संग्रहणीय है। डॉ रेणु रघुवीर कावड़िया की लेखनी इसी तरह अनवरत प्रवाहित होती रहे व सुविज्ञ पाठकों को लाभान्वित करती रहे ऐसी मंगल कामना करता हूँ। मैं उन्हें बहुत बधाई एवं शुभकामनाएं प्रेषित करता हूँ।

गणपतराज चौधरी

रिद्धि सिद्धि ग्रुप

चेयरमैन एंड मैनेजिंग डायरेक्टर

जैन इंटरनेशनल ट्रेड आर्गेनाईजेशन

अनुक्रमणिका

लेखक की कलम से

जिंदगी बहुत खूबसूरत है। इसकी सुंदरता बनाए रखने के लिए सकारात्मक दृष्टिकोण व भाव की आवश्यकता होती है। मानव मूल्यों व संस्कारों के अभाव में मन में रोग पैदा होते हैं। इन रोगों को खत्म करने के लिए भाव चिकित्सा की आवश्यकता होती है। भावों के माध्यम से ही हम पवित्र विचार एवं चिंतन कर सकते हैं।

किशोरों का कुंठाग्रस्त होना, आत्महत्या करना, अभिभावकों से विरोध होना, स्त्रियों का प्रताड़ित होना, क्रोध आना, अवसाद से घिर जाना, नशा करना, आदि संस्कारों के अभाव में उत्पन्न वैचारिक समस्याएं हैं।

जब जब भी मुझे सामाजिक, पारिवारिक, शैक्षिक व आर्थिक विषमताएं, विसंगतियां दृष्टिगोचर हुई तब तब मेरा मन उद्वेलित हुआ और मैंने मेरे मन की पीड़ा को अपने लेखन में उतारने का प्रयत्न किया। विभिन्न क्षेत्रों की समस्याओं, समाधानों व सरल संकल्पों को मैंने अपने लेखों में प्रकाशित करने का प्रयत्न किया है।

शिक्षा, सामाजिक सरोकार, स्त्री विमर्श, किशोरों की समस्याएं, नशा, अवसाद, आत्महत्या, क्रोध, तृष्णा, भाषायी गरिमा, अहंकार, मन का कचरा, पर्यावरण आदि बिखरे मोती इस पुस्तक में संजोए गए हैं। हर आलेख का अपना रंग है, लय है, स्वरूप है। इसलिए इस पुस्तक का शीर्षक 'बिखरे मोती' रखा गया है।

आम आदमी की दैनिक जीवन की समस्याओं के छोटे-छोटे समाधान व सरल संकल्पों के माध्यम से जीवन को आनंदमय बनाने का प्रयास

इस पुस्तक के माध्यम से किया गया है। आध्यात्मिक विकल्प भी प्रस्तुत किए गए हैं। व्यक्ति कभी भी अपनी जिंदगी से पलायन न करें ये संदेश इस पुस्तक में छिपा है।

भाषा सरल, सुस्पष्ट एवं रुचिकर रखने का प्रयत्न किया गया है। किशोरों, अभिभावकों, युवाओं, स्त्रियों आदि के लिए ये पुस्तक बहुत उपयोगी व रुचिकर साबित होगी। सामाजिक मुद्दों से सरोकार रखने वाले प्रबुद्धजन के लिए भी यह पुस्तक रोचक व लाभकारी रहेगी ऐसी आशा करते हैं।

इस पुस्तक के लेखन में मेरे पति डॉ. रघुवीर सिंह कावडिया का बहुत योगदान है। उन्होंने समय समय पर मेरा समुचित मार्गदर्शन किया एवं प्रेरणा दी। मैं हृदय की गहराइयों से उनकी आभारी हूं। मेरे पुत्र श्री गौरव कावडिया ने सदैव मुझे बहुत संबल प्रदान किया है। इस पुस्तक को पाठकों के हाथों तक पहुंचाने का समग्र श्रेय श्री गौरव को ही जाता है। मैं उन्हें बहुत धन्यवाद देती हूं व खूब आशीर्वाद देती हूं।

लेखक परिचय

डॉ. (श्रीमती) रेणु कावडिया बहुमुखी प्रतिभा की धनी है। आत्मविश्वास से परिपूर्ण, गरिमामय व्यक्तित्व को धारण करने वाली श्रीमती कावडिया अपनी लेखनी से पहचानी जाती हैं।

विशिष्ट लेखन शैली के कारण डॉक्टर कावडिया पाठकों में खासी लोकप्रिय रही हैं। मृदुभाषी, मानवीय मूल्यों एवं संवेदनाओं में अटूट विश्वास रखने वाली विदुषी महिला हैं।

आपके आलेख दैनिक समाचार पत्रों, पत्र-पत्रिकाओं में प्रकाशित होते रहे हैं, सराहे भी गए हैं। श्रीमती कावडिया गत कई वर्षों से लेखन कार्य में संलग्न रही हैं।

प्रतिष्ठित लेखक होने के साथ-साथ डॉ. कावडिया मधुर एवं प्रखर वक्ता भी रही हैं। अपने धाराप्रवाह भाषण एवं कुशल संप्रेषण से श्रोताओं को बांधे रखना इनकी विशेषता रही है।

आकाशवाणी से आपकी कई वार्ताएं प्रसारित की गई। वार्ताओं का मूल्यांकन भी उच्च उच्च स्तरीय रहा।

सौहाद्रपूर्ण एवं समन्वय कार्यशैली एवं अनुशासन प्रियता इनकी विशिष्ट पहचान है। अपने कार्य के प्रति पूर्णत: समर्पित रहने वाली डॉ. कावडिया समय की पाबंदी के लिए भी जानी जाती हैं।

डॉ. कावडिया An Introduction to Research Methodology पुस्तक की सहलेखिका हैं।

भाषा ही तो है हमारे व्यक्तिव का आईना

संचार क्रांति ने समाज का ताना-बाना ही बदल कर रख दिया है। संवाद द्रुत गति से एक से दूसरे व्यक्ति तक व एक स्थान से सारे विश्व में चंद सेकंडो में पहुंच रहे हैं। ऐसे में अभिव्यक्ति के बेशुमार माध्यमों से अपनी बात सैकड़ों व्यक्तियों तक पहुंचाने के लिए भाषा की मर्यादा, वाणी का अनुशासन, बोली का संयम अपेक्षित है। संयमित भाषा का प्रयोग कठिन अवश्य है लेकिन असंभव नहीं। आवश्यकता होने पर ही बोलना, सत्य बोलना, प्रियकारी बोलना, नीतिगत बोलना भाषा विज्ञान के स्तंभ है। भारतीय संस्कृति सदैव से सुसंस्कृत, सभ्य व मर्यादित भाषा की हिमायती रही है। भाषा से ही व्यक्ति के व्यक्तित्व का परिचय प्राप्त हो जाता है। कहते भी हैं, व्यक्ति कितना पानीदार है, यह उसकी वाणी से परिलक्षित होता है।

व्यक्ति मानवीय मूल्यों का धारक है अथवा नहीं, यह उसके भाषागत व्यवहार से स्पष्ट हो जाता है। वस्तुतः यदि हम व्यक्तित्व को मापना चाहते हैं तो वह भाषा की तुला से ही संभव है। व्यक्ति की बोली उसके चरित्र का, व्यक्तित्व का आईना होती है। यह आईना जितना गंदा, मैला, अस्वच्छ, ऊंचा-नीचा, बेतरतीब, धूल से सना होगा, उतनी ही विकृत आकृति आईने में परावर्तित होती दिखाई देगी। हमारे मन का झरोखा है हमारी वाणी। मन में जैसे भाव उठते हैं, वैसी ही वाणी जिव्हा से प्रवाहित होती है। वाणी ही हमारे पद प्रतिष्ठा, शिष्टता, समाज व राष्ट्र का परिचय देती है। बोली ही हमारे चरित्र का खाका खींच देती है।

वाणी का हमारे जीवन में इतना महत्वपूर्ण स्थान है तो क्यों नहीं सदैव नाप-तौल कर बोला जाये। मधुर वाणी का प्रयोग किया जाये। प्रियकारी वचन बोलने में हमें कोई धन भी खर्च नहीं करना पड़ रहा है तो क्यों नहीं हम वाणी संयम का, वचन अनुशासन का अभ्यास करें। सच पूछा जाए तो वाणी ही हमारी पूंजी है, अतः इसका खर्च भी बहुत सोच-समझ कर करें। एक बार शब्द जिव्हा से बाहर आने के पश्चात उस पर हमारा कोई वश नहीं रह जाता है। अतः अपने बोलों के प्रति सदैव जागरूक रहें। वाणी का अनुशासन हम तब ही प्राप्त कर सकते हैं जब हम संयमित भाषा बोलने की आदत डाल लें। सभ्य वाणी, सार्थक बोलों का उच्चारण करें। तुरंत प्रतिक्रिया देने से बचें। प्रिय, मधुर, सत्य वाणी का प्रयोग करें। मितभाषी बनने का प्रयास करें।

हमारे स्वास्थ्य के लिए भी मीठी वाणी ही श्रेयस्कर है। यदि हम कड़वी, जहरीली भाषा का प्रयोग करते हैं तो हम पहले अपनी जिह्वा में जहर घोल रहे होते हैं। विषैली जिह्वा विष का ही वमन कर रही होती है। सामने वाले व्यक्ति पर हमारी विषैली कटु भाषा का असर हो न हो, किंतु हम अपने सारे शरीर को जहरीला बना ही देते हैं। परोक्ष रूप से हम अपना ही घात कर रहे होते हैं। यही भाषा का अविवेक जिव्हा से फूटकर राष्ट्रीय व अंतरराष्ट्रीय सीमाओं तक पांव पसारता है जो विश्व को विनाश के कगार पर खड़ा कर तांडव रच सकता है। दो देशों के बीच युद्ध को शांतिपूर्ण भाषाई प्रयोग से रोका जा सकता है।

जाहिर है वाणी का संयम ही हमें व दूसरों को ठंडक पहुंचाने वाला होता है जो न केवल आपसी संघर्ष को, टकराव को टालेगा वरन सौहद्र, सद्भावना को प्रस्फुटित करेगा। अतः शब्दों की अमोघ शक्ति को कम नहीं आंका जाना चाहिए वरन इस पर फोकस करने की जरूरत है। आवश्यकता पड़ने पर ही बोलना चाहिए। अनर्गल प्रलाप

से बचना श्रेष्ठ होता है। अहंकारी भाषा हमें अपनों से दूर करती है। विनयवान व्यक्ति सबको प्रिय होता है।

वस्तुतः सारा समाज शब्दों के ताने-बाने से ही बुना गया है। यदि हमें संघर्ष टालना हो तो मौन से उत्तम विकल्प दूसरा नहीं। मौन तप है तो विवेकपूर्ण वाणी बोलना महा तप की श्रेणी में आता है। यदि हम मौन न भी रह सके तो टेढ़े-मेढ़े कटाक्षों, हाहाकारी बयानों से तो बचकर रह ही सकते हैं। बांसुरी सभी को इसलिए प्रिय होती है कि वह सीधी है, बुलवाने पर ही बोलती है वह सदैव मीठा ही बोलती है।

यदि हम वर्तमान की बात करें तो संचार क्रांति ने भाषा संप्रेषण के सारे परिदृश्य को ही पलट कर रख दिया है। मोबाइल पर मैसेज, फेसबुक, ट्विटर, व्हाट्सएप, ब्लॉग, इंटरनेट, टीवी, वीडियो और न जाने कितने माध्यमों से लोग अपने विचार, भावनाएं, संवेदनाएं, विरोध, कटाक्ष, प्रशंसा, बधाई, शोक संदेश शेयर करते हैं। यदि हम इन अभिव्यक्तियों का विश्लेषण करें तो पाएंगे कि निःसंदेह कुछ संदेश बहुत प्रेरणास्पद होते हैं। भाषा भी सभ्य होती है, किंतु अधिकांश मैसेज में अपने प्रतिद्वंद्वियों की, सहयोगियों- सहकर्मियों की टांग खिंचाई ही होती है। इन संदेशों में भाषा की गरिमा, रिश्तो की मिठास ढूंढने से भी नहीं मिलती।

आम बोलचाल की भाषा से लेकर टीवी पर दिखाए जाने वाले फूहड़ कॉमेडी शोज में, विभिन्न मुद्दों पर होने वाली डिबेट्स में चुनावी भाषणों आदि में भाषा का स्तरहीन होना बहुत चुभता है। द्विअर्थी संवादों से तो भारी कोफ्त होती ही है। पहले संसद, विधानसभा में शालीनता से राष्ट्रीय व राज्य के मुद्दों पर पक्ष-विपक्ष में बहस होती थी। जनता के प्रति जवाबदेह पर जनप्रतिनिधि शालीन व्यवहार व गरिमामयी भाषा का प्रयोग करते थे, किंतु खेद है कि अब इनका स्थान उत्तेजना, हंगामा, हाथापाई, हुल्लड़ व गाली- गलौज ने ले लिया है। तर्कशक्ति चुक गई है।

लोकतंत्र में सभी को अभिव्यक्ति की स्वतंत्रता है। इसका अर्थ यह नहीं है कि अनर्गल प्रलाप करें। आधारहीन बयानों, हास्यास्पद टिप्पणियां करने से जनप्रतिनिधि सदैव सवालों के कटघरे में खड़े होते हैं। जब इनका विरोध होता है तो वह बगले झांकने लगते हैं। बहाने बनाते फिरते हैं कि मेरे बयान को तोड़-मरोड़ कर पेश किया गया या सही परिपेक्ष्य में नहीं समझा गया या स्लिप ऑफ टंग था या फिर थक- हार कर अंत में माफी मांग लेते हैं। जनप्रतिनिधि ही इस तरह की भाषा की मर्यादा भूल बैठेंगे तो आम जनता किस दिशा में जाएगी, यह एक विचारणीय प्रश्न है।

भाषा का, वाणी का, बोली का विवेक आज की महती आवश्यकता है। यदि समाज को सही दिशा में प्रगति करनी है तो वाणी-विवेक ही उसकी पहली सीढ़ी है। वर्तमान में नेता, अभिनेता, बुद्धिजीवी, साहित्यकार, शिक्षक, सामाजिक कार्यकर्ता, उद्यमी, बैंकर्स, व्यापारी, डॉक्टर, धर्मगुरुओं आदि की महती जिम्मेदारी है कि वह व्यक्तिगत रूप से समाज में, देश में संयमित, नियंत्रित, शालीन, शिष्ट, मधुर व सच्ची वाणी का उपयोग कर स्वयं उदाहरण बनें तथा उसका प्रचार-प्रसार करें। यथार्थ के धरातल पर सुसंस्कृत वाणी का उच्चारण कर सकारात्मक संदेश देने का प्रयत्न करें। लंबी जुबान लक्ष्य तक नहीं पहुंचा सकती। हां, भटका अवश्य सकती है। वाणी का संयम, अनुशासन आज की आवश्यकता है। वचनों की उनोदरी (आवश्यकता से कम) समय की मांग है तो क्यों न हम अपने व्यक्तित्व का सबसे महत्वपूर्ण आभूषण बनाएं अपनी वाणी को?

महिला सशक्तिकरण: सफर शेष है अभी

आज राष्ट्र परिवर्तन के मूड में दिखाई दे रहा है। राजनीतिक, आर्थिक, सामाजिक क्षेत्र हो, पर्यावरणीय सरोकार हो, शिक्षा का प्रश्न हो, परिवार का प्रश्न हो, देश की नीतियां हो, औद्योगिक क्षेत्र हो, संचार माध्यम हो, प्रिंट मीडिया हो, इलेक्ट्रोनिक मीडिया हो, धार्मिक दायरा हो, हर क्षेत्र में बदलाव की बयार बह रही है। परिवर्तन प्रकृति का नियम है और हर क्षण, प्रतिपल बदलाव आता ही रहता है।

इन सभी के बीच भारतीय महिला भी कई मायनों में बहुत बदल गई है। शिक्षा, आर्थिक, सामाजिक क्षेत्र हो या संचार माध्यम, साहित्यिक हो या सांस्कृतिक, कानून हो या सेना, विज्ञान हो या चिकित्सा, धर्म, राजनीति, प्रशासन आदि क्षेत्रों में महिला ने अपनी सशक्त उपस्थिति दर्ज कराई हैं।

गत 20-25 वर्षों से भारतीय समाज में क्रांतिकारी परिवर्तन हुआ है। संचार क्रांति ने समाज को बदल कर रख दिया है। टी.वी. मोबाईल, इंटरनेट, वॉट्सअप, फेसबुक, ट्वीटर और न जाने क्या क्या? इन सभी ने तो भारतीय समाज का चेहरा ही बदल कर रख दिया है। इन सभी परिवर्तन की प्रक्रिया से स्त्री भी अछूती नहीं रही है।

सशक्त सुपर मॉम, कैरियर की ऊँचाइयों को छूती कामकाजी महिला, अपने माता-पिता का सिर ऊंचा करने वाली होनहार लड़की, कंधे से कंधा मिलाकर चलने वाली पत्नी, भाई का हर कठिनाई में साथ देने वाली सक्षम बहिन की छवि समाज में स्त्री ने स्थापित की है। बदलता परिवार, बदलते परिवेश, बदलता पहनावा व बदलती सोच

ने सचमुच स्त्री को एक नया मुकाम दे दिया है। आज वो किसी भी अन्याय का प्रतिकार करने में सक्षम है। आज वो किसी से कम नहीं है। बदलता, सामाजिक परिदृश्य, स्त्री के प्रति सकारात्मक दृष्टिकोण, उसको पुरुषों के समान समझने के विचार ने स्त्री को आगे बढ़ने को प्रेरित किया है।

महिलाएं राजनीति में भी सक्रिय है। वे राष्ट्रपति, राज्यपाल, स्पीकर, मुख्यमंत्री, मंत्री, नगरपालिका चेयरमेन, सरपंच, वार्डपंच के पदों पर कार्य कर अपना परचम फहरा रही है।

वैज्ञानिक, चिकित्सक, पायलट, इंजीनियर, सी.ए., जज, प्रशासनिक अधिकारी, सी.ई.ओ., उद्योग, संचार सेवाएं में अपना उल्लेखनीय योगदान देती रही है।

शिक्षा खेलकूद साहित्य आदि में भी स्त्री ने नई ऊंचाइयां छू ली है।

हम भारतीय स्त्री के प्राचीन इतिहास पर नहीं जाना चाहते जब समाज में महिला की स्थिति बेहद शोचनीय थी, वरन् हम आज की 21वीं सदी की नारी की बात करना चाहते हैं जो देश के विकास की मुख्यधारा से जुड़कर अपना योगदान देने को आतुर एवं तत्पर प्रतीत होती है।

भारत की केंद्र सरकार व राज्य सरकारों ने महिलाओं के सशक्तिकरण, शिक्षा को बढ़ावा देने के अनेकानेक प्रयास किए। महिलाओं पर अत्याचार रोकने संबंधी विभिन्न कानून, महिला शिक्षा को बढ़ावा देने वाली योजनाएं, बेटी बचाओ, बेटी पढ़ाओ, घरों व विद्यालयों में शौचालयों का निर्माण, विज्ञापनों में सशक्त महिला का प्रस्तुतीकरण आदि योजनाएं लागू की गई जिनका सकारात्मक परिणाम दृष्टिगोचर होता ही है। 'सत्यमेव जयते' जैसे टी.वी. कार्यक्रम में भी ये मुद्दा शिद्दत से उठाया गया। केंद्र व राज्य सरकार द्वारा महिलाओं की

सामाजिक सुरक्षा हेतु योजनाएं संचालित की गई। सन् 2015 के दिल्ली-विधान सभा चुनाव का चुनावी मुद्दा ही महिला सुरक्षा को बनाया गया जो इस बात का द्योतक है कि अब महिलाओं को सशक्त बनाने हेतु राजनीतिज्ञ भी चिंतित है।

राष्ट्रीय शिक्षा नीति में भी महिला सशक्तिकरण को प्रभावी बनाए जाने की पहल की जाती रही है। समय-समय पर पाठ्यक्रम बदलते जाते रहे हैं। कक्षा कक्षीय वातावरण को भी महिला समानता के आधार पर निर्मित किया जा रहा है।

उपरोक्त विवेचन महिला सशक्तिकरण के विविध आयाम को रेखांकित करता है। हर सिक्के के 2 पहलू होते हैं। महिलाओं की स्थिति के सिक्के के भी दो पहलू हैं। एक पहलू प्रकाशित करता है महिलाओं के सशक्तिकरण की कहानी, तो दूसरा पहलू स्याह है वह बयां कर रहा है कि महिला सशक्तिकरण का सफर अभी तय नहीं हुआ हैं। मंजिल अभी दूर है।

सिक्के के इस स्याह पक्ष पर भी प्रकाश डालना समीचीन होगा। भारत एक विशाल राष्ट्र है। विविधताओं से भरा हुआ देश है। महिलाओं से संबंधित पुरानी दकियानूसी रूढ़ियों व घिसीपिटी मान्यताएं हमारे समाज में बहुत गहरी पैठ लिए हुए हैं। इनकी जड़ें बहुत गहरी है। इनको उखाड़ फेंकना इतना आसान नहीं है। सदियों से चली आ रही ये नकारात्मक व अंधविश्वास से परिपूर्ण ये धारणाएं हमारे रक्त के कण-कण में रची बसी है, घुल मिल गई है। अतः इन मान्यताओं, धारणाओं को बदलने के लिए बहुत समय लगता है।

भारत में महिला सशक्तिकरण हुआ है लेकिन अपेक्षाकृत कम क्षेत्रों व इलाकों में। यदि हम आज ठोस भूमि पर कदम रखते हैं और स्थितियों व आंकड़ों पर दृष्टिपात करते हैं तो पाते हैं कि अभी तो

हमें बहुत दूर जाना है, सफर खत्म नहीं हुआ है। आंकड़े आज भी हमें निराशा की ओर ही धकेलते हैं।

हमारे सामाजिक मानदंडों से बाहर निकलना मुश्किल कार्य लगता है। पीढ़ी दर पीढ़ी जो रूढ़ियां और अंधविश्वास हमने आत्मसात कर रखे हैं उनको यकायक उखाड़ फेंकना इतना सरल नहीं लगता। कभी-कभी तो लगता है हम स्वयं ही इनसे बाहर नहीं आना चाहते? दहेज प्रथा, डायन प्रथा, बालविवाह, आटा-साटा, नाता प्रथा, लिंग जांच, कन्याभ्रूण हत्या, दहेज प्रताड़ना, दहेज हत्या, अपहरण, यौन शोषण एवं कुल व गोत्र (खांप पंचायत) को किसने पकड़ रखा है? हम ही ने ना? क्या हम इन प्रथाओं को एक ही झटके में खत्म नहीं कर सकते?

प्रायः देखा गया है कि लड़की के जन्म पर लोग खुश नहीं होते। माता-पिता अपनी पहली संतान तो लड़का ही चाहते हैं फिर लिंग जांच ने ऐसे माता-पिता का काम आसान कर दिया जो लड़की नहीं चाहते। उन्होंने गर्भ में ही लड़की को मारने से परहेज नहीं किया। गर्भ में यदि गलती से पल भी गई तो जन्मते से ही उसे कांटों की झाड़ियों में, बड़े-बड़े डस्टबिन में, अनाथालयों के पालनघरों में या अस्पताल के किसी कोने में छोड़ देते हैं लावारिस की तरह।

बालिका भ्रूण हत्या, नवजात बालिकाओं की हत्या का दुष्परिणाम यह निकला कि भारत में लिंगानुपात गड़बड़ा गया है। कहीं ऐसा ना हो कि कालांतर में हम बालिकाओं को ढूंढते रह जाएं।

लड़की यदि जन्म ले भी लेती है तो उसे अनेक समस्याओं से दो-दो हाथ धोना पड़ता है। वह कुपोषण की शिकार होती है। उपेक्षा की शिकार होती है। शिक्षा भी उसे आसानी से प्राप्त हो जाए ऐसा नहीं है। यदि विद्यालय में प्रवेश भी लेती है तो जल्द ही ड्रॉपआउट भी हो जाती है। आज भी पोकरण के पास एक गांव ऐसा है जहां लड़कियों को बिल्कुल नहीं पढ़ाया जाता। वर्ष 2015 में इस गांव की

एक बालिका पहली बार 10वीं की परीक्षा में बैठी। है ना आश्चर्य की बात? शिक्षा का प्रचुर प्रचार प्रसार का दम भरने वालों के लिए अर्लामिंग है ना?

घर के काम-काज करती करती बच्ची बड़ी होने से पहले ही ब्याह दी जाती है। कानून बनाने के बाद भी बालविवाह रुके नहीं है। बाल विवाह के क्या दुष्परिणाम होते हैं ये सभी जानते हैं।

भारत में महिलाएं बलात्कार की शिकार भी बहुत होती है। गांवों, कस्बों में व शहरों में, सभी जगह बलात्कार हो रहें हैं। बहुत कम केसेज पुलिस में दर्ज हो पाते हैं अधिकांश महिलाएं बलात्कार के केस दर्ज ही नहीं कराती है। यह चिंताजनक है। कार्य स्थलों पर भी महिला को छेड़छाड़, छींटाकशी का सामना करना पड़ता है।

महिला कहां सुरक्षित है? जगह, तलाशनी पड़ेगी? घर पर, बाजार में, सड़कों पर, ट्रेन में, बसों में, हवाई जहाजों में, पर्यटन स्थलों पर, कंपनी ऑफिसों में, कार्यस्थलों पर, भीड़ भरे इलाकों में या सुनसान इलाकों में? घरों पर भी तथाकथित दूर के रिश्तेदारों से? कहने में शर्म आती है पर यह कटु सत्य है कि कई बार बालिका अपने पिता व भाई की हवस की भी शिकार हुई? वो कौनसा स्थान शेष रहा जहां स्त्री महफूज हो?

महिलाओं की सुरक्षा का मामला तो इतना गरमाया हुआ है कि 2015 फरवरी के दिल्ली के विधान सभा चुनावों के मुख्य एजेंडा ही बन गया? दिल्ली में ही नहीं सारे राष्ट्र में महिला कितनी असुरक्षित है ये सभी जानते हैं। दिल्ली के विधानसभा चुनावों में राजनीतिज्ञों ने कहा कि यदि वे चुनाव जीतते हैं तो वे दिल्ली की हर बस में, सड़कों पर, आदि समस्त स्थानों पर कमांडो तैनात करेंगे ताकि महिला सुरक्षित यात्रा कर सकें। बहुत अच्छी पहल है यदि क्रियान्वित हो जावे तो? लेकिन प्रश्न ये है कि कहां कहां व कब कब कमांडो तैनात किए जा

सकते हैं? अरे! संयम रूपी कमांडो तो पुरुष स्वयं को अपनी इंद्रियों पर बैठाना होगा ताकि जब भी वे सिर उठावें तो उन्हें वहीं कुचला जा सके।

बालिकाओं को समाज में अनेक कुप्रथाओं से भी जूझना होता है। दहेज प्रथा, तलाक, विधवा तिरस्कार, अंधविश्वासों से तो नारी का आत्म विश्वास ही डगमगा जाता है। अपहरण की भी शिकार होती आई हैं महिलाएं। अपहरण, बलात्कार और हत्या, यह आम बात हो गई है।

नारी के साथ ससुराल में हत्या, गाली गलौज, शोषण व मारपीट तक होती है। बदनामी होने के कारण नारी बलात्कार, यौन शोषण की शिकायत पुलिस में नहीं कर पाती। आधी से अधिक महिलाएं घरेलू हिंसा की शिकार होती हैं। वे कई बार अनपढ़ होने के कारण कानून की जानकारी भी वो नहीं रखती।

राह चलती युवतियों, वृद्धाओं के गले से चैन छीनकर भागना, हाथ से बैग छीनना रोजमर्रा की बात हो गई है।

महिलाओं की सुरक्षा, समानता के अधिकार देने हेतु कई कानून बनाए गए हैं, उसे शिक्षा का अधिकार, संपत्ति का अधिकार, आदि दिए गए हैं। लेकिन नारी इनका उपयोग अधिक नहीं कर पाती।

नारी को दोयम दर्जे की नागरिक समझा जाता रहा है। वह सदैव तिरस्कृत, उपेक्षित व कमतर समझी जाती रही है। माता-पिता ही घुट्टी में ये घोल कर पिला देते हैं कि तुम्हें ये नहीं करना, वैसे नहीं बोलना है आदि। तो शुरुआत हमारे घर से ही हो रही है असमानता की। भाई को ज्यादा पढ़ाई के अवसर, ज्यादा अधिकार। बेटी को चुप रहने को कहा जाता है। आज भी गांव में कमोबेश यही स्थति है। ये सारी बातें बालिका के विकास में रुकावट पैदा करते हैं।

चुनावों में कई बार सरपंच महिला चुनी जाती है लेकिन शासन करता है उसका पति। महिलाओं को स्वतंत्र रूप से निर्णय लेने की छूट नहीं है। विज्ञापनों मे भी महिला की कोई बहुत अच्छी छवि प्रस्तुत की जाती हो ऐसा नहीं है।

उपर्युक्त तथ्य स्पष्ट संकेत करते हैं कि अभी महिला सशक्तिकरण की यात्रा अभी पूरी नहीं हुई है। अभी काफी रास्ता पार करना शेष है।

यात्रा लंबी दुरूह व कंटीली है लेकिन यदि ईमानदार प्रयत्न हो तो सफलता देर से ही सही, लेकिन प्राप्त होती जरूर है। देश के प्रत्येक नागरिक को इससे सहभागिता निभानी होगी।

नारी सशक्तिकरण की पहली सीढ़ी है - शिक्षा। शिक्षा ही वह माध्यम है जिसके द्‌वारा महिला को जागृत किया जा सकता है। महिलाओं में आत्मसम्मान की भावना, आत्मविश्वास का होना शिक्षा के द्‌वारा ही हो सकता है। शिक्षा से सही सोच विचार की योग्यता का विकास होता है। शिक्षित नारी की सामाजिक परिवर्तन लाने की प्रक्रिया में अपनी भागीदारी सुनिश्चित कर सकती है। जहां जहां शिक्षा की अलख जगी वहां वहां महिलाओं की स्थिति में सकारात्मक परिणाम देखने को मिलता है।

महिला सशक्तिकरण की यात्रा में शिक्षा का साथ होना आवश्यक है। यदि महिला शिक्षित होगी तो उसकी यात्रा सरल हो सकेगी। वह अपने अंदर छिपे अथाह गुणों को शिक्षा के माध्यम से अभिव्यक्त कर पाएगी। स्वामी विवेकानंद जी ने कहा था, 'शिक्षा जानकारी या डिग्री के लिए नहीं 'जीवन निर्माण' के लिए जरूरी है। इससे व्यक्ति के भीतर का 'सर्वोत्तम' का विकास होता हैं।" अच्छा कैरियर, आर्थिक स्वतंत्रता, सामाजिक सम्मान, अपनी सुरक्षा आदि उसे अच्छी शिक्षा से ही प्राप्त हो सकते हैं। एक शिक्षित नारी ही संतान को शिक्षित व जिम्मेदार नागरिक बना सकती है।

शिक्षा व आत्मनिर्भरता होने पर ही स्त्री सशक्तिकरण घटित हो सकता है। शिक्षा होगी तो वो महत्वाकांक्षी बन सकेगी। उसे भी बड़े सपने देखने का अधिकार है। बचपन से ही बालिकाओं को महत्वाकांक्षी होने के लिए प्रोत्साहित किया जाना चाहिए। अपने सपने पूरे करने हेतु स्त्री आगे बढ़े। उनकी कामयाबी व उपलब्धियाँ पुरुष को उसकी इज्जत करने हेतु प्रेरित करेंगे। जब स्वयं स्त्री अपने को गंभीरता से लेगी, अपनी अहमियत जानेगी तब ही उसे समाज भी गंभीरता से लेगा।

अपने अधिकारों का प्रयोग भी वह कर सकेगी, जब वह शिक्षित होगी। कानून को जान पाएगी, अपने खिलाफ हो रहे अत्याचारों के खिलाफ आवाज उठा पाएगी। हमारे राष्ट्र का आधा हिस्सा महिलाओं का है, अतः यदि हम किसी उत्पीड़न, असमानता को सहन कर रहे हैं तो सीधे-सीधे हम राष्ट्र को ही नुकसान पहुंचा रहे हैं अपना दृष्टिकोण, अपनी राय को परिवार, समाज व कार्यस्थल पर पुरजोर तरीके से रखने का माद्दा रखना चाहिए स्त्री को।

महिलाओं को आजकल आत्मरक्षा के गुर भी खूब सिखाए जा रहे हैं जो निश्चित रूप से अच्छी पहल है। आड़े समय में वो इस प्रशिक्षण का प्रयोग कर सकती है।

हर माँ का कर्तव्य है कि जिस प्रकार वह अपनी बेटी को अपने कर्तव्यों की शिक्षा देती है उसी प्रकार अपने बेटे को भी लड़की की इज्जत करने, उसे सुरक्षित रखने एवं समानता का दर्जा देने का पाठ पढ़ाएं।

समाज में सकारात्मक सोच एवं सांस्कृतिक बदलाव होने से, धीरे-धीरे ही सही नारी की स्थिति में सुधार आता चला जाएगा। नारी सशक्तिकरण होना अवश्य चाहिए लेकिन धरातल तो मूल्यों का ही होना चाहिए। सब मानवीय मूल्यों, मर्यादाओं को ताक पर रखकर

नहीं। स्वामी विवेकानंद जी ने भी कहा, भारतीय नारी शिक्षा और ज्ञान अर्जन में किसी से पीछे नहीं रहनी चाहिए। वह उन्नति करें लेकिन अपनी संस्कृति और मर्यादा को रौंद कर नहीं।'

लक्ष्य निर्धारित है महिलाओं का सशक्तिकरण। सशक्त महिला परिवार का संचालन निश्चित रूप से बेहतर तरीके से कर सकती है। परिवार ही वह हमारा आरंभ का बिंदु है जहां से यात्रा प्रारंभ होती है। लक्ष्य पर आंख गड़ा दी है, इरादे मजबूत है, छटपटाहट है सफलता पाने की, तो मंजिल दूर नहीं।

नशे के दलदल में जीवन

माह फरवरी, मार्च 2017 में देश में कतिपय राज्यों में विधानसभा चुनावों में नशाबंदी एक अहम मुद्दा बनकर उभरा। यह स्पष्ट संकेत दे रहा है कि नशाखोरी की समस्या गंभीर रूप ले चुकी है। राज्य सरकारों व केंद्र सरकार द्वारा नशाबंदी के लिए कई कदम उठाए, उसके उपरांत भी यह समस्या सर उठाकर बोल रही है, फलती-फूलती जा रही है। हमारा देश युवाओं का देश है। लगभग 80 करोड़ जन 35 वर्ष से कम आयु के हैं। देश के उत्थान का मूल आधार होता है युवा वर्ग। हमारा युवा बेहद प्रैक्टिकल, बुद्धिमान, प्रतिभाशाली एवं वैज्ञानिक दृष्टिकोण वाला है। युवा संपदा के बलबूते पर ही देश विकास की ओर उन्मुख है। नि:संदेह है युवा हमारी आशा है, सपने हैं। सारा युवा वर्ग तो नहीं, किंतु कुछ युवावर्ग अपराधों एवं अवांछनीय कार्यों की ओर झुक रहा है। युवा नशे का भी शिकार हो रहा है। आज धूम्रपान, शराब आदि नया फैशन बन गया है। किशोर युवा होने से पूर्व ही नशे को अपना लेता है। या यूं कहें कि ये उनके जीवन का अभिन्न अंग बन गया है और वे इसे नॉर्मल मान बैठे हैं।

हाईफाई सोसाइटीज में शराब, सिगरेट बिना जीने की कल्पना भी नहीं की जाती। कॉरपोरेट जगत के कल्चर का हिस्सा है नशा। कोई विरला ही होता है, जो इन पार्टीज व सोसाइटी में नशे से दूर रहता है, उसे 'ऑड मैन आउट' माना जाता है। हम इसे नशे के नाम से जानते हैं लेकिन आज इसे **'सोशल ड्रिंकिंग'** कहा जा रहा है। समाज में रहते हैं तो पीना ही होता है की संस्कृति विकसित होती जा रही है।

पिता-पुत्र, ससुर-दामाद, पति-पत्नी साथ-साथ 'सोशल ड्रिंकिंग' का लुफ्त उठाते देखे जा सकते हैं। किसी को इससे परहेज नहीं है। 'गेट टु गैदर' प्रोग्राम तो इसके बिना सफल ही नहीं माना जाता। सिंगल वुमन व वर्किंग वुमन में भी 'सोशल ड्रिंकिंग' का कल्चर जोर पकड़ता जा रहा है। गुटखा, पानमसाला, ड्रग्स, अफीम, तंबाकू, बीड़ी, सिगरेट, हुक्का, भांग, चरस, गांजा आदि को नशीले पदार्थों की श्रेणी में रखा जाता है। अब नशा तो नशा ही होता है, चाहे आप इसे 'सोशल ड्रिंकिंग' नाम दें, कल्चर कहें या ग्लैमर, होता सदा ये हानिकारक ही है।

रेडियो, टीवी, इलेक्ट्रॉनिक मीडिया, पत्र-पत्रिकाओं, समाचार-पत्रों में नशीले पदार्थों का प्रचार-प्रसार हो रहा है जबकि इस पर प्रतिबंध है। आकर्षक, कैची वाक्यों, स्लोगन, नारे, गीत बनाकर इनको प्रचारित किया जाता है और भोला युवा इस मकड़जाल में फंस जाता है। स्कूल, कॉलेजों के आस-पास नशीली वस्तुओं की बिक्री, सार्वजनिक स्थलों पर धूम्रपान व नशा करने पर पाबंदी है लेकिन इसकी क्रियान्विति कितनी हो पा रही है? नशीली वस्तुओं पर चेतावनी लिखी होती है कि ये स्वास्थ्य के लिए हानिकारक है तब भी इनको खरीदने वालों एवं सेवन करने वालों की कमी नहीं है। नशीले पदार्थों की तस्करी के नेटवर्क बिछे हुए हैं? कभी-कभी यह पकड़ में आ जाते हैं, अन्यथा ये अपना कार्य बड़ी चतुराई से कर जाते हैं। यह समाज कंटक अपना तो जीवन राख में मिलाते ही हैं, वरन् समाज के युवा के जीवन में जहर घोलने जैसा अपराध करते हैं।

क्यों करते हैं नशा युवा? इसका कोई एक कारण तलाशना कठिन होगा। किशोर उत्सुकता वश या आनंदनुभूति के लिए या अपने वय के लिए मित्रों द्वारा उकसाने पर या अपने बड़ों की नकल करने के लिए व्यसन करने लगते हैं। मौज-मस्ती के लिए किया गया यह प्रयोग उनके गले पड़ जाता है व उससे फिर छुटकारा पाना दुष्कर हो

जाता है। कई बार माता-पिता अपने किशोर एवं युवा होती संतानों के बदलते मानसिक संवेगों को कैच नहीं कर पाते, उचित एक्सेप्टेंस नहीं मिलने के कारण, उपेक्षा से वे विद्रोही बन जाते हैं, तनाव में रहने लगते हैं, ऐसे में वे व्यसन को गले लगा बैठते हैं।

आज के बदलते सामाजिक, सांस्कृतिक परिवेश ने समय से पूर्व ही बालक को किशोर व युवा बना दिया है। जो समय से पूर्व ही सबकुछ अनुभव कर लेना चाहता है। व्यसन व नशा कितना हानिकारक होता है, ये उसे ज्ञात होता है, तब तक बहुत देर हो चुकी होती है। वो नशे के पूरी तरह गिरफ्त में आ चुका होता है। वो ये भूल जाता है कि यह जीवन अमूल्य है, इसे व्यसन के धुएं में उड़ाना कितना मूर्खतापूर्ण कृत्य होता है? जूंआ, मांस, शराब, वेश्यागमन, शिकार, चोरी और परस्त्रीगमन यह सात व्यसन है जो नरक में ले जाने वाले होते हैं, ऐसा जिनवाणी कहती है।

हिंसा, बलात्कार, हत्याएं, अपहरण आदि अपराध अधिकांश शराब के नशे में ही किए जाते हैं। मादक पदार्थ मनुष्य के विवेक को हर लेते हैं, यह काम और हिंसा उत्पन्न करने वाले होते हैं। ये शरीर को भी खोखला कर खासा नुकसान पहुंचाते हैं। नशा व्यक्ति को समाज में तिरस्कार देता है। शरीर रोगों से घिर जाता है, कमजोर व थका-थका सा रहता है। मन अशांत व चिड़चिड़ा हो जाता है। शारीरिक क्षमता कम हो जाती है। ज्ञान, स्मृति, शक्ति, धर्म, अर्थ सामाजिक प्रतिष्ठा सब धूल में मिल जाती है। वो निंदनीय कार्य में लिप्त हो जाता है। मर्यादाओं को भूल बैठता है, निर्लज्ज जाता है। दया भाव विलुप्त हो, वो क्रूरता अपना लेता है। इसलिए नशे को विषैले सर्प के समान माना गया है।

नशा करने वाले व्यक्ति की भूख भी खत्म हो जाती है। ऊंघना, अनिद्रा, आलस्य व निष्क्रियता उसे घेर लेती है। ऐसे व्यक्ति की

जुबान भी लड़खड़ाती है। उससे बात तक करना कोई पसंद नहीं करता। असत्य बात करना, बातों को छुपाना इनकी फितरत बन जाती है। खानदान के नाम पर बट्टा लग जाता है। नशे से युवा अपनी शैक्षणिक व व्यावसायिक टारगेट से डिविएट हो जाता है उसका कैरियर स्पॉइल हो जाता है। उसका फोकस भटक जाता है। वो स्पोर्ट्स से दूर हो जाता है। वो अपने माता-पिता से भी कतराने लगता है। युवा नशे के कल्चर के गुलाम बन जाते हैं। कभी-कभी माता-पिता को भी मजबूरी में अपनी संतानों का यह कल्चर स्वीकार करना पड़ता है।

समाज में सही कल्चर को इतना एक्पोजर नहीं मिल पा रहा है जितना गलत काम को। टीवी इसे ग्लैमरस कल्चर कह के प्रमोट करते नजर आते हैं। एज्यूकेशन सिस्टम भी वो सब संस्कार बालकों में विकसित नहीं कर पा रहा है, जिसकी अपेक्षा है। कहना होगा सारा सिनेरियो नशे को एक्सेप्ट, प्रमोट व ग्लैमरस करता नजर आता है। इन विकट परिस्थितियों में भी कुछ प्रतिशत युवा सज्जन अब भी है जो नशे से कोसों दूर है। सच में वे बधाई के, साधुवाद के पात्र है।

नशा चाहे कैसा भी हो वो घातक ही होता है। ड्रग्स का हो तो सुइयों के माध्यम से एड्स, सिगरेट से फेफड़े, हृदय संबंधी रोग, तंबाकू से मुंह के कैंसर आदि अनेक रोग शरीर में फैल जाते हैं। विदेशों में तंबाकू केवल धूम्रपान में ही किया जाता है, किंतु हमारे देश का दुर्भाग्य है कि ये पान-मसाला, जर्दा आदि के रूप में मुंह में दबाया जाता है, रखा जाता है, खाया जाता है। इसके निरंतर प्रयोग से मुंह, जबड़ा आदि सड़-गल जाते हैं। एक वरिष्ठ विशेषज्ञ चिकित्सक ने तो यहां तक कहा कि उनके व्यू में इन लोगों का मुंह बैक्टिरियोकजीकली एनस से भी गंदा हो जाता है। सच में लानत है ऐसे नशे पर?

धूम्रपान करने वाले तो स्वयं के स्वास्थ्य के साथ खिलवाड़ करते ही हैं लेकिन उनकी संगत में रहने वाले व्यक्तियों को भी मानसिक व

शारीरिक क्षति पहुंचती है पैसिव स्मोकिंग से। किशोर व युवावस्था में यदि वो चेत जाए तो नशा करे ही न व यदि शुरू कर भी दिया हो तो जल्दी ही इससे छुटकारा भी पा सकता है। युवा वर्ग में जागरूकता लानी है व सोच को दृढ़ करनी है कि ये नशा घातक होता है जिससे दूर रहकर ही इस अमूल्य जीवन को बर्बाद होने से बचाया जा सकेगा। यदि मानसिक स्थिति दृढ़ होगी तो नशा शीघ्र ही घुटने टेक देगा, यकीन मानिए।

नशा करने वाले मित्रों से दूरी बनाकर चलें। यदि मित्र नशा ऑफर भी करता है तो दृढ़ता से इनकार करे, प्रतिकार करें। नशे को शनै शनै छोड़ उनके स्थान पर मुंह में आंवला, सौंफ, इलायची रख सकते हैं। अपने घरों में नशे से होने वाली हानियों के पोस्टर बनाकर लगा दें। वो आपको हर घड़ी नशामुक्त होने के लिए आग्रह करता रहेगा। योगा, प्राणायाम, व्यायाम, प्रातः भ्रमण आदि से मन प्रसन्न रहता है वो नशा मुक्त होने में सहायक होगा।

अभिभावकों का बहुत संवेदनशील, विवेकशील व जागरूक होने की आवश्यकता है। वे स्वयं नशे से दूर रहेंगे तब ही बालक के समक्ष आदर्श प्रस्तुत कर सकेंगे। बच्चों को अपने विश्वास में लें, उन्हें डांटे नहीं, उन्हें ये यकीन दिलाएं कि आप उनकी मदद करना चाहते हैं। आप मित्रवत व्यवहार करेंगे तो वो अपने मन की परतें आपके समक्ष खोलेगा, आप उसे बेहतर समझ सकेंगे।

राजस्थान पत्रिका में समाचार छपा कि इंडियन मेडिकल एसोसिएशन ने देश भर के डॉक्टरों को सलाह दी है कि वे अपने मरीजों के सामने शराब न पीएं वरन् अच्छी मिसाल पेश करें। नि:स्संदेह ये अच्छी पहल है। कॉलेजों, विद्यालयों जैसे ट्रिगर प्वाइंट पर भी ध्यान देने की आवश्यकता है। इंडियन एथिक्स को प्रमोट करना अपेक्षित है। नशीली वस्तुओं को गैरकानूनी घोषित किया जाए जाना चाहिए। नशीली

वस्तुओं को बाजार में एकदम लुप्त कर देना चाहिए। जैसे नोटबंदी हुई है उसी तर्ज पर नशाबंदी होनी चाहिए। सिगरेट, शराब आदि नशीली वस्तुओं का उत्पादन तुरंत प्रभाव से बंद कर देना चाहिए, न रहेगा बांस न बजेगी बांसुरी। विज्ञापनों पर पूर्ण पाबंदी कर देनी चाहिए। नशे करने वालों को अपराधी घोषित करना होगा।

प्रयत्न प्रत्येक स्तर पर चाहिए व्यक्तिगत, पारिवारिक, सामाजिक, आर्थिक, राजनीतिक, सरकारी, गैर सरकारी सभी यदि एकजुट होकर दृढ़ संकल्पित होकर नशामुक्ति को सफल बनाने के लिए कमर कस लें तो नशे का नशा काफूर होते देर नहीं लगेगी। हाथ से हाथ मिला कर एक आंदोलन चलाएं अपने देश का भविष्य श्रेष्ठ बनाएं, नशे से मुक्त भारत बनाएं।

हाशिए पर मानवीय मूल्य

विद्यार्थी के चरित्र का सबसे उज्जवल पक्ष है उसका मानवीय मूल्यों से सीधा जुड़ाव। विद्यार्थी के बड़े-बड़े सपने तभी साकार हो सकते हैं जब उनमें मानवीय मूल्य स्थापित होंगे।

शिक्षा के ऊँचे-ऊँचे सिद्धांतों की स्थापना करते आए हैं हम, लेकिन मानवीय मूल्यों के अभाव में वे सिद्धांत हमें राहत देने वाले नहीं बन सके। मानवीय मूल्यों का पाठ्यक्रम में समावेश अवश्य हुआ किंतु क्रियान्वयन नगण्य ही रहा। विद्यालयों में नैतिक शिक्षा के कालांश को फ्री पीरियड ही माना जाता रहा है। प्रार्थना सभा में भी मूल्यों के विकास पर ध्यान नहीं दिया गया। अधिकारी, शिक्षक, अभिभावक भी मानवीय मूल्यों के विकास के प्रति उदासीन ही प्रतीत होते हैं। विद्यार्थी तो इन मानवीय मूल्यों से दूर ही रहता है क्योंकि जो परिदृश्य समाज में प्रतिदिन वे देखते हैं वो इन मानवीय मूल्यों से मेल नहीं खाते। इसलिए उनकी इन मानवीय मूल्यों पर कोई आस्था नहीं है। जाहिर है कि मानवीय मूल्य शिक्षा के पृष्ठ के हाशिए पर धकेल दिए गए हैं। इस आपाधापी भरी जिंदगी में मूल्यों की बात करना कितना बदरंग दिखाई देता है ना? न तो किसी को फुर्सत है इस पर बात करने की, न ही कोई रुचि। वे इसे एक महज दकियानूसी सोच कहकर पल्ला झाड़ लेते हैं, यानि कि मूल्यों से नाता बीते दिनों की बात हो गई है। प्रतियोगी परीक्षाओं की गलाकाट प्रतिस्पर्धा, अभिभावकों की अत्यधिक ऊंची महत्वाकांक्षाओं के बोझ से दबे बालक - बालिकाओं को और कुछ सोचने के लिए स्पेस ही नहीं बची है। मूल्यों के बारे में सोचना, समझना उनके परव्यू में नहीं है।

शिक्षा जैसा पुनीत कार्य भी व्यवसाय में परिवर्तित हो गया है। मोटी - मोटी फीसें, मोटे-मोटे डोनेशन लेना आज शिक्षा का धर्म बन गया है। विद्यालयों-महाविद्यालयों का स्थान कमोबेश कोचिंग इंस्टीट्यूशंस ने ले लिया है जो केवल पैसा कमाने की फैक्ट्री मात्र होते हैं। उन्हें बालकों में संस्कार निर्माण, मानवीय मूल्यों के विकास से दूर-दूर तक कोई सरोकार नहीं होता। ये गलाकाट प्रतिस्पर्धा को भी बढ़ावा देते हैं जो कभी-कभी बालकों पर भारी पड़ती है।

शिक्षा के क्षेत्र में टेक्नोलॉजी का बोलबाला है। कंप्यूटर, इंटरनेट आदि विद्यार्थी को निःसंदेह प्रचुर मात्रा में नॉलेज दे रहे हैं। किंतु प्रश्न यह उठता है कि क्या ये अध्यापक का स्थान ले सकते हैं? क्या इनमें संवेदनाएं व चेतना है? क्या वह बालक बालिकाओं में सुरक्षा की, प्रेम की, अपनत्व की भावना का संचार कर सकती है जो एक शिक्षक विद्यार्थी के कंधे पर प्रेमपूर्ण हाथ रखकर, उसकी पीठ थपथपाकर या उसके सिर पर हाथ रख कर आशीर्वाद देता है? नहीं। नहीं दे सकती। क्योंकि यह सब जड़ है। इन तकनीकों में संवेदनाएं, भावनाएं, सकारात्मक तरंगों का सर्वथा अभाव होता है। संभवतः इसीलिए आज का युवा संवेदनाओं, इमोशंस, भावनाओं, मूल्यों से कोसों दूर निकल गया है।

शिक्षा के मूल लक्ष्य से कहीं हम भटक तो नहीं गए हैं? शिक्षा सामाजिक परिवर्तन का एक महत्वपूर्ण पक्ष है, साधन है। समाज के विकास का आधार निःसंदेह मानवीय मूल्यों की, संवेदनाओं की प्रतिष्ठा ही तो है? शिक्षा का मूल उद्देश्य व्यक्ति को बेहतर इंसान बनाना, बेहतर नागरिक बनाना आदि-2 था। इस बात से कोई इनकार नहीं कर सकता कि शिक्षा का प्रचार प्रसार बहुत हुआ है, सुख समृद्धियां बढ़ गई हैं। क्षरण हुआ है तो केवल मानवीय मूल्यों का, संवेदनाओं का।

अधिकांश परीक्षा केंद्रों पर खुलेआम नकल होती देखी जाती है। विद्यार्थी, शिक्षक, अभिभावक, शिक्षा प्रशासन, पुलिस प्रशासन, समाज - सभी इस नकल के गोरख धंधे में खुलेआम शामिल होते दृष्टिगोचर होते हैं। बेरोकटोक परीक्षा में नकल चलती रहती है। कैसे उम्मीद करें कोई कि बालकों में मानवीय मूल्यों का विकास हो? इन परिस्थितियों में तो कदापि नहीं। क्या हो गया है हमारी सारी सामाजिक, शैक्षणिक व्यवस्थाओं को? क्यों मानवीय मूल्य शिक्षा के पृष्ठ के हाशिए पर आ गए हैं तभी तो अनैतिक गतिविधियाँ सर चढ़ कर बोल रही है?

जब बच्चे इन कुव्यवस्थाओं एवं मानवीय मूल्यों से रहित समाज से रूबरू होते हैं तो उनकी मानवीय मूल्य से आस्था खत्म हो जाती है। उन्हें मानवीय मूल्यों की बातें थोथी प्रतीत होती हैं। यदि किसी बालक से मूल्यों की बात करें तो उनका जवाब उन्हीं की भाषा में सुनिए "प्लीज ज्ञान मत बाँटिए, पकाइए मत ना।"

मूल्य तो सदैव थे और रहेंगे क्योंकि ये शाश्वत होते हैं। प्रत्येक मानव में ये मूल्य अर्न्तनिहित ही होते हैं। उन्हें उजागर, प्रकाशित व विकसित करने की आवश्यकता होती है। प्रत्येक आत्मा में ये मूल्य स्वाभाविक रूप से विद्यमान होते हैं। मानव में ये ढके हुए होते हैं, उन्हें बाहर लाने की आवश्यकता है।

मूल्यों की उपेक्षा करना घातक है। मूल्यविहीन समाज दिशाहीन पीढ़ी को जन्म देता है। मूल्यों पर ही तो आधारित रहा है हमारा भारतीय समाज, मूल्य ही तो हमारे समाज की रीढ़ रहे हैं। वर्तमान में इस रीढ़ की हड्डी में टूटन आ रही है और समाज विकलांग होता जा रहा है। पुनः मानवीय मूल्यों की स्थापना करना अब आवश्यक हो गया है। समाज में मानवीय मूल्यों की स्थापना के प्रयास होते रहे हैं फिर भी समाज में पनपती मूल्य विहीनता, मूल्यों के प्रति उदासीनता व आस्थाहीनता हमारे समक्ष चुनौती बन खड़ी है।

वंश, परिवार, पर्यावरण, शिक्षा, विद्यालय, शिक्षक आदि हमारे मूल्यों का निर्धारण करते हैं। लेकिन इन सभी स्तरों पर मानवीय मूल्यों के विकास के स्थान पर विपरीत प्रयास ही अधिक होते जा रहे हैं।

प्रश्न यह उठता है कि मानवीय मूल्य क्यों हमारी जिंदगी से गायब हो गए, हाशिए पर चले गए? इस पर विचार किया जाना चाहिए। मूल्य परक शिक्षा हेतु विद्यालयों में कक्षाओं में एक कालांश निर्धारित किया गया। लेकिन यह कड़वा सच है कि यह कालांश रिक्त कालांश ही मान लिया शिक्षकों ने व विद्यार्थियों ने? अध्यापको के मूल्य कहां खो गए? क्यों उन्होंने इस कालांश का सदुपयोग करना जरूरी नहीं समझा? संस्था प्रधानों द्वारा भी इन कलांशों में अंग्रेजी व गणित की एक्स्ट्रा क्लास लगाने के आदेश प्रसारित कर दिए जाते हैं। शिक्षा अधिकारी भी इन मूल्यों की शिक्षा जरूरी नहीं समझते। निष्कर्ष यह है कि शिक्षकों के मूल्यों का भी ह्रास हो चला है, वे अपने व्यवसाय के प्रति ईमानदार नहीं है। ऐसे शिक्षकों से बालकों में मूल्य स्थापित करने की अपेक्षा कैसे की जा सकती है?

शिक्षक स्वयं धूम्रपान, शराब, गाली गलौज, झूठ, मारपीट, भ्रष्टाचार, कहीं कहीं तो बलात्कार और अमानवीय व्यवहार में लिप्त हैं। ऐसे में उसका विद्यार्थी मूल्यों को अपना पाएगा, यह सोचना बेमानी होगा। जाहिर है विद्यार्थी भी अपने शिक्षकों के नक्शे कदम पर चल पड़ता है। कई अभिभावक भी मूल्य विहीन सोसाइटी का ही विकास कर रहे हैं, प्रतिनिधित्व कर रहे हैं। वह स्वयं अप्रमाणिक जीवनशैली जीते हैं तथा स्वयं अनैतिक होते हैं अतः बड़ी ही सरलता, सहजता से वे इसे नॉर्मल मानते हैं। बालक भी चारों ओर से अमानवीय वातावरण से घिरा, उसी वातावरण में रंगता चला जाता है।

हम मानवीय मूल्यों का ज्ञान तो रखते हैं किंतु उनको आचरण में लाने की मानसिकता हमारी नहीं है। आचरण में नहीं आने पर वो मूल्य लुप्त प्रायः होते चले जाते हैं। ऐसी विकट परिस्थितियों

में शिक्षा का दायित्व बहुत बढ़ जाता है। प्राथमिक विद्यालय से विश्वविद्यालय तक मानवीय मूल्यों के विकास का आधार बने शिक्षा।

हमसे कहाँ भूल हो गई है? कहाँ हम मानवीय मूल्यों को पीछे छोड़ आए हैं? किन परिस्थितियों का निर्माण करें कि पुनः मानवीय मूल्यों का विकास हो सके। पुनः नए सिरे से शिक्षकों, अभिभावकों व बालकों को प्रशिक्षित करना होगा। संकल्प लेने होंगे। संकल्पों को साकार भी करना होगा। निश्चित कार्य योजना बनाकर उसकी क्रियान्विति दृढ़ निश्चय, लगन, निष्ठा एवं ईमानदारी से करनी होगी।

समाज में समस्याओं का अंबार लगा हुआ है। यदि हम समस्या की जड़ में जाएंगे तो पाएंगे कि संवेदना, सत्यनिष्ठा, परोपकार, कर्तव्यपरायणता, सेवा भावना, करुणा, क्षमा, विनय भाव आदि मानवीय मूल्यों का अभाव ही इन सभी समस्याओं का मूल कारण है।

मानवीय मूल्यों की स्थापना करना इतना सरल कार्य भी नहीं होता है। यह एक सतत प्रक्रिया है जो पीढ़ी दर पीढ़ी चलती रहती है।

हमारे जीवन का आधार ही जीवन मूल्य है। शिक्षा का भी मुख्य उद्देश्य बालकों को सद्नागरिक बनाना है, उसे शांतिपूर्ण जीवन जीने के लिए तैयार करना है। वर्तमान परिस्थिति में बालकों में मानवीय मूल्यों का विकास करना बड़ी चुनौती है। एक बार शिक्षक इमानदारी से अपना आत्मविश्लेषण करें और तद्नुरूप आगे बढ़ें। मंजिल दूर नहीं।

मन का कचरा साफ किया क्या?

अक्टूबर 2014 से हमारे राष्ट्रीय 'स्वच्छ भारत अभियान' चलाया जा रहा है। यह महत्वाकांक्षी योजना है। भारत में जनसाधारण में स्वच्छता के प्रति जागरूकता लाने, चेतना जगाने के उद्देश्य से यह वृहद् कार्यक्रम आरंभ किया गया। लक्ष्य 2019 तक देश को स्वच्छ बनाना था। माह जनवरी 2018 से मार्च 2018 तक चयनित स्मार्ट सिटीज का स्वच्छता रेकिंग सर्वे भी कराया गया था। सर्वे में स्मार्ट सिटीज का विभिन्न बिंदुओं का आकलन किया गया। स्मार्ट सिटीज के नागरिकों में भी जागरूकता व उत्साह था कि इनकी सिटी इस मूल्यांकन में खरी उतरे। वस्तुतः ये अभियान इसलिए सफल रहा है क्योंकि इसमें जन सहभागिता जुड़ी हुई है। सिटी को साफ सुथरा देखकर मन में प्रसन्नता का संचार होता है। प्रत्येक नागरिक में स्वच्छता के प्रति सकारात्मक रुझान झलक रहा है। यदि आम आदमी की भागीदारी किसी भी अभियान से जुड़ जाए तो अभियान के सफल होने की सौ फीसदी गारंटी हो सकती है।

राष्ट्र स्वच्छ हो, वातावरण शुद्ध हो, अनुकूल पर्यावरण हो, तन स्वस्थ हो, हर तरफ सफाई हो, तो बड़ा ही सुकूनदायी होता है ये सब। इसके साथ यदि मन का कचरा भी साफ हो जाए, मन निर्मल बन जाए तो सोने पे सुहागा होगा ना? हम आजू-बाजू की सफाई करते हैं, तन को सुंदर, साफ बनाने के लिए जतन करते हैं, लेकिन मन को पवित्र, शुद्ध, निर्मल बनाने का विचार मन में आया क्या कभी? मन निर्मल, पवित्र, शुद्ध, पावन, शांत, कचरा रहित हो तो कितना अच्छा हो? यदि गहराई से हम विचार करें तो पाएंगे कि मन

तो कषाय (क्रोध, मान, माया, लोभ) एवं पांच पाप (हिंसा, असत्य, चोरी, अब्रह्मचर्य, अपरिग्रह) रूपी कचरे से डटा पड़ा है। ईमानदारी से टटोल कर देखिए।

दूर जाने की आवश्यकता नहीं है, हमारे ही देश में, जहां माता-पिता को सर्वोच्च माना जाता है, एक पढ़े लिखे व्यक्ति ने, जो प्रोफेसर है, ने अपनी बीमार मां को छत से नीचे फेंक दिया। मां की मृत्यु हो गई। माह जनवरी 2018 में एक बहन ने अपने छोटे भाई को मार डाला क्योंकि माता-पिता भाई को तो बाहर जाने देते, उसे नहीं। कैसा जमाना आ गया है? इंसानियत लुप्तप्राय हो रही है क्या? हमारी परंपराएं, संस्कार, सामाजिक व्यवस्थाएं टूट रही है?

वस्तुतः आपराधिक प्रवृत्ति के व्यक्तियों के मन में कचरा ठूंस ठूंस कर भरा होता है, कभी कचरा बाहर करने का विचार ही नहीं आया? कचरा सड़ांध मारने लगता है, तब ऐसे निकृष्ट कृत्य सामने आते हैं। आज का सामाजिक ताना-बाना इस तरह गुत्थमगुत्था है कि मन के स्वास्थ्य पर ध्यान ही नहीं जाता। भागमभाग, दौड़ भाग भरी जिंदगी व्यक्ति को अपने शारीरिक स्वास्थ्य व मानसिक स्वास्थ्य पर ध्यान देने का मौका ही नहीं देती। जिंदगी भर पहले पढ़ाई, फिर अर्थोपार्जन में अपना जीवन खपाने वाला व्यक्ति कहां मन के कचरे की बात सोच पाता है?

किंतु आवश्यकता है, मन के कचरे को साफ करने की। मन का कचरा क्रोध, मान, माया, लोभ आदि के रूप में इकट्ठा होता रहता है। राग द्वेष रूपी कचरे को हम देख ही नहीं पाते, महसूस ही नहीं कर पाते। अहिंसा, सत्य, अचौर्य, ब्रह्मचर्य व अपरिग्रह आदि गुणों की तरफ ध्यान ही नहीं जाता। हिंसा, असत्य, चोरी, कामवासना एवं संग्रहण तो वर्तमान में जीवन के अंग ही बन गए हैं व इनको समाज में नॉर्मल बिहेवियर मान कर एक्सेप्ट किया जा रहा है। ये सारा कचरा हमारे मन में सड़ांध पैदा करता है और हम न जाने कैसे-कैसे अपराध कर

बैठते हैं। हमारा मन इनके ही वश में हो चला है, हम इनके हाथों कठपुतली की तरह नाचते रहते हैं। हम यह भूल जाते हैं कि हम इनके मालिक हैं, ये हमारे नहीं।

पशुओं में यह क्षमता नहीं होती कि वह अपने मन को नियंत्रित, संयमित कर सके, मन का कचरा बाहर फेंक सके, निर्मल बना सके। प्रभु ने यह असीम शक्ति इंसानों को दी है। मनुष्य जन्म दुर्लभ है, यदि इस भव में भी हम मन को निर्मल न बना सके, कषायों उनको दूर न कर सके, तो यह हमारा दुर्भाग्य होगा, अतः मनुष्य इस अहोभाग्य को अवश्य सार्थक कर सकता है।

ज्ञानियों ने भी क्रोध, मान, माया, लोभ आदि पापों को त्यागने का उपदेश दिया है। इनसे इंसान का कभी भी भला नहीं हुआ है। इन विकारों से मानसिक स्वास्थ्य तो खराब होना ही है वरन् शारीरिक स्वास्थ्य पर भी प्रतिकूल प्रभाव पड़ता है। जीवन में इनसे अशांति ही आती है।

क्रोध तो सदैव ही हानिकारक सिद्ध होता है। मानसिक असंतुलन पैदा होता है, शारीरिक क्षति पहुंचती है, संबंधों में खटास आ जाती है, प्रेम खत्म हो जाता है। अहंकारी व्यक्ति किसको सुहाता है? अहंकारी, अभिमानी को सभी एवॉइड करते हैं, उससे दूर भागते हैं। अहंकारी व्यक्ति विनय खो देता है। जो व्यक्ति धोखेबाज, मायावी, छलकपट, सचझूठ करने वाला होता है, उसका भला कौन मित्र बनना चाहता है? संभवतः कोई नहीं। माया करने वालों को समाज में सम्माननीय स्थान नहीं प्राप्त होता है। लोभ तो वस्तुतः सारे सद्गुणों का नाश करने वाला होता है। सब पापों की जन्मस्थली होता है लोभ। दुर्भाग्य से आज समाज में लोभ का ही बोलबाला है। लोभ से वशीभूत व्यक्ति क्या जुर्म नहीं करता? लोभ वस्तुतः अनर्थकारी होता है। लोभी व्यक्ति से न तो कोई स्नेह करता है न कोई उसका मित्र ही बनता है। लोभ सर्वनाश करने वाला होता है।

अब्रह्मचर्य से कितने व्यक्तियों का जीवन तबाह हो गया है। छोटे से लेकर बड़े तक इस पाप से बच नहीं पा रहे हैं। समाज ऐसे लोगों को घृणा की, तिरस्कार की दृष्टि से देखता है। ऐसे निकृष्ट व्यक्ति समाज के लिए कलंक ही होते हैं। पसंद, नापसंद का सवाल राग-द्वेष के कारण पैदा होता है। राग-द्वेष के कारण ही कितने अपराध हो रहे हैं। राग-द्वेष ही हमें बंधन में बांधता है।

मन के कचरे को साफ करना आसान काम नहीं है, किंतु असंभव भी नहीं है। सतत् जागरूक एवं प्रयत्नशील रहने की आवश्यकता है। मन वह घोड़ा है जो तीव्र गति से सरपट दौड़ता है। इस पर लगाम लगानी होती है, उसे कंट्रोल करना होता है। व्यक्ति समझ कर, चिंतन मनन कर अपना हित साध सकता है। हमें अपनी दृष्टि, नजरिया बदलना होगा। बाह्य शत्रुओं को तो हराना आसान हो सकता है किंतु हमारे अंदर के बैरी को हराना टेढ़ी खीर हो सकता है। मन के कचरे को यथा, क्रोध, मान, माया, लोभ, कामवासना, परिग्रह, हिंसा, असत्य, चोरी, अब्रह्मचर्य, ईर्ष्या, द्वेष, राग, झूठ, कपट, स्वार्थ, मोह, आसक्ति, तृष्णा, ममत्व, प्रतिशोध आदि की प्रवृत्ति को हम स्वयं ही बाहर कर सकते हैं। ये सारे विकारों के लिए केवल हम स्वयं ही जिम्मेदार हैं, कोई दूसरा नहीं। कोई अन्य व्यक्ति हमें अपने इशारों पर तब तक नहीं नचा सकता जब तक कि स्वयं नाचने को तैयार न हों। इसी प्रकार कोई भी व्यक्ति या परिस्थिति हमें क्रोध नहीं दिला सकती जब तक हम स्वयं क्रोधित न हों। हमारी खुशियों व गम का जिम्मा हमारा अपना है, अपना रिमोट अपने हाथों में रखें, अन्य को न सौपें।

यह मन रूपी तिजोरी हमारी है। तिजोरी है तो जाहिर है कि इसमें कीमती हीरे रूपी भावों से ही भरी जाएगी। मूल्यवान वस्तुओं को भरने के लिए पहले मन रूपी तिजोरी में जो रद्दी रखी हुई है उसको तो बाहर का रास्ता दिखाना ही पड़ेगा ना? यदि हम मन को निर्मल,

पवित्र, स्वच्छ, बनाना चाहते हैं तो मन के समस्त कचरे को रफा दफा करना ही होगा। जब मन में यह रद्दी नहीं रहेगी तब ही हम धर्म रूपी कल्याणकारी हीरे को अपने मन की तिजोरी में स्थान दे पाएंगे।

आइए, देशव्यापी स्वच्छ भारत के अभियान के साथ-साथ हम 'स्वच्छमन' अभियान शुरू करें। यह सार्वजनिक अभियान नहीं है वरन् व्यक्तिगत स्तर पर स्वयं के लिए चलाया जाने वाला अभियान है। स्वयं को बदलें, मन का कचरा साफ करें। यदि देश के प्रत्येक नागरिक का मन साफ हो गया तो देश को स्वर्ग बनते देर नहीं लगेगी। प्रत्येक व्यक्ति स्वयं के मन को स्वच्छ करने का अभियान चलाने की घोषणा अपने मन में करें वो भी दृढ़ संकल्प के साथ। कभी न कभी तो हम मन को स्वच्छ कर ही पाएंगे, जहां चाह है वहां राह है। समय समय पर मन का मूल्यांकन कर्ता भी हम स्वयं ही बनें। जहां मन निर्मल, पवित्र होता है वहां धर्म का वास होता है, जहां धर्म का वास होता है, वहां कल्याण होता है, जहां कल्याण होता है वहां से मुक्ति का मार्ग प्रशस्त होता है।

मान का मरोड़ीए कान

क्या कभी किसी अभिभावक ने अपने पुत्र का नाम रावण, कंस या दुर्योधन रखा है? नहीं! क्यों? इसलिए कि रावण, कंस व दुर्योधन अभिमान, दंभ, अहंकार और घमंड के द्योतक हैं, परिचायक है। चार कषायों क्रोध, मान, माया, लोभ को जीतना दुष्कर है किंतु सबसे कठिन है मान को गलाना। मान की गांठ को गलाना मनुष्य के लिए सदैव से टेढ़ी खीर रहा है।

क्या आपने कभी गौर किया है कि अभिमानी, अहंकारी व्यक्ति कभी किसी को आकर्षित प्रभावित, नहीं कर सकता, कोई उसे पसंद नहीं करता है? वह कितना बदसूरत दिखाई देता है? और यदि कोई व्यक्ति नम्र है, विनयवान है तो वह कितना मनमोहक लगता है?

आप जब भी टीवी पर कोई न्यूज़ या अन्य चैनल देखते हैं तो कोई नेता या अभिनेता अपने आप को 'आई एम द बेस्ट' सिद्ध करने की बेजान कोशिश कर रहा होता है। अभिमान में चूर ये महामानव अपने सामने दूसरे मनुष्यों को मक्खी मच्छर समझने लगते हैं? कैसा लगता है आपको इनको सुनते व देखते? कोफ्त नहीं होती मन में? टीवी बंद कर देने की इच्छा नहीं होती क्या?

अहंकार व्यक्ति को कब आता है? जब व्यक्ति को ज्ञान न हो, अर्थात् वह अज्ञानी हो। अभिमानी व्यक्ति विवेक शून्य हो जाता है, वह सदैव अपने आप को सर्वश्रेष्ठ व दूसरों को तुच्छ समझता है। उसकी दृष्टि बहुत ही संकुचित व अनुदार हो जाती है। अपने आसपास के संसार को ही वह दुनिया समझ बैठता है।

अभिमान करना अज्ञानी का लक्षण है। अहंकारी, लोभी और स्वादलौलुपी को ज्ञान नहीं दिया जा सकता। अहंकारी व्यक्ति दूसरे व्यक्ति को अपनी परछाई मात्र समझता है।

रावण प्रकांड पंडित था, महातपस्वी था, शास्त्रों का ज्ञाता था, परंतु ज्ञान के स्वामी के मन में नाग की भांति कुंडली मारे उसके अंतर्मन में अहंकार रूपी विषधर ने उसे जकड़ रखा था। यह एक ही दुर्गुण उसे डूबाने के लिए पर्याप्त था और अंततः वह डूबा भी। वह अतिविश्वास का मारा था। किसी कवि ने क्या सटीक कहा है

“मानकरण तो मर गए, रहा न उनका वंश।
तीनों टीले देख लो, रावण, कौरव, कंस॥”

अहंकारी आदमी बैलून की तरह फूल जाता है, नभ पर उड़ कर इठलाता है, किंतु जैसे ही हवा निकलती है कि वह जमीन पर फुस्स होकर धूल चाटता है। सच पूछें तो अभिमान मरण का ही तो निशान है।

जहां अधूरापन, अपूर्णता होती है वही मान पैदा होता है। ‘अधजल गगरी छलकत जाए’ अर्थात जब घड़ा पानी से पूर्ण नहीं भरा होता है तब वह बहुत हिलौरे खाता है व आवाज करता है। जबकि पानी से पूरा घड़ा कभी छलकता नहीं, शब्द नहीं करता। ठीक वैसे ही जो धीर गंभीर, विद्वान, गुणी, कुलीन हैं वे कभी अहंकार नहीं करते जबकि अज्ञानी, मूढ़ व्यक्ति सदा मद में चूर रहते है। अपने अहं की तुष्टि हेतु अपनी बात, विचारों को दूसरों पर थोपने की प्रवृत्ति रखते हैं।

क्रोध, अभिमान पर ठेस लगने पर पैदा होता है। क्रोध से द्वेष पनपता है व द्वेष से क्लेश, ईर्ष्या, कपट, अभिनय, झूठ आदि को हवा मिलती है। इस प्रकार अहंकार से अनेक दुर्गुणों का पैदा होना निश्चित है।

वर्तमान युग में चाहे राजनीतिक पार्टियां हों, उसके नेता हों, चाहे अभिनेता हों, उद्योगपति हों, चाहे खेल का मैदान हो या और कोई क्षेत्र हो, सर्व व्याप्त है यह अहंकार। समाज में कई बुराइयों की जननी अहंकार है, दंभ है। सत्ताधारी, उद्योगपति, राजनेता, अभिनेता, धनवानो एवं अन्य उच्च वर्गीय तबके का मद ही समाज को अनैतिकता, जातीयता, प्रांतीयता, हिंसा एवं आतंकवाद की ओर ले जा रहा है।

मान को कषाय की श्रेणी में रखा गया है। कषाय अर्थात क्रोध, मान, माया, लोभ हमारी आत्मा के कल्याण में सबसे बड़ा बाधक है। इनसे जितनी जल्दी छुटकारा मिले उतना अच्छा। इसके लिए हमें हमारे गुरुतर भाव को छोड़ना होगा व लघुतम भाव को अपनाना होगा।

अहंकार में गुरुतर भाव (भारी भाव) होते हैं जो हमें भव सागर में डुबों देते हैं, हमें तो लघुतम भाव (हल्के भाव) में जीना है तो खुद भी तरेंगे व दूसरों को भी तारेंगे। हमें अपने ईगो को पिघलाना है, गलाना है तब ही हम अहंशून्य की अवस्था में पहुंच सकेंगे।

हमें पद, प्रतिष्ठा, सत्ता, ऐश्वर्य, भौतिक सुख में पहले नंबर पर आने की जो प्रतिस्पर्धा चल रही है न, उस मैराथन दौड़ से बाहर हो जाना है। कहीं ऐसा न हो कि इस रेस में हम हांफते हांफते अपना दम ही तोड़ दें। शरीर यहीं पड़ा रह जाएगा और हम खाली हाथ ही टमटम करते हुए इस दुनिया को विदा कह देंगे।

जाग जाएं। चेत जांय। अहंकार की लपटों से दूर रहें। अहंकार का अचूक एंटी-डॉट है विनय। जब अहंकार का नाश हो जाता है तो वह विनयवान, नम्र हो जाता है, जो मोक्ष जाने की पहली सीढ़ी है। अहंकार का अर्थ है मैं 'और' 'मेरा' अर्थात ममता। जब व्यक्ति 'स्व' भाव में स्थित होता है, तब उसका मैं और मेरा छूट जाता है। प्रभु

ने अहंकार व ममत्व के त्याग का ही तो उपदेश दिया है मानव को उसके कल्याण के लिए।

ज्ञानियों ने उपदेश भी दिया है कि हम रज बने पत्थर नहीं। किसी कवि ने कहा है,

"'रजविरज' ऊंची गई, नरमाई के माण।
पत्थर ठोकर खात है, करडाई के ताण।"

हमें ऊंचे से ऊंचे उठना है तो रज ही बनना होगा। पत्थर एक जगह पड़ा पड़ा ठोकरे ही तो खाता है, वह ऊंचा नहीं उठ सकता। हमें तो मोक्षगामी बनना है, ऊंचा जाना है तो रज की तरह विनयवान बनकर गुरु के चरणों में रहकर सेवा कर कर्म बंधनों को काटते हुए लक्ष्य को पाना है।

मान को जीतने से जीवात्मा में मृदुता का अपूर्व गुण प्रकट होता है। मान शून्य कर्म का बंध नहीं करता और पहले का कर्म क्षय करता है।

मृदुता किसी के भी व्यक्तित्व का वह गुण होता है जिसमें वह सबका प्रिय बन जाता है। मृदुता से व्यक्ति के कर्मबंध के अवसर भी कम रहते हैं। घर परिवार में शांति की गारंटी है मृदु व्यवहार। एक विनय गुण होने से अनेक गुण उस व्यक्ति में स्वत: ही परिलक्षित हो जाते हैं। प्रभु ने तो विनय को ही धर्म का मूल बताया है। अपनी आत्मा को मुक्त करने की पहली चाबी है यह मृदुता। और मृदुता को प्राप्त करने का श्रेष्ठ मार्ग है अहंकार का त्याग। आइए, अब तो मोड़ ही दीजिए ना मान का कान।

ऑनलाइन क्लासेस - ऑफलाइन क्लासेस का विकल्प नहीं

कोरोना महामारी के कारण देश में मार्च 2020 को लॉकडाउन लगाया गया। सभी प्रतिष्ठानों के साथ-साथ विद्यालय भी बंद कर दिए गए। लॉकडाउन खुलने के पश्चात भी विद्यालय बंद ही रखे गए। विद्यार्थियों के हित को ध्यान में रखते हुए विद्यालयों ने ऑनलाइन कक्षाएं प्रारंभ की, अर्थात विद्यार्थी घर बैठे ही अपने लैपटॉप पर अध्यापकों से पढ़ सकता है।

कोरोना के चलते विद्यालयों द्वारा ऑनलाइन क्लासेस का संचालन वास्तव में सराहनीय कदम रहा। विद्यार्थी घर बैठे ही पढ़ सके, ज्ञान प्राप्त कर सके, पाठ्यक्रम पूर्ण कर सके। कोरोना महामारी के कारण बालकों की तथा विद्यालय स्टाफ की सुरक्षा की दृष्टि से इस समय ऑनलाइन क्लासेस से अच्छा अन्य कोई विकल्प नहीं था। देश की के विभिन्न मा.शि. बोर्ड ने व राज्य सरकारों ने इन कक्षाओं को मान्यता दे दी। विद्यालय प्रारंभ हो गए, ऑफलाइन क्लासेस प्रारंभ कर दी गई लेकिन अब एक नई बहस छिड़ गई कि क्या ऑनलाइन क्लासेज का अनुभव ज्यादा अच्छा था, सुविधाजनक था? क्या इसे निरंतर करना चाहिए? क्या बालकों को सप्ताह में केवल एक बार विद्यालय बुलाया जाए, बाकी दिन घर से ही ऑनलाइन क्लासेस का संचालन किया जा सकता है? क्या ऑनलाइन, ऑफलाइन क्लासेस का विकल्प हो सकती हैं?

यह प्रश्न बहुत ही गंभीर और चुनौतीपूर्ण है इस प्रश्न का उत्तर देने से पूर्व हमें कई आस्पेक्स को ध्यान में रखना होगा। राष्ट्र की शिक्षा नीति को ध्यान में रखकर ही हमें समाधान खोजना चाहिए।

ऑनलाइन क्लासेज व ऑफलाइन क्लासेज के लाभ, हानियों को दृष्टि में रखकर, शिक्षा के मूल उद्देश्य को ध्यान में रखकर, छात्रों के हित तथा राष्ट्र हित को सर्वोच्च स्थान पर रखकर ही हम कुछ नतीजे पर पहुंचने का प्रयास कर सकते हैं।

आइए, हम ऑनलाइन व ऑफलाइन क्लासेस की अच्छाइयों को बुराइयों को दृष्टिगत कर एक तुलनात्मक खाका खींचने का प्रयास करते हैं।

ऑनलाइन कक्षायें -

इसमें कोई संदेह नहीं है कि आने वाला समय ऑनलाइन कार्य करने का ही है। सारी दुनिया डिजिटल हो चली है। सब कुछ पेपरलेस हो गया है। भविष्य में विद्यार्थियों को भी डिजिटल होना ही होगा और हो भी क्यों नहीं सारी दुनिया के साथ जो चलना है उन्हें, तो ऐसे में ऑनलाइन से शिक्षा लेना समय के साथ चलना ही कहलाएगा। बालकों को शुरू से ही डिजिटल वर्ल्ड से रूबरू करवाने का विचार अच्छा है। तो ऐसे में ऑनलाइन क्लासेस से परहेज क्यों?

लेकिन जहां तक शिक्षा का सवाल है तो यह एक गंभीर एवं संवेदनशील विषय है। जिस पर बहुत गूढ़ विचार करने की आवश्यकता है। शिक्षा का मुख्य लक्ष्य है, विद्यार्थियों का सर्वांगीण विकास (All round development)। सर्वांगीण विकास में जीवन के वे सभी पहलु आते हैं जो बालक को जानना आवश्यक है इन्हें व्यवहार में उतारना अपेक्षित है।

ऑनलाइन क्लासेस का अनुभव छात्रों, शिक्षकों, अभिभावकों एवं विद्यालय प्रशासन को हुआ है। इन सबके मिले-जुले अनुभवों को हम यूं शेयर कर सकते हैं।

- विद्यालय आने जाने में जो समय लगता है उसकी बचत होती है।

- विद्यालयों में इंफ्रास्ट्रक्चर की आवश्यकता ही नहीं रहती।
- 5-6 वर्ष की आयु वर्ग के बालक ज्यादा देर ऑनलाइन क्लासेस में केंद्रित नहीं रहते, वे खिड़की के बाहर चिड़िया, कबूतर या अन्य वस्तुएं देखते रहते हैं।
- बालक प्रश्न पूछने से झिझकते हैं। बच्चे लैपटॉप पर विषय वस्तु का स्पष्ट ज्ञान नहीं हो पाता है।
- ऑनलाइन क्लासेज में, छात्र छात्राएं अपनी जिज्ञासाओं को अभिव्यक्त नहीं कर पाते हैं। अभिव्यक्ति कौशल का समुचित विकास नहीं हो पाता है।
- छात्र व अध्यापकों में जुड़ाव नहीं बन पाता है, जो आवश्यक है।
- ऑनलाइन क्लासेस में एक तरफा संवाद ही अधिक होता है। अध्यापक जी बोलते हैं, बालक केवल सुनते हैं, कभी मन लगा कर तो कभी अनमने मन से ऊंघते हुए।
- कक्षा में केवल किताबों का ज्ञान ही मिल पाता है।
- ऑनलाइन में Co-curricular activities को करवाने का कोई अवसर नहीं होता। इन का सर्वथा अभाव रहता है।
- छात्र अध्यापकजी में समुचित तारतम्य नहीं जुड़ पाता है।
- छात्र का अन्य छात्र से भी संपर्क नगण्य ही रहता है।
- कई बार बिजली, इंटरनेट की समस्या होने के कारण बालकों की कक्षा छूट जाती है।
- बिजली व इंटरनेट की समस्या के कारण ऑनलाइन परीक्षा देने से छात्र वंचित रह जाता है।
- ऑनलाइन क्लासेस में बालक में लीडरशिप गुणों का विकास नहीं हो पाता है।
- संस्कार निर्माण, जीवन मूल्यों के विकास के अवसर नगण्य प्रायः ही होते हैं।
- स्वस्थ प्रतिद्वंद्विता के बीज बालकों में नहीं बोए जा सकते।
- स्पोर्ट्स, फिजिकल एक्सरसाइज आदि का अभाव रहता है।

- आंखों पर अतिरिक्त बोझ पड़ता है। रेडिएशन का प्रभाव बालकों पर दृष्टिगोचर होने लगते हैं।
- अभिभावक भी दिनभर बालकों में व्यस्त हो जाते हैं। होमवर्क के लिए भी बालक अभिभावकों की तरफ ताकते नजर आते हैं।
- लैपटॉप पर कक्षाएं अटेंड करते करते बालकों को Posture defective होता जा रहा है, जिसका परिणाम गर्दन व कमर में दर्द हो जाता हैं।
- बच्चे आलसी व सुस्त हो गए हैं। एक्टिविटी लेवल कम हो गया है।
- बच्चों को तनाव ने घेर लिया है।
- बच्चे अनमने व चिड़चिड़े व क्रोधी हो गए हैं।
- सारे दिन घर पर रहने के कारण बच्चे दिनभर कुछ न कुछ खाते रहते हैं, जिससे बच्चे मोटे हो गए हैं।
- सवेरे देर से उठने की आदत पड़ गई है।
- सारे दिन लैपटॉप, मोबाइल, टीवी पर ही अपना समय बिता रहे हैं, बच्चों का स्क्रीन टाईम बढ़ गया है।
- अध्यापक जी भी ऑनलाइन क्लासेस लेने से खुश नहीं है, उन्हें भी पढ़ा कर संतुष्टि प्राप्त नहीं हो रही है।
- अध्यापकों के भी अधिकांश समय लैपटॉप पर आंखें गड़ाए रहने के कारण आंखों पर चश्मे लग गए हैं।
- अध्यापकों, अभिभावकों एवं विद्यालय प्रशासन के स्कूल की फीस को लेकर टकराव हो चला है जो सुप्रीम कोर्ट तक जा पहुंचा है।
- बालकों की लिखने की आदत प्रायः छूट गई है।
- सरकारी विद्यालयों के गरीब बच्चे लैपटॉप की व्यवस्था नहीं कर पाते हैं।

ऑफलाइन क्लासेस -

आइए अब ऑफलाइन क्लासेस पर एक नजर डालते हैं।

- शिक्षा का मुख्य उद्देश्य बालकों का सर्वांगीण विकास करना होता है जो विद्यालय में वह कक्षा कक्ष में ही किया जा सकता है।
- सर्वांगीण विकास के लिए विद्यालय की भूमिका अत्यंत महत्वपूर्ण होती है।
- सीखने, सिखाने का वातावरण विद्यालय में ही बन पाता है। अतः विद्यालय में ही बालक अधिगम अच्छी तरह से कर सकते हैं।
- विद्यालय के कक्षा कक्ष में ही बालक व शिक्षकों के बीच गुरु शिष्य का संबंध बनता है जो बालक के लिए सदैव हितकर होता है।
- विद्यालय में ही छात्र व शिक्षक का एक सकारात्मक तारतम्य, सामंजस्य जुड़ता है। गुरु, शिष्य के रिश्ते सहज ही जुड़ जाते हैं, जिसे बालक को ज्ञान सीखने, प्रश्न पूछने एवं जिज्ञासा शांत करने की पहल का अवसर मिल सकते हैं।
- पीयर ग्रुप (समवयस्क समूह) में रहने से छात्र का भावनात्मक विकास होता है। पीयर ग्रुप में बातचीत करने से, अपने अनुभवों को शेयर करने से बालक के ज्ञान की वृद्धि होती है व आपसी सामंजस्य भी बैठाने में सक्षम हो पाता है।
- खेलकूद में भाग लेने से टीम भावना का विकास होता है जो विद्यालय के खेल के मैदान में संभव है।
- विद्यालयों में स्वच्छता व स्वावलंबन का पाठ भी आसानी से बच्चों के दिलों दिमाग में बैठाया जा सकता है। वैयक्तिक सफाई, कक्षा कक्ष की सफाई, विद्यालय की सफाई, सार्वजनिक स्थलों की सफाई की ओर बालकों का ध्यान आकर्षित किया जा सकता है।

- विद्यालयों में बड़े-बड़े खेल के मैदान होते हैं जिसमें खेलकर छात्र शारीरिक विकास, कसरत, योग आदि कर सकते हैं। स्वस्थ प्रतियोगिता की भावना का विकास सहज ही में हो जाता है।
- विद्यालयों में Co-curricular activities का आयोजन किया जाता है। वाद विवाद प्रतियोगिता, निबंध प्रतियोगिता, खेलकूद प्रतियोगिता, चित्रकारी प्रतियोगिता, कवि सम्मेलन, डांस, म्यूजिक प्रतियोगिता, ग्रुप डांस म्यूजिक कंपटीशन, लेखक प्रतियोगिता, भित्ति पत्रिका, विद्यालय का वार्षिक कार्यक्रम, विद्यालय की वार्षिक पत्रिका में स्वयं लिखना, आदि के अवसर विद्यालय में प्राप्त हो सकते हैं।
- हिंदी व अंग्रेजी भाषा में लेखन व सुलेख शुद्ध हो, स्पेलिंग मिस्टेक्स ना हो, वाक्य विन्यास व्याकरण की दृष्टि से सही हो, ये अध्यापकों की देखरेख में ही संभव हो सकता है।
- विद्यालय के नियमों की पालना करना, अनुशासन, समय की पाबंदी, अध्यापकों व बड़ों का आदर करना, अभिवादन करना आदि चरित्र निर्माण के आधारभूत स्तंभ है। विद्यालयों में प्रतिस्पर्धा की भावना भी विकसित हो पाती है।
- विद्यालयों में लिखित व मौखिक अभिव्यक्ति के बहुत अवसर उपलब्ध होते हैं।
- विद्यालय में प्रार्थना सभा का आयोजन बहुत ही महत्वपूर्ण एक्टिवीटि है। बालक का प्रभु स्मरण करना, देशप्रेम की भावना, महापुरूषों के बारे में जानना, उनसे प्रेरणा लेना, शारीरिक व्यायाम करना आदि व Thought of the day के माध्यम से हर बालकों को प्रार्थना सभा में बोलने का अवसर प्राप्त होता है। बच्चों की विशिष्ट उपलब्धियों के लिए प्रार्थना सभा में सम्मानित करने से उनमें नई ऊर्जा व प्रोत्साहन का संचार होता है।

- Sports day, Picnic, Camp, Open air session, NCC, Guide, अंताक्षरी, Fancy Dress Competition आदि एक्टिविटी बालकों को बहुत सिखाती है।
- महापुरुषों की जयंती मनाना, विभिन्न दिवस मनाना, गणतंत्र, स्वतंत्रता दिवस आदि क्रियाकलाप बालकों में देश प्रेम जगाता है।
- छात्रों में उल्लास, उत्साह, स्वाभाविक खिल-खिलाहट विद्यालयों में ही जीवंत हो पाती है।
- विद्यालयों में छात्र अपने कर्तव्यों एवं अधिकारों की जानकारी प्राप्त करता है जिससे वह देश का जिम्मेदार नागरिक बन सके।
- विद्यालय में अध्यापक की नजर हर विद्यार्थी पर रहती है अतः छात्रों को attentive रहना होता है।
- विज्ञान के विद्यार्थियों के प्रायोगिक कार्य करने के लिए सुसज्जित प्रयोगशाला उपलब्ध होती है। अध्यापकों की देखरेख में प्रयोग करते हैं।
- विद्यालयों में पुस्तकालय होता है जिनका उपयोग कर ज्ञान में वृद्धि कर सकता है।
- विद्यालयों में बालकों को अपना लंच भी करना होता है। बालक एक साथ बैठकर खाना खाते हैं, आपस में शेयर करना भी सीखते हैं।
- विद्यालयों में श्रम के प्रति निष्ठा, श्रमदान, विनय भावना, सेवाभावना, शिष्टाचार, स्वावलंबन का विकास भली-भांति किया जाता है।
- विद्यालयों में समान ड्रेस कोड से समानता की भावना का विकास होता है। धनी, गरीब, जात-पात का कोई विषय यहां नहीं होता।
- प्रत्येक बालक को अपनी प्रतिभा निखारने का मौका मिलता है।

- लाइन में खड़े रहकर अपनी बारी का इंतजार करना, मॉनिटर बनकर नेतृत्व के गुणों का विकास करना, कक्षा में अनुशासन बनाए रखना, सॉरी बोलना, धन्यवाद देना, क्षमा मांगना, क्षमा करना, एक दूसरे की इज्जत करना, बालक स्वाभाविक रूप से सीख जाता है।
- विभिन्न समुदायों के त्यौहारों को विद्यालय में सहर्ष मनाया जाता है। बालक में इससे सभी धर्मों के प्रति निष्ठा के भाव पैदा होते हैं। भारतीय संस्कृति की कला, लोककला, रीति रिवाज आदि जान जाता है।
- एक दूसरे से प्रेम करना, दया भाव, करुणा का भाव, पशु पक्षियों के प्रति करुणा का भाव बालक सीखता है।
- पाप, पुण्य, अहिंसा, सत्य, चोरी नहीं करना, शील एवं आवश्यकता से अधिक संग्रह नहीं करने की प्रवृत्ति का विकास विद्यालयों में सहज ही हो जाता है।
- विद्यालयों में नैतिक मूल्य, जीवन मूल्य, संस्कार निर्माण के लिए विभिन्न कार्यक्रम आयोजित किए जाते हैं।
- विद्यालयों में दान की भावना, यथा बाढ़ पीड़ितों, भूकंप पीड़ितों आदि की मदद में आगे आने हेतु प्रोत्साहित किया जाता है।

उपर्युक्त चर्चा से हम समझ सकते हैं कि ऑनलाइन कक्षाएं विकट परिस्थितियों के लिए उपयुक्त हो सकती है किंतु ये विद्यालयी शिक्षा, ऑफलाइन क्लासेस का विकल्प नहीं हो सकती।

सारा जमाना डिजिटल हो गया है, इस बात से इंकार नहीं किया जा सकता। आज तो कुछ कंपनियां ऐसी भी हैं जो बालक की हर समस्या का समाधान छोटे-छोटे वीडियो बनाकर कर, कर रही है। करीब 3 करोड़ वीडियो बने हुए हैं इस तरह के। डिजिटल युग में ये नई तकनीक, नया विकास शिक्षा के क्षेत्र में मददगार हो सकता है।

किंतु शिक्षा के कुछ बुनियादी सिद्धांत होते हैं। जिन्हें बदलना बालकों के हित में नहीं हो सकता। हमारे मूल लक्ष्यों के मद्देनजर हम डिजिटल हो सकते हैं लेकिन हमारी बुनियाद, हमारी नींव तो शिक्षा के मंदिर में ही सुदृढ़ हो सकती है। विद्यालय भवन, शिक्षक, बालक विद्यालय का इंफ्रास्ट्रक्चर शिक्षा देने व पाने में अत्यंत महत्वपूर्ण भूमिका निभाता है। यही सत्य है।

आने वाले सत्र निश्चित रूप से विद्यार्थियों, अध्यापकों, अभिभावकों के लिए चुनौती भरे हो सकते हैं। विद्यालय प्रशासन के लिए भी ये परीक्षा की घड़ी होगी।

बालकों को नए सिरे से विद्यालय में रमाना पेपर पैंसिल पकड़वाना, 45 मिनट की कक्षा में attentive रखना आदि अनेक कार्य करवाना मशक्कत भरा होगा।

अभी भी कोरोना का खतरा मंडरा रहा है। ऐसे में विद्यालयों में मास्क पहनना, सोशियल डिस्टेंस रखना, बार-बार हाथ धोना जैसे सुरक्षा उपायों को लागू करना विद्यालय की महत्ती जिम्मेदारी होगी। विद्यालय प्रशासन भी सुनिश्चित करें कि विद्यालय परिवार सुरक्षित रहे। कोरोना से सुरक्षा वर्तमान में सबसे महत्वपूर्ण बिंदु है। हर विद्यालय आने वाले सत्रों की चुनौतियों से कैसे पार पाता है यह देखना दिलचस्प होगा।

संग्रह की प्रवृत्ति : भ्रष्टाचार की उत्पत्ति

समस्त विश्व का गुरु बनने का दम भरने वाला भारत आज घोटालों का देश हो गया है। भारत की आम जनता इस तथ्य से शर्मसार है, उद्वेलित है।

विगत वर्षों में समस्त भारत भ्रष्टाचार रूपी महामारी के चपेट में आ गया है। यह महामारी विकराल रूप धारण कर लोकतंत्र की जड़ें खोखली करने लगी है। यदि समय रहते इसका इलाज नहीं किया तो यह सारे भारत को लील जाएगी। देश के कतिपय मंत्री, जनप्रतिनिधि, अफसर, बाबू एवं उद्योगपति भ्रष्टाचार के आकंठ में डूबे हुए हैं। भ्रष्टाचार को शिष्टाचार का जामा पहनाने में इनकी महत्वपूर्ण भूमिका है। कथनी और करनी में इनका कोई साम्य नहीं है। बड़े-बड़े नैतिक भाषण देने वाले नेता अपनी काली करतूतों से बाज नहीं आते। दु:ख इस बात का है कि इन भ्रष्टाचारी नेताओं, अफसरों, उद्योगपतियों को शर्म, हया या पछतावे की भावना भी बिल्कुल नहीं होती।

देश के समाचार पत्र इन समाचारों से भरे पड़े हैं। चोर बाजारी, रिश्वत, लूटखसोट, बलात्कार, अपहरण, हत्याएं, मिलावट, करचोरी, जमाखोरी के समाचार प्रिंट मीडिया व इलेक्ट्रॉनिक मीडिया की सुर्खियां होती है।

कई राजनेता इस भ्रष्टाचार को स्वाभाविक मानने एवं यह सभी देशों में होता है का संदेश देते हैं तो भ्रष्टाचार पनपने के अवसर और अधिक प्रबल हो जाते हैं।

भ्रष्टाचारी देशों की सूची में भारत का नाम अग्रणी देशों में आता है। देश में भ्रष्टाचार व पापाचार का घड़ा भर चुका है। अब इसका अंत

होना ही चाहिए। भ्रष्टाचार का एक कारण नहीं वरन् असंख्य कारण एवं क्षेत्र हैं। किंतु यदि हम भ्रष्टाचार का एक मोटा कारण खोजें तो हम पाएंगे कि वह है - लोभ और संग्रह की प्रवृत्ति। आर्थिक आसक्ति के कारण भ्रष्टाचार फैल रहा है। असीमित लोभ की प्रवृति व्यक्ति को भ्रष्टाचार की ओर प्रवृत्त करती है। सभी पापों के बीज में लोभ ही हैं वह सब पापों का बाप है।

लोभी व्यक्ति पशु से भी गया बीता हो जाता है। पशु का लोभ तो केवल उदरपूर्ति तक ही सीमित होता है लेकिन मनुष्य का लोभ कभी भी न समाप्त होने वाला है, वह कभी संतुष्ट नहीं होता। ज्ञानियों ने कहा कि मनुष्य का मन कभी न भरने वाली छलनी है।

विश्व में संघर्षों का कारण सदैव मनुष्य की असीमित इच्छाएं रही हैं। असीमित महत्वाकांक्षाएं, अमर्यादित इच्छाएं, मनुष्य को पापों की ओर धकेलती है। समस्त पापों की उत्पत्ति संग्रह (परिग्रह) से होती है। सब पापों की उद्गम स्थली संग्रह प्रवृत्ति होती है।

संग्रह के प्रति आसक्ति रखने वाले जीव कभी शांति प्राप्त नहीं कर सकते हैं। परिग्रह ही हिंसा का मूल कारण है। परिग्रह ममत्व है, मूर्छा है। ममत्व के कारण ही हिंसा होती है। ममत्व शरीर, वस्त्र, मकान, धन-संपत्ति, परिवार आदि पर हो सकती है। वास्तव में ममता का दायरा बहुत विस्तृत है।

जहां ममत्व नहीं होता वहां हिंसा नहीं होती है। वास्तव में अपरिग्रह परम धर्म है। ममत्व का विसर्जन जहां होगा वहां हिंसा नहीं हो सकती। ज्ञानीजन कहते हैं की इच्छा, मूर्छा से क्रोध, मान, माया और लोभ रूपी चार कषायों का तादम्य संबंध है। जहां परिग्रह होता है वहां का क्रोधादि चार कषाय अवश्य होते हैं। परिग्रह समस्त पापों का केंद्र है। तत्वदर्शी पुरुषों का चिंतन और अनुभव कहता है कि परिग्रह अनर्थों का मूल है, अशांति का कारण है, दुःख रूप है, बंधन रूप है,

पाप का कारण है, दुर्गति का हेतु है। उन्होंने धन और परिग्रह को अभिशाप माना है।

धन विषधर समान है। इस विष को जिसने भी पीया वह सदैव दु:खी रहा है। उन्हें धनोपार्जन में दु:ख होता है, रक्षा करने में भी दु:ख होता है और धन के नाश या व्यय में भी दु:ख होता है। महाकवि शेक्सपियर ने कहा है, 'मनुष्यों की आत्मा के लिए सोना निकृष्टम विष है। इस दुखमय विश्व में धन का विष अन्य विषयों की अपेक्षा अधिक मारक व संहारक है।

महापुरुषों ने भ्रष्टाचार, लोभ, परिग्रह आदि पापों से छुटकारा पाने का बहुत ही सटीक उपाय बताया है। वह है अपरिग्रह व्रत। अपरिग्रह व्रत का अर्थ है इच्छाओं का परिसीमन- अर्थात् अमर्यादित, अनियंत्रित, असीमित इच्छा के सरोवर की पाल बांधना। बिना ओर छोर वाली इच्छाएं अनिष्टकारी होती है, अतः इन इच्छाओं की अरमणीयता को दूर करने के लिए इसके चारों ओर परिमाण की पाल बांध देनी चाहिए। पाल बांध देने से इच्छाओं के सरोवर की अनिष्टकारिता दूर हो पाएगी व परिणाम श्रेष्ठ ही आएंगे। इसलिए प्रभु ने परिग्रह के दुष्परिणामों से दूर रहने के लिए श्रावकों को इच्छा परिमाण करने का निर्देश प्रदान किया है।

इच्छा परिमाण का अर्थ है कि मनुष्य अपनी धन व अन्य पदार्थों की इच्छा का परिसीमन करें, मर्यादित करें, सीमित करें। इच्छा परिमाण का उद्देश्य दुनिया भर के समस्त पदार्थों की विस्तृत इच्छाओं से अपने मन को खींचकर एक सीमित दायरे में कर लेना है। समस्त पदार्थों का त्याग नहीं करना है वरन् उन्हीं पदार्थों पर से इच्छा मूर्छा का त्याग करना है जो पदार्थ महापरिग्रह की श्रेणी में माने जाते हैं, या जिन पदार्थों की इच्छा निकृष्ट हो या दूसरों के लिए घातक हो। इच्छा परिमाण व्रत ग्रहण करने वाला व्यक्ति इस बात का संकल्प

लेता है कि वह इन पदार्थों से अधिक पदार्थों पर स्वामित्व या ममत्व नहीं रखेगा संकल्पित पदार्थों के अलावा किसी पदार्थ की इच्छा नहीं रखेगा।

जब मनुष्य समस्त भोगों से विरक्त हो जाता है तो वह आत्म साधना में जुट जाता है। इच्छा परिमाण में पदार्थों की मर्यादा जितनी कम होगी उतना ही दुख और संसार भ्रमण कम होगा, क्योंकि उसका ध्येय समस्त इच्छाओं का त्याग कर मोक्ष को प्राप्त करना होता है। अपनी इच्छा-मूर्छा को समस्त इच्छाओं का त्याग कर मोक्ष को प्राप्त करना होता है। अपनी इच्छा-मूर्छा को समाप्त कर ही हम मंजिल तक पहुंच सकते हैं। दो प्रकार के परिग्रह बताए गए हैं- बाह्य व आभ्यांतर। क्रोध, मान, माया, लोभ, मिथ्यात्व, हास्य, रति, अरति, शोक, भय, जुगुप्सा, स्त्रीवेद, पुरुषवेद व नपुंसक वेद ये 14 प्रकार के भेद आभ्यांतर परिग्रह के हैं। बाह्य परिग्रह के 9 रूप बताए गए हैं - क्षेत्र, वस्तु, हिरण्य, सुवर्ण, धन, धान्य, द्वीपद, चतुष्पद व कुप्य। इन नौ प्रकार के परिग्रह में संसार के समस्त सचित्त व अचित्त पदार्थों का समावेश हो जाता है।

उक्त प्रकार के बाह्य परिग्रहों का सीमांकन करने के लिए पहले हमें आभ्यंतर परिग्रह को नियंत्रित करना अत्यंत आवश्यक है। क्योंकि समस्त इच्छाओं का संबंध मन से है और मन आभ्यंतर परिग्रह से संबंधित है। अत: जितना आभ्यंतर परिग्रह को न्यून करते चले जाएंगे, उतने ही अनुपात में हम बाह्य परिग्रह से छुटकारा पाते चले जाएंगे, ममत्व व मूर्छा कम होती चली जाएगी।

सारांश रूप से हम कह सकते हैं कि इच्छा परिमाण व्रत से निश्चित पदार्थों की मर्यादा हो जाती है। इच्छाओं पर नियंत्रण हो जाता है। इच्छाओं पर नियंत्रण होते ही लोभ कम हो जाता है। लोभ ही भ्रष्टाचार का मुख्य कारण है। इस प्रकार हम देखते हैं कि इच्छा

परिमाण व्रत लेने से व्यक्ति का लोभ कम होता चला जाता है व वह भ्रष्टाचार के कीचड़ में फंसने से बच जाता है।

आवश्यकता है व्यक्ति की बाह्य एवं आंतरिक चेतना को जगाने की। एक एक व्यक्ति की चेतना जागृत होगी, उसकी मूर्छा, बेहोशी टूटेगी, लोभ कम होगा, वह भ्रष्ट होने से बचता चला जाएगा। व्यक्ति समाज से बनता है। यदि समाज का प्रत्येक व्यक्ति अपनी आंतरिक चेतना को जगाए, इच्छाओं को सीमित करें तो वह भ्रष्टाचार को कभी भी नहीं अपनाएगा व भ्रष्टाचार का विरोध करने में भी सक्षम हो सकेगा। एक एक व्यक्ति इच्छा परिमाण का व्रत लेकर भ्रष्टाचार मुक्त समाज एवं स्वस्थ समाज का निर्माण कर अपनी महति भूमिका का निर्वाह कर सकता है।

अभिभावक होने के मायने

21वी सदी स्मार्ट सदी, 21वी सदी प्रतिस्पर्धा की सदी, नई-नई तकनीकों की सदी, संचार क्रांति की सदी है। सारी दुनिया की सूचनाएं केवल एक बटन दबाने पर उपलब्ध हो जाती है। धन दौलत, भौतिक सुख सुविधाओं की कमी नहीं है इस युग में इतनी चकाचौंध, सुविधाएं तो किसी अन्य युग में मनुष्य को शायद उपलब्ध नहीं हुई होगी।

सुख सुविधाओं से संपन्न होते हुए भी मन अशांत रहता है। भागमभाग वाली जिंदगी में सुकून के दो पल तलाशना मुश्किल हो चला है।

इस घोर प्रतिस्पर्धा के युग में सबसे अधिक तनावग्रस्त व अशांत है तो वह है विद्‌यार्थी व उनके अभिभावक।

संतान की समुचित परवरिश, संतान में सुसंस्कार, मानवीय जीवन मूल्यों की शिक्षा का समावेश करना अभिभावकों की महती जिम्मेदारी होती है। वर्तमान में अभिभावक बालकों की वांछित व अवांछित इच्छाओं की पूर्ति करते हैं जो कहां तक उचित है? बालकों के साथ अभिभावकों का संतुलित व्यवहार होना चाहिए। लाड प्यार की जगह लाड प्यार एवं फटकार की जगह फटकार। फटकार बहुत तीखी न हो वरन् मीठी हो। क्योंकि आजकल के बच्चों की सहनशीलता खत्म प्रायःहो चली है।

नित्य समाचार पत्रों में प्रतियोगी परीक्षाओं हेतु तैयारी कर रहे कोचिंग संस्थानों के छात्र-छात्राओं द्‌वारा तनाव के चलते आत्महत्या करने के समाचार प्रकाशित होते रहते हैं। मा.शि. बोर्ड व केंद्रीय मा.शि. बोर्ड के परीक्षा परिणामों के पश्चात् भी छात्र-छात्राओं द्‌वारा

आत्मघात करने के दुखद समाचार सुर्खियों में होते हैं। कई छात्र-छात्राएं अवांछित गतिविधियों में भी लिप्त पाए जाते हैं। कोचिंग संस्थानों के विद्यार्थियों की गुटबाजी के चलते एक गुट के छात्रों द्वारा दूसरे गुट के छात्रों की हत्या के मामले भी प्रकाश में आए हैं। ये गंभीर स्थिति है।

प्रतिभावान विद्यार्थी अपने लक्ष्य को लेकर स्पष्ट होते हैं, बहुत फोकस्ड होते हैं ना? सामान्य बुद्धि वाले विद्यार्थी भी होते हैं जो इन परीक्षाओं में खरे नहीं उतर पाते। माता-पिता की अति महत्वकांक्षा को पूरा नहीं कर पाते। ये विद्यार्थी निराशा व अवसाद के शिकार हो जाते हैं। समय रहते इन्हें नहीं संभाला जाए तो ये आत्महत्या तक कर बैठते हैं। जाहिर है इन बच्चों के अभिभावक घोर तनाव व निराशा पाल बैठते हैं।

माता पिता और संतान का रिश्ता जब से दुनिया बनी है तब से है। सदा काल से माता-पिता संतान की परवरिश करते आए हैं। लेकिन वर्तमान समय में अभिभावकों के लिए बच्चों का पालना पोसना, संस्कार देना, योग्य बनाना वह एक जिम्मेदार नागरिक बनाना कड़ी चुनौती है।

अभिभावक बनना बड़े ही उत्तरदायित्वपूर्ण भरा होता है। अभिभावक का गरिमामय होना एवं अभिभावकत्व का निर्वाह करना निःसंदेह दुरूह कार्य है। अभिभावक होने के मायने बहुत व्यापक है। केवल जन्म देना ही काफी नहीं हैं, वरन् जन्म के पश्चात् शिशु की देखरेख से लेकर बालक के व्यक्तित्व के विकास की समुचित व्यवस्था कर हम अभिभावक होने के मायने को सही दिशा एवं सटीक शेप देकर विस्तार दे सकते हैं।

अभिभावक की हर एक्टिविटी का प्रभाव बालक पर पड़ता है। यदि अनुकूल कार्यकलाप हैं तो अनुकूल प्रभाव व यदि नकारात्मक

कार्यकलाप हैं तो नेगेटिव प्रभाव पड़ता है। अभिभावक ही अपने बालक रूपी कच्ची मिट्टी को गढ़ता है, उसे सही शेप देता है इसलिए अभिभावक होने के बहुत मायने होते हैं।

यदि अभिभावक स्वयं सदाचारी, संस्कारवान हैं, नैतिकतावादी हैं तभी ही वो बालक को संस्कारवान बना सकते हैं, नैतिकतावादी बनने की प्रेरणा दे सकते हैं।

वस्तुतः माता-पिता ही बालक की प्रारंभिक अवस्था में आइकॉन होते हैं उन्हें ही तो वे अपना आदर्श मानते हैं, तो जाहिर है कि उनके इर्द-गिर्द ही वे अपनी दुनिया बसाते हैं। जीवन का प्रथम पाठ माता-पिता ही तो सिखाते हैं उन्हें। इसलिए जैसा व्यवहार माता-पिता करते हैं बच्चे उन्हीं का अनुसरण करते हैं। यदि आपके अवांछित व्यवहार को बालक अपनाता है तो आप टोकते हैं तब वो तपाक से जवाब देता है कि आप से ही तो सीखा है आप भी तो ऐसा ही करते हैं ना? अतः अभिभावक को सावधानीपूर्वक कदम उठाने चाहिए। गाली गलौच, अपशब्दों का प्रयोग तत्काल त्याग देना चाहिए।

माता-पिता का आपसी तनाव व झगड़ा भी बालकों पर बुरा असर डालता है। घर का दमघोटूँ माहौल, हिंसक वातावरण, अभिभावकों के बीच मारपीट बालकों के कोमल ह्रदय पर प्रतिकूल असर डालता है। वो अपने आप को असुरक्षित महसूस करने लगता है। माता-पिता के झगड़ो के परिणाम स्वरूप कई बच्चे मानसिक रूप से कमजोर होते देखे गए हैं, कई बार बालक घर से भाग भी जाते हैं सुकून की तलाश में। उनमें अपराध बोध घर कर जाता है। बच्चे हिंसक व गुस्सैल बन जाते हैं।

अभिभावकों व बालकों के बीच संवादहीनता भी बालक के लिए घातक सिद्ध हो सकती है। ऐसे में वो गलत संगत में भी पड़ सकता है। वो

इन्फिरियटी कॉम्पलेक्स से पीड़ित हो जाता है। वो अपनी पीड़ा किसी से नहीं शेयर कर पाते वे मन ही मन घुटने लगते हैं।

कई बार पति-पत्नी के झगड़े तलाक की नौबत तक पहुंच जाते हैं। इससे पति-पत्नी की लाइफ तो खराब होती ही है लेकिन बच्चे भी ताउम्र इस घाव को लेकर जीते हैं।

कभी कभी यह भी देखने में आता है कि अभिभावक अपने बच्चे की तुलना उसके मित्रों, उसके भाई बहनों से भी करने लगते हैं। भाई पढ़ाई में कमजोर है और बहन होशियार तो माताएं सदैव उस भाई को उलाहना व बहन की प्रशंसा करती रहती है। ये तुलना बेटे को नागवार गुजरती है। उसे कमतर समझने के लिए मजबूर करती है। बालक स्वयं को तिरस्कृत महसूस करता है। उसका मन विद्रोह कर बैठता है। उसके मन में माता-पिता के प्रति घृणा के बीच पनपने लगते हैं, जो स्वयं उसके लिए माता, पिता के लिए घातक होता है।

वस्तुतः अभिभावक बनने के बाद कई सेक्रिफाइसिस करने होते हैं। पति पत्नी, का अहं एक साइड में रख कर घर में हैल्दी वातावरण का निर्माण करना उनका दायित्व होता है। बालक का सही दिशा में लालन-पालन हो, बालक होनहार, सर्वगुण संपन्न बने इसके लिए आवश्यक है कि उसे अभिभावकों का भरपूर प्यार एवं संरक्षण प्राप्त हो। अभिभावक हर हाल में घर का वातावरण सोहद्रपूर्ण, शांतिपूर्ण, खुशहाल व हैल्दी रखे ताकि बालक का चहुंमुखी विकास हो सके।

बालकों को सदैव ये विश्वास दिलाते रहना चाहिए कि वह हमेशा उनके साथ है- अच्छी या बुरी घड़ी में। कभी भी बालकों को ये नहीं लगना चाहिए कि यदि वो अभिभावकों की अपेक्षा पर खरा नहीं उतरा तो उन्हें अपना मुंह कैसे दिखाऊंगा? यह नकारात्मक भावना ही बालक को आत्महत्या के मोड़ पर ले जाती है। बालक को समस्याओं से

दो-दो हाथ करना सिखाएं, उन्हें पलायनवादी न बनावें। अपनी संतान को ये यकीन दिलावें कि वो हर पल उसकी केयर करते हैं, उसे प्यार करते हैं व वो उनके लिए अमूल्य है।

संतान को निराशा व अवसाद से न घिरने दें। आपसी विश्वास बालक को बहुत सम्बल देता है। संतान मेहनतकश बने उसके लिए अभिभावकों को भी मेहनतकश होना होगा। जब बालक मेहनती, परिश्रमी होगा, फोक्स्ड होगा तब ही तो वो अपनी महत्वाकांक्षाओं को पर दे सकेगा व अपने लक्ष्य को हासिल कर सकेगा।

अभिभावक केवल बुकिश ज्ञान पर ही बल ना दें वरन् जीवन की शिक्षा पर भी ध्यान दें। बालकों के जीवन निर्माण का दायित्व केवल विद्यालयों पर ही नहीं है वरन् अभिभावकों की भी अहम भूमिका है। अभिभावकों को समय-समय पर बालक को असल जिंदगी को समझने की, जीने की राह दिखानी चाहिए। कभी-कभी उसके मन को भी टटोलते लेते रहना चाहिए। ताकि संतान के मन में क्या चल रहा है, पता चल सके। ये तब ही हो सकता है जब अभिभावक बालक के साथ खुले, मित्रवत व्यवहार करें, उसका विश्वास हासिल करें।

आधुनिक युग में बालक का ज्ञान बहुत विस्तृत होता है, अतः उसके अपने विचार बन जाते हैं। अभिभावकों को उस पर अपनी सोच थोपनी नहीं चाहिए, ज्यादा दखलअंदाजी ठीक नहीं। हां, यदि वो आपसे सलाह लेना चाहता है तो खुलकर अपनी सलाह अवश्य दें।

बालकों में नैतिकता के पाठ, जीवन मूल्यों के विषय बताने के लिए हितोपदेश व पंचतंत्र की कहानियां, दादी, नानी की कहानियां, दादी नानी के अनुभव किस्से आधुनिक युग से जोड़ते हुए अवश्य सुनाने चाहिए। छोटे बालकों के मन पर ये गहरी पैठ छोड़ेंगे। बालक इनसे बहुत कुछ सीख सकता है। जीवन रूपी कक्षा में सफल हो सकता है।

आज का युग प्रतिस्पर्धा का युग है। गलाकाट प्रतियोगिता के घातक परिणाम हम सबके सामने हैं। अभिभावक बालकों को प्रतियोगी परीक्षाओं हेतु अवश्य तैयार करें लेकिन पागलपन की हद तक नहीं। माता-पिता इस विषय में अपनी भूमिका का निर्वाह बहुत सूझबूझ से करें।

न तो अभिभावक को चुगलखोर होना चाहिए न ही अपने बालकों को चुगलखोर बनने देना चाहिए। चुगलखोरों को समाज हेय दृष्टि से देखता है।

यूं तो लड़के लड़की में भेदभाव काफी हद तक कम हो गया है किंतु फिर भी कभी-कभी ये भेदभाव माता-पिता के व्यवहार में उभर कर आ ही जाता है। यह बालकों पर गहरा प्रभाव डालता है। अतः अभिभावकों को लिंगभेद से बचना होगा।

अभिभावकों का स्वयं शीलवान होना आवश्यक है। आज के युग में तो ये शब्द आउट ऑफ़ फैशन हो चला है लेकिन इसकी महत्ता हर युग में रही है, आज भी शीलवान होना अपेक्षित है अभिभावकों का। अतः बालक को चरित्रवान बनाना है तो पहली शर्त है कि अभिभावक सत्चरित्र हों।

बालक पर संगी साथियों का भी बहुत असर पड़ता है। अतः पेरेंट्स को बालक की संगति पर भी कड़ी निगाह रखनी होगी।

बालकों के समक्ष अन्य व्यक्तियों की, रिश्तेदारों की, दोस्तों की बुराई न करें, अन्यथा बच्चों में भी दूसरों के अवगुण देखने की आदत पैदा हो सकती है।

अभिभावक कथनी व करनी में अंतर न रखें। झूठ बोलना, चोरी करना आदि का तो त्याग करना ही चाहिए।

अभिभावकों को खेलकूद, गीत, संगीत, नृत्य में रुचि रखकर संतानों को भी इस ओर उन्मुख करना चाहिए। बच्चों के साथ खेलना चाहिए इससे बच्चों के साथ दोस्ताना बढ़ता है।

बच्चों की योग्यता व बुद्धिलब्धी का ध्यान में रखकर ही उससे अपेक्षा रखें। 45% की योग्यता रखने वाले बालक से यदि 95% नंबर लाने की आशा रखेंगे तो अभिभावक स्वयं एवं बालक निराशा और अवसाद से घिर सकता है। बालकों पर अपेक्षाओं का इतना बोझ न लादें कि बालक उसे सहन न कर सके। खरा नहीं उतरने पर वो आत्महत्या तक कर लेते हैं।

अभिभावक कभी भी बच्चों पर यह अहसान जताने की कोशिश न करें कि हमने तुम्हें पाला पोसा, बड़ा किया, पढ़ाया लिखाया, होशियार बनाया। हर अभिभावक का तो यह कर्तव्य होता है।

अभिभावक होना, बहुत गंभीर बात है। इसके बहुत मायने हैं। किसी भी अन्य जिम्मेदारी से अधिक जिम्मेदारी है यह। अत्यंत संवेदनशील मसला है, बच्चों को ब्रोटअप करना! जरा चूके तो परिणाम गंभीर। सतत प्रयत्नशील रहने की आवश्यकता है। यह बहुत सुखद एवं मन को प्रफुल्लित करने वाली जिम्मेदारी है इसे निभाएं, इससे भागे नहीं। बालकों को समय दें, संस्कार दें, शिक्षा दें, हिम्मत दें, धार्मिक बनावे, समस्याओं से जूझने की शक्ति दें, पलायनवादी न बनावे। बालकों के जीवन को उचित दिशा प्रदान करें व अपने पेरेंट्सहुड को सार्थकता प्रदान करें।

मूल लक्ष्य से भटकती शिक्षा

यदि हम आज यह पूछें कि जीवन में सबसे महत्वपूर्ण स्थान किसका है, तो उत्तर आएगा - शिक्षा। शिक्षा का जीवन में बहुत महत्वपूर्ण स्थान है। शिक्षा के द्वारा ही व्यक्ति को जीने की राह मिलती है। वस्तुतः हर व्यक्ति शांति से जीना चाहता है। शिक्षा का मूल उद्देश्य व सार्थकता इसी में निहित है कि वो व्यक्ति को शांति से जीने की संस्कृति सिखा दें। शिक्षा का मूल लक्ष्य व्यक्ति का सर्वांगीण विकास करना है, शांति व विवेक से अपना जीवन यापन करने की कला सिखाना है। समस्याओं को सही तरीके से सुलझाना, संघर्षों का सामना करना व जीवन मूल्यों, मानवीय मूल्यों को आत्मसात करना ही शिक्षा का उद्देश्य है।

वर्तमान में शिक्षा का मूल उद्देश्य हाशिए पर आ गया है? शिक्षा की सार्थकता कहां खोती जा रही है। संस्कार प्रदान करने की शिक्षा का महत्व खत्म प्रायः हो चुका है। समाज संस्कार विहीन बनता जा रहा है। इस हिंसा के युग में संस्कार शून्य समाज में शांति की स्थापना दूर की कौड़ी नजर आती है। शिक्षा अपने मूल उद्देश्य से भटकती नजर आ रही है।

समाज के लगभग सभी क्षेत्रों में मानसिक, बौद्धिक, व शारीरिक विकास करना शिक्षा का दायित्व है ताकि व्यक्ति उच्च स्तरीय जीवन शैली को अपना सकें। शिक्षा इस उत्तरदायित्व को कितना निभा सकी है, समाज में बौद्धिक, मानसिक, शारीरिक, प्राकृतिक शक्तियों का कितना ह्रास हो रहा है, आइए देखते हैं- विभिन्न प्रतियोगी परीक्षाओं में कोचिंग संस्थानों के माध्यम से प्रविष्ट होने वाले छात्र-छात्राओं के

मानसिक अवसाद के कारण आत्महत्या करने के मामले थमें नहीं है। आत्महत्या की वारदातें कोचिंग संस्थानों की शिक्षण व्यवस्था पर गंभीर प्रश्नचिन्ह लगाती है।

गत वर्षों में हमारी शिक्षा, शिक्षण व्यवस्था व शिक्षकों पर कई बार आरोप लगते रहे हैं। शिक्षक, जिन पर बालकों के भविष्य निर्माण का उत्तरदायित्व होता है, वे भी मानव मूल्यों, जीवन मूल्यों एवं संस्कारों को ताक में रखकर अवांछित व्यवहार व कृत्य करते पाए जाते हैं। ऐसे शिक्षकों से समाज निर्माण व व्यक्तित्व के निर्माण की आशा करना बेमानी ही होगा।

- विभिन्न कॉ-ऑपरेटिव सोसाइटी समाज में कुकुरमुत्तों की तरह फैल गई है। अधिक ब्याज देने का लालच देकर लोगों से उनकी गाढ़ी कमाई का पैसा अपनी सोसाइटी में जमा करते हैं। लोगों के विश्वास को तोड़ते हुए कई सोसाइटी में करोड़ों रुपए का गबन हो जाता है। पैसा लगाने वाला व्यक्ति ठगा सा रह जाता है।
- कई पढ़े-लिखे युवा अपनी शानो-शौकत व शौक पूरा करने के लिए चोरी डकैती करने से भी परहेज नहीं करते।
- युवा वर्ग में चाहे तो लड़की हो या लड़का शराब का सेवन आम बात हो गई है।
- चरित्र की बातें करना युवा वर्ग के लिए आउट ऑफ फैशन बन गया है। वो व्यक्ति दकियानूसी समझा जाता है जो सद्चरित्र और नैतिकता की बातें करता है।
- अभिनेताओं, नेताओं में भी मूल्यों के प्रति निष्ठा का अभाव ही दिखाई देता है। तथाकथित उच्च वर्गों में जीवन मूल्य, संस्कार का जीवन में कोई स्थान नहीं है। शांति इनके जीवन से कोसों दूर है।

- कई ठगों ने साधुओं का वेश धारण कर लिया है। वे सरेआम आपराधिक गतिविधियों में लिप्त रहते हैं। साधु वेश में चाहे वो स्त्री हो या पुरुष इनके नैतिक पतन की गाथाएं टीवी व समाचार पत्रों में सुर्खियां बनी हुई है।
- खेलकूद जैसी गतिविधियों में भी नैतिक पतन की सुर्खियां सामने आती है।
- कुछ वर्षों पूर्व क्रिकेट तो केवल फिक्सिंग का खेल बनकर रह गया।
- खिलाड़ियों का चयन, पुरस्कारों की घोषणा भी संदेह से परे नहीं है।
- विद्यालयों का स्थान कोचिंग संस्थानों ने ले लिया है। जहां नैतिकता की बातें, जीवन मूल्यों की बातें करने का समय उनके पास नहीं होता। वे तो केवल प्रतियोगी परीक्षाओं हेतु छात्र/छात्राओं को गलाकाट प्रतियोगिता हेतु तैयार करते हैं। सूचनाओं का ये ढेर बालकों के लिए बारूद के ढेर से कम साबित नहीं होता। जहां छात्र/छात्राओं के दम घुटने हैं। व वे आत्महत्या जैसे एक्सट्रीम कदम उठा लेते हैं। कोचिंग संस्थानों के ऑनर के लिए ये संस्थान नोट छापने की मशीन में तब्दील हो चुके हैं। जहां मोटी रकम फीस के नाम पर ऐंठी जाती है। आज की तारीख में कोचिंग सबसे फलता फूलता व्यवसाय में परिणित हो चुका है। ये दुर्भाग्य है कि शिक्षा जैसा पावन, पुनीत कार्य व्यापार का रूप ले चुका है।
- सुनकर आश्चर्य होता है कि जब पता चलता है कि डिग्रियां भी बिकाऊ है? जी हां! भरपूर पैसा दीजिए और घर बैठे डिग्री पाईए? नैतिकता के पतन की पराकाष्ठा है यह। न आपको कहीं प्रवेश लेना है न ही परीक्षा देनी है, फिर भी डिग्री आपकी जेब में? ये कैसी शिक्षण व्यवस्था है? ऐसे डिग्री धारी से समाज क्या अपेक्षा रख सकता है?

उपरोक्त उदाहरण पढ़े-लिखे व्यक्तियों के हैं। यह सभी विद्यालयी, महाविद्यालय शिक्षा के प्रोडक्ट है। वस्तुतः शिक्षण संस्थानों की स्वायत्तता ही उनकी स्वच्छंदता का कारण बन गई है। देश के, राज्य के माध्यमिक शिक्षा बोर्ड भी घोटालों से लिप्त पाए जाते हैं जो चिंताजनक है।

वस्तुतः विद्यालय हो या महाविद्यालय, शिक्षा के उद्देश्य को लक्ष्य को प्राप्त करने के दृष्टिकोण से ही पाठ्यक्रम निर्धारण व शिक्षण व्यवस्था की जाती है। शिक्षा का मूल लक्ष्य है व्यक्ति का सर्वांगीण विकास करना। सर्वांगीण विकास में व्यक्ति में हर वो गुण आना अपेक्षित है जो उसे अच्छा जीवन यापन करने में सहायक हो। वो आत्मविश्वासी हो, साहसी हो, दृढ़ निश्चयी व मेहनती हो। शिक्षा व्यक्ति को शांतिपूर्ण जीवन जीने की कला सिखाती है। शांति की संस्कृति निर्माण अच्छी शिक्षा की परिणिति हो सकती है।

एक अच्छी जिंदगी पाने के लिए व्यक्ति को लक्ष्य तक पहुंचने के लिए उसे अपने मार्गों का ज्ञान होना चाहिए तब ही वह मंजिल तक पहुंच सकता है। सही आचरण कैसा होना चाहिए यही शिक्षा सिखाती है।

कागजों में शिक्षा के उद्देश्य बहुत ही खूबसूरत व दूरगामी निर्मित किए जाते रहे हैं। इनको प्राप्त करने के लिए विस्तृत रूपरेखा भी सरकारों द्वारा निर्मित की जाती रही है। किंतु प्रश्न यह है कि उनकी क्रियान्वित कितनी हो पाई है? यदि हम उद्देश्यों को प्राप्त कर लेते तो आज समाज में जो हिंसात्मक गतिविधियां, भ्रष्टाचार, अपराध जोर पकड़ रहे हैं, वे नहीं पनप पाते?

हमसे कहां चूक हो गई है? क्या क्रियान्वित में कमियां रह गई है? क्या प्रशिक्षण में खामियां रह गई है? ये सब अनुसंधान के विषय है।

बड़े-बड़े महापुरुष भी तो इसी शिक्षण व्यवस्था के फलस्वरूप बने हैं। ऐसा नहीं है कि सारे अधिकारी, बाबू, प्रशासनिक अधिकारी या अन्य भ्रष्ट हैं, अधिकांश ईमानदार, विवेकशील वह मेहनती है लेकिन वो कहते हैं ना एक मछली सारे पानी को गंदा करती है।

ये सब संतोष का विषय है बड़े-बड़े प्रशासनिक अधिकारियों के घोटालों को उजागर करने की हिम्मत जुटाई गई है जो वास्तव में समाज के बदलाव, सकारात्मकता की द्योतक है। कुछ नकारा व्यक्तियों ने सारे समाज की व्यवस्थाओं की छवि खराब कर रखी है। ऐसे समाज कंटकों का सामाजिक बहिष्कार किया जाना चाहिए। क्यों न इस कदाचार की खरपतवार को उखाड़ फेंक दिया जाए और सदाचार की फसल को लहलहाने दिया जाए? आइए हिम्मत करके देखते हैं।

कृपा सद्गुरू की : सार्थकता जीवन की

हर काल में गुरु की महिमा निर्विवाद रही है। युग कोई भी रहा हो गुरु की आवश्यकता एक पथ प्रदर्शक के रूप में सदैव बनी रही। सतयुग, त्रेता युग, द्वापर हो या कलयुग गुरुओं ने हमेशा समाज को दिशा प्रदान की है।

किंतु सद्गुरु की जितनी आवश्यकता कलयुग में महसूस की जा रही है, उतनी शायद ही किसी युग में की गई हो। कलयुग में समाज की, व्यक्ति की स्थिति बहुत खराब हो चुकी है। सर्वत्र आतंकवाद, भ्रष्टाचार, नैतिक पतन का बोलबाला है। हाँ, विकास हुआ है तो औद्योगिकरण, कल कारखानों व मशीनों का। मशीनें मनुष्यों पर हावी हो चुकी है, वे अपना पूर्ण आधिपत्य जमा चुकी है।

युवा पीढ़ी हो या अधेड़, बालक हो या वृद्ध सभी को समय-समय पर परामर्श की आवश्यकता बनी ही रहती है। आज का भारत युवाओं का देश है। आज का युवा बेहद बुद्धिमान, ऊर्जावान, प्रैक्टिकल व समझदार है। वह आत्मविश्वासी, दृढ़ निश्चयी व लक्ष्य को हासिल करने की ललक रखता है। युवा सकारात्मक ऊर्जा से सरोबार होते हैं। रचनात्मकता, सृजनात्मकता से गहरा नाता है आज के युवा का।

युवा वर्ग को पग-पग पर सही व सकारात्मक मार्गदर्शन की आवश्यकता पड़ती है। सही समय पर उचित मार्गदर्शन के अभाव में युवा पीढ़ी भटकती सकती है।

आज का युग विशेषज्ञों का युग है। हर क्षेत्र के विषय विशेषज्ञ उपलब्ध होते हैं। मेडिसिन, शिक्षा, प्रौद्योगिकी, स्वास्थ्य, पर्यावरण आदि क्षेत्रों में विशेषज्ञ अपना डंका बजा रहे हैं।

जितनी आवश्यकता आज हमें मार्गदर्शकों, परामर्शदों एवं गुरुओं की है उससे कहीं अधिक मार्गदर्शक, गुरु, परामर्शद समाज में सर्वत्र उपलब्ध होते हैं। किंतु कौन सा गुरु सच्चा है और कौनसा नहीं, इसकी पहचान करना आवश्यक है। सर्वत्र फैले गुरुओं में कौन हीरा व कौन पत्थर, इसकी पहचान एक जौहरी ही कर सकता है।

क्षेत्र कोई सा भी हो यथा स्वास्थ्य, मेडिकल, आहार, डांस, म्यूजिक, चित्रकला, क्राफ्ट, पुस्तकीय ज्ञान, विज्ञान, वाणिज्य, कला, आध्यात्म, धर्म, प्रौद्योगिकी, दूरसंचार, समय प्रबंधन, स्वयं प्रबंधन, जीवन कौशल, व्यक्तित्व निर्माण, जीवन जीने की कला, योग, प्राणायाम, आसन, विभिन्न धर्म आदि क्षेत्रों में विषय विशेषज्ञ गुरुओं की भरमार है। आवश्यकता है सही गुरु के खोज की।

दिनांक 21 जून 2015 को भारत के नेतृत्व में प्रथम बार अंतर्राष्ट्रीय योग दिवस मनाया गया, जिसमें 192 देशों ने, 20 करोड लोगों ने पूरी दुनिया में भाग लिया। ये इस बात का द्योतक है कि आज सारा विश्व स्वास्थ्य के प्रति कितना जागरूक है। व्यक्ति शांति व प्रेम की खोज में है। वो तनाव से मुक्ति चाहता है, खोई हुई एकता व भाईचारे को पुनः प्राप्त करना चाहता है। समूचा विश्व इस दृष्टि से भारत को गुरु के रूप में देखता है।

इसी तरह हमें जीवन के प्रत्येक पहलू के लिए गुरु की आवश्यकता है। भिन्न-भिन्न क्षेत्रों के विषय विशेषज्ञ गुरुओं के मापदंड भिन्न भिन्न हो सकते हैं किंतु कुछ ऐसे मूलभूत मापदंड हैं जो हर एक गुरु में अपेक्षित होते हैं। अतः व्यक्ति को अपने स्वविवेक, अपनी आवश्यकताओं को मद्देनजर रखते हुए अपने गुरुओं की तलाश करनी होगी।

अब प्रश्न यह उठ रहा है कि हम किन गुरुओं के प्रति समर्पित हो सकते हैं? किसे कहा जाए सद्‌गुरु? निश्चित रूप से हम आध्यात्मिक

गुरु के चरणों में ही समर्पण कर सकते हैं। आध्यात्मिक गुरु भी कैसा होना चाहिए? तिन्नाणं तारयाणं। जो स्वयं तिर चुका हो व दूसरों को भी तिरा सके। गुरु वह हो सकता है जिसके दर्शन मात्र से हमारा शीश उनके कदमों में झुक जाए, हमारे मन को शीतलता प्राप्त हो। सारे जगत को भूल कर हम केवल उनके चरणों में जगह बना सकें वे सद्‌गुरु हो सकते हैं।

जो लोभी भी हों, स्त्रियों से संबंध रखते हों, पैसों का लेनदेन करते हों वह सद्‌गुरू कहलाने के योग्य नहीं।

सद्‌गुरु वे हैं जो हिंसा में विश्वास नहीं रखते, संग्रह नहीं करते, झूठ नहीं बोलते, ब्रम्हचर्य का पालन करते और चोरी नहीं करते। वास्तव में वे ही हमारे गुरु हो सकते हैं। राग, द्‌वेष, में लिप्त रहने वाले साधु हमारे गुरु नहीं हो सकते, पापों में पड़ने वाले संत हमारे गुरु नहीं हो सकते। ऐसे साधु स्वयं तो डूबते ही हैं, शिष्यों को भी डुबो देते हैं।

तप, संयम, साधना से गुरु स्वयं को प्रकाशित करते हैं। जो स्वयं प्रकाशित हो, स्वयं दृष्टा हो वे ही हमें सही मार्ग दिखा सकते हैं, वे ही हमारे सद्‌गुरु हैं।

जो गुरु हमें अपने विश्वास में ले सके, जिसे हम अपने मन की बात कह कर प्रायश्चित कर सकें, अपने मन का मैल उनके समक्ष रख सकें, अपने मन की व्यथा को बांट सही मार्गदर्शन ले सकें, वही सद्‌गुरु है। ये सब तब हो सकता है जब हमारा अहंकार सर्वथा पिघल चुका हो। सद्‌गुरु वही है जो हमें अपने अहंकार से दूर कर दे। गुरु स्वयं भी अहंकारी न हो। उन्हें गुरु पद का अहंकार न हो।

गुरु से ही हम तब ही कुछ प्राप्त कर सकते हैं जब हम स्वयं खाली होकर गुरु के पास चले जाएंगे। हम उनके भीतरी आनंद को महसूस कर सकें, उनकी जागृत चेतना के सहभागी बन सकें, गुरु ऐसे हो।

कई बार हम गलतफहमी में किसी को गुरु बना बैठते हैं। कोई साधु अपने शिष्यों और भक्तों से घिरा हुआ हो, विद्वान हो, तपस्वी हो, किंतु उनका आचरण शास्त्र विरुद्ध हो, तो यह गुरु हमें डुबोने वाले होते हैं। अतः सद्गुरू शास्त्र के अनुरूप आचरण करें।

सद्गुरू के सत्संग में ज्ञान की वृद्धि हो, दुख कम होता प्रतीत होता है। सद्गुरु वह है जो हमारे अंदर की अन्र्तज्योति को प्रकट करने में सहायक हो।

हमारे जीवन में गुरु का होना, गुरु का सानिध्य प्राप्त होना, आत्म तत्व के साथ रहने का अनुभव जैसा हो। हम स्वयं के, आत्मा के करीब होते चले जाएं, ऐसा सद्गुरू मार्गदर्शन दें।

सद्गुरु आसक्ति न रखते हों। वे सहज ही क्षमाशील हो। वे हैं हमारे गुरु।

गुरु हमारे मन का हरण करने वाला हो, उनकी वाणी, उनका आचरण, उनका विनय अनुकरणीय हो। गुरू हमारी त्रुटियों को पहचान सकें व उन्हें दूर करने के उपाय बता सकें। अतः गुरु हमें प्रत्यक्ष चाहिए।

यदि गुरु पर श्रद्धा बैठानी पड़े तो वो कैसा गुरु? सद्गुरु पर तो श्रद्धा सहज ही हो जाती है। गुरु कभी भी हिंसा का पाठ नहीं पढ़ा सकते। अतः जो गुरु अहिंसा का उपदेश दे वही सद्गुरु हो सकते हैं। अहिंसा संजीवनी है, रामबाण औषधि है आधुनिक युग की विकृतियों को मिटाने की। जगत की शांति कहीं खो चुकी है उसे प्राप्त करने के लिए अहिंसा का मार्ग प्रशस्त करना ही होगा। अतः गुरु वह है जो अहिंसा को अमृत व हिंसा को विष बताएं व संपूर्ण जगत को अहिंसा की ओर ले जाने के लिए प्रेरित करें। शांति का अनुभव करना हो तो अहिंसा की छांव तलाशनी ही होगी। अहिंसा धर्म ही सत्य, शाश्वत व सनातन है और यही हमें लक्ष्य की ओर ले जावेगी, मोक्ष मार्गी बनाएगी।

सच्चे गुरु वही होते हैं जो अज्ञानी शिष्य के ज्ञान के चक्षु खोल देते हैं। वे उसे जीवन की ऊंचाई दे सकें, गहराई दे सकें। सद्गुरू शिष्य में आत्मविश्वास, दृढ़ संकल्प, लगन, चारित्रिक बल, उदारता, दूरदर्शिता, निर्णय लेने की क्षमता, लक्ष्य निर्धारण, लक्ष्य को प्राप्त करने की ललक, विनयशीलता को कूट-कूट कर भर देते हैं ताकि शिष्य अपने व्यावसायिक, अध्यात्मिक लक्ष्य को प्राप्त कर मानसिक रूप से दृढ़ बन सकें।

अपने जीवन के लक्ष्य को प्राप्त करने के लिए, मुक्ति प्राप्त करने के लिए निश्चित रूप से एक ऐसे गुरु चाहिए जो हमें सही मार्ग दिखा सके व उस मार्ग पर चलने को प्रेरित कर सकें। जो गुरु स्वयं मुक्ति को प्राप्त करने की ओर अग्रसर होते हुए सद्आचरण करते हैं वही गुरु अपने शिष्यों को उस राह पर ले जा सकते हैं।

विकारों का बहिष्कार

वर्तमान युग में भौतिक संसाधनों की बहुलता, संचार क्रांति के पसरते पैर के साथ-साथ धार्मिक चैनलों, धर्मगुरुओं, धार्मिक पुस्तकें, धार्मिक पत्र-पत्रिकाओं, प्रवचन कैसेट्स ने भी अपने साम्राज्य का विस्तार किया है। इस युग में धर्म के प्रचार प्रसार के अनगिनत माध्यमों ने घर-घर में धर्म पहुंचाया है। धर्म गुरुओं के प्रवचनों में भी श्रद्धालुओं की भीड़ उमड़ती है, गौर से श्रवण भी करते हैं।

श्रवण के साथ मनन व मनन के पश्चात धर्मानुसार आचरण भी आवश्यक होता है। जब तक धर्म का रूपांतरण आचरण में नहीं होता तब तक धर्म जीवन में नहीं उतर सकता। अभी व्यक्ति के आचरण में धर्म का अभाव स्पष्ट दृष्टिगोचर होता है।

समाज में परोपकार, दान, पुण्य आदि भावनाओं को प्रशय मिलता है इस बात से इंकार नहीं किया जा सकता, किंतु सद्भावना की तुलना में कदाचार का बोलबाला अधिक प्रचलन में आ गया है।

दैनिक जीवन में हम बलात्कार, लूटखसोट, यौन शोषण, डकैती, हत्याएं आदि की घटनाओं का सामना करते हैं। अहंकार, लोभ, माया, कपट से जमाना लकदक रहता है।

मनुष्य का स्वाभाविक गुण या नैसर्गिक गुण तो सदैव सद्भावना ही रहा है। यह उसकी आत्मा के मूल गुण हैं। अवगुण आत्मा का स्वभाव नहीं होते हैं, ये मानव के मन मस्तिष्क में बाहर से आयातित किए हुए होते हैं। कई बार देखते हैं कि ये अवगुण या विकार हमारे स्वाभाविक गुणों को ओवरटेक कर लेते है व मन मस्तिष्क पर अपना प्रभुत्व जमा देते हैं।

विकारों के आवेश में किए गए कार्य मनुष्य को सदा हानि ही पहुंचाते हैं, व पश्चाताप के अलावा कुछ भी हासिल नहीं होता।

मनुष्य में मुख्य रूप से क्रोध, मान, माया व लोभ के विकार कार्य करते हैं। इनको कषाय कहा गया है। ये ही हमारे कर्म बंध का मुख्य कारण कहे गए हैं। कषाय से ही राग द्वेष उत्पन्न होना बताया गया है। ज्ञानी जन कहते हैं यदि आप आत्मा के सुख की इच्छा करते हैं तो पहले कषायों का त्याग करें।

यह भी सच है कि इन कषायों पर विजय पाना कठिन कार्य है। क्रोध, मान, माया, लोभ एक दूसरे से लिंक्ड रहते हैं व साथ-साथ अपना कार्य करते चलते हैं। इन्हें वाटर टाइट कंपार्टमेंट में विभक्त नहीं किया जा सकता। मान से क्रोध, क्रोध से घृणा, लोभ से माया आदि विकार एक के बाद एक अपना प्रभाव दिखलाते है, थाह पाना कठिन हो जाता है।

ये विकार कब हमारे मन में घर कर जाते हैं पता ही नहीं चलता, ज्यों ही इन्हें मौका मिलता है ये अपना रौद्र रूप दिखाकर हमारी जिंदगी को तबाह करने पर आमादा हो जाते हैं। वस्तुतः ये विकार मिलकर चांडाल चौकड़ी की तरह कार्यकर सब कुछ तहस-नहस कर देते हैं। कई बार मनुष्य इन विकारों को अपने स्वभाव का अंग ही समझ बैठने की भूल कर बैठता है वह ताउम्र इनसे छुटकारा पाने को प्रेरित ही नहीं हो पाता। अंतः ये विकार उसका ये जन्म तो खराब करते ही हैं अगली गति को भी सही दिशा नहीं मिल पाती।

ज्ञानी जान कहते हैं कि मनुष्य जीवन अत्यंत दुर्लभ है इसको विकारों के हवाले करके हमें इस अमूल्य अवसर को हाथ से कदापि नहीं जाने देना चाहिए।

इस विकार रूपी अग्नि को शीतल करने का उपाय वासनाओं, कामनाओं, क्रोध, मान, माया, लोभ आदि विषैले दुर्गुणों को छोड़कर आत्मा के मूल गुणों को प्रकाशित करके ही किया जा सकता है।

हमें क्या लगता है कि किसी अन्य व्यक्ति के कारण हमारे मन में क्रोध, घृणा आदि विकार पैदा हो गए हैं? या दूसरे हमारे इमोशंस को कंट्रोल करते हैं। यदि ऐसा है तो हम गलत सोच रहे हैं। हम गहराई में जाएंगे तो ज्ञात होगा कि यह विकार हमारे मन में गहरी जड़ें जमाए बैठे हैं व फल फूल रहे हैं। हमारे विकार का मूल कारण हमारे स्वयं में ही है बाहर नहीं। जैसे कमजोर शरीर पर वायरस व बैक्टीरिया अटैक करते हैं व मनुष्य को बीमार बना देते हैं, ठीक उसी प्रकार कमजोर मानसिकता वाले मनुष्यों पर विकार अटैक कर देते हैं, पनपने लगते हैं वटवृक्ष बन जाते हैं, जिन्हें उखाड़ फेंकना दुष्कर हो जाता है।

विकारों का जमावड़ा हमारे मन में घर न कर पाए, इसके लिए सदैव जागरूक व चौकन्ना रहना होगा। किसी गलत भाव, विकारों को, इमोशंस को अपने अंदर प्रविष्ट होने की अनुमति ही न दें, यदि प्रविष्ट कर भी गया है तो पनपने से पहले ही उसे रौंद दे। आपके मन में कौन से भाव आएंगे, इसका रिमोट कंट्रोल दूसरों के हाथों में ना दें, लगाम स्वयं के हाथ में रखे। विकारों को मन में प्रविष्ट होने देने, न देने का समस्त उत्तरदायित्व सिर्फ व सिर्फ हमारा अपना है, किसी अन्य व्यक्ति का नहीं, स्वयं स्ट्रांग बनेंगे, मन को सशक्त बनाएंगे तो बाहरी विकार रूपी ताकतें हम पर हमला नहीं बोल सकती।

विकार मन को अशुद्ध कर भोगों की ओर उन्मुख कर देते हैं, अतः विकारों को अपना मालिक न बनने दें वरन् आप उन पर हावी रहें व उनका अस्तित्व ही मिटा दें। विकार हमारा स्वभाव नहीं है।

क्रोधी व्यक्ति क्षमा गुण प्राप्त नहीं कर सकता, लोभी संतोष प्राप्त नहीं कर सकता, घमंडी व्यक्ति कभी मृदुता व विनय को प्राप्त नहीं कर सकता एवं मायावी व्यक्ति कभी सरलता को प्राप्त नहीं कर सकता।

इन सभी गुणों के अभाव में व्यक्ति स्वयं व समाज का कल्याण करने में असमर्थ रहता है। वो लक्ष्य शून्य जीवन जीता है। बिना लक्ष्य के जीने वाला व्यक्ति इधर उधर ही भटकता रहता है, मंजिल तक कभी नहीं पहुंच पाता।

क्या हम इन विकारों से पीछा नहीं छुड़ा सकते? क्या हम इन विकारों का बहिष्कार नहीं कर सकते? क्या हम इन विकारों के लिए हमारे मन के दरवाजे पर 'नो एंट्री' का बोर्ड नहीं चस्पा कर सकते? क्या हम इतने कमजोर हो गए हैं कि इन विकारों के साथ दो-दो हाथ कर बाहर का रास्ता नहीं दिखा सकते? क्या हम इतने लाचार हो गए हैं कि इन विकारों की कठपुतली बने हुए हैं? क्या हममें इन विकारों को समूल नष्ट करने की सामर्थ्य नहीं है? क्या हम बिना विकारों के जीने की हिम्मत नहीं जुटा सकते?

हां, हम यह सब कर सकते हैं। हमारी अंतरात्मा इतनी सशक्त व ताकतवर होती है कि कोई भी बाहरी तत्व इस पर अपना प्रभाव नहीं छोड़ सकता। आवश्यकता है आत्मा की शक्ति की पहचानने की। आत्मा की अनंत शक्ति, पवित्रता, पावनता, ज्ञान को यदि जान जाएं तो बाह्य विकार स्वत: ही पास फटकने की हिम्मत नहीं करते। सत्य, संतोष, शील, दान, परोपकार, दया, तप, व्रत, प्रत्याख्यान आदि आत्मा के गुणों को प्रस्फुरित, पल्लवित कर इनकी रक्षा करना ही हमारे जीवन का उद्देश्य होना चाहिए।

मन में जमे जमाए हुए विकारों को उखाड़ फेंकने से हमें कोई नहीं रोक सकता, यदि हम में दृढ़ संकल्प है। आइए, बेहतर जीवन जीने के लिए विकारों का बहिष्कार करें।

क्षमा : जीवन का अनिवार्य पाठ

क्षमा का महत्व सभी धर्मों में वर्णित है। क्षमा किसी जाति, संप्रदाय या धर्म विशेष से जुड़ी हुई नहीं है, यह सर्वमान्य है। क्षमा एक ईश्वरीय गुण हैं। महापुरुषों में यह गुण विद्यमान होता ही है। इतिहास के पन्ने पलट कर देखें तो ज्ञात होता है कि क्षमा करने वाले महापुरुष अमर हो गए। हमारे रोल मॉडल बन गए। वे हमें क्षमा का अनिवार्य पाठ सिखा गए। हम सदा के लिए उनके ऋणी हो गए।

जीवन का अपना सिद्धांत होता है। यह हमें स्वास्थ्य, उत्साह, खुशियां, मानवता, संवेदनाएं और क्षमा भाव आदि प्रदान प्रदत्त करता है। और यह प्रवाह अनवरत चलता रहता है। लेकिन हमारे बुरे विचार, बिगड़ी सोच, कड़वी यादें, नकारात्मक भाव, कसैले अनुभव, बदले की भावना, हिंसक प्रवृत्ति का प्रवाह हमारे जीवन के उन्मुक्त प्राकृतिक प्रवाह में बाधा पहुंचाते हैं। हम हमारे मूल गुणों से दूर हो जाते हैं।

क्षमा हमारा नैसर्गिक स्वभाव होता है। अपनी भूलों के लिए क्षमा मांगना व दूसरों की भूलों को भुलाकर माफ कर देना, मन की सरलता व निर्मलता के दर्शन कराता है। माफी मांगने से व माफ करने से मन का बोझ कम ही नहीं होता है, वरन तनाव मुक्त व प्रसन्नता का अनुभव होता है।

यदि हम दूसरों को क्षमा करते हैं व क्षमा मांगते हैं, सबके लिए सुख समृद्धि की शांति व सुखी जीवन की कामना करते हैं, तो अप्रत्यक्ष रूप से यह कामना हम अपने लिए ही कर रहे होते हैं, स्वयं की बेहतरी के लिए ही करते हैं। जैसा हम विचार करते हैं हम वैसे ही तो बन जाते हैं। गहराई में जाकर विचार करें तो यह सत्य प्रतीत होता है।

सहनशीलता हमें क्षमा करना सिखाती है। मानसिक शांति व अच्छे स्वास्थ्य के लिए क्षमा भाव अपेक्षित है। क्षमा भाव हमें लंबी आयु प्रदान करता है। हर उस व्यक्ति जिसको आपने चोट पहुंचाई, क्षमा मांगिए और हर उस व्यक्ति को जिसने आपको आहत किया, माफ कर दीजिए। परिणाम स्वरूप जीवन में समरसता घुलने लगेगी। आपसी आग्रह दुराग्रह को विराम लग जाएगा।

क्षमा भाव हर समस्या का समाधान प्रस्तुत करता है। मानव जीवन में क्षमा किसी उपहार या वरदान से कम नहीं है। क्षमा का प्रयोग करते चलिए, फिर देखिए आपके जीवन की बगिया खिल उठेगी।

द्वेष, घृणा, ईर्ष्या, निंदा, अहंकार, क्रोध, बदले की भावना, लोभ आदि नकारात्मक भाव, विचार हमारे मन को दूषित करते हैं। हमारे शरीर को कई व्याधियों से घेर लेते हैं। मनोदैहिक चिकित्सकों का भी यही मत है कि सकारात्मक चिंतन करने वाला व्यक्ति शांत, स्वस्थ व प्रफुल्लित प्रसन्न रहता है।

नकारात्मक विचारों से तनाव उत्पन्न होता है जो हमारे इम्यूनिटी सिस्टम को प्रभावित करता है। नकारात्मक प्रतिक्रियाएं हमारे मन को ठेस पहुंचाती है व गहरे घाव करती है। इन सब परेशानियों से बचने का सटीक व अचूक उपाय है क्षमा। क्षमा करने की दृढ़ इच्छा शक्ति, सकारात्मकता की सतत् साधना। फलत: हमे कई बाधाओं को सहायता से पार कर लेंगे।

महात्माओं, आचार्यों, साधु संतों का दिव्य आभा मंडल उनके अंदर की सकारात्मकता, क्षमा भाव का ही द्योतक है। चेहरा व्यक्तित्व का आईना होता है ये चरितार्थ होता है।

क्षमा करना व क्षमा मांगना कमजोर, दुर्बल, कायर व्यक्तियों के बूते की बात नहीं है। जो व्यक्ति वीर, सहिष्णु व मानसिक दृढ़ता वाला है वो ही क्षमा भाव को अपना सकता है, मन को स्वच्छ एवं निर्मल

बना सकता है। हमें अपने अंदर रहे हुए क्षमा बल को प्रकाशित करने का पुरुषार्थ करना चाहिए।

क्षमा भाव के आगे सारे शत्रुभाव ढेर हो जाते हैं। जहां क्रोध की अग्नि बरस रही हो वहां क्षमा शीतल जल का कार्य करती है। क्रोध करने से आत्मा का अहित होता है। क्रोध के परिणाम कभी भी सुखद नहीं हो सकते। अतः क्षमा को अपना धर्म मानते हुए इसे धारण करना ही है।

अहिंसा, सहिष्णुता, करुणा के बीज उस चित्त में अंकुरित होते हैं जिसमें क्षमा के बीज रोपे गए हो। क्षमाशील व्यक्ति समग्र समाज को प्रेरणा दे सकता है, पथ प्रदर्शक बन सकता है।

स्व की आलोचना करें, परनिंदा से बचें। गुरु के समक्ष अपनी भूलों को प्रकाशित करें। प्रायश्चित लें। यकीनन आप बहुत हल्का महसूस करेंगे। स्व की आलोचना कर हम कर्मों की निर्जरा कर सकते हैं, आत्मा के निकट जा सकते हैं। क्षमा से आत्म शुद्धि होती है। आत्मा सिद्धि से हम हमारे लक्ष्य आत्म स्वरूप को प्राप्त कर सकते हैं।

क्षमा - शब्द छोटा है किंतु है बड़ा ही शक्तिशाली। ऐसे अचूक क्षमा भाव को हम हमारे जीवन का अनिवार्य पाठ मानें, वैकल्पिक नहीं। आइए हम सभी को क्षमा करते हैं, सभी जीव हमें क्षमा करें। हां आज ही, अभी।

पर्यावरणीय संस्कार

पर्यावरण पर समस्त चर-अचर प्राणियों का जीवन निर्भर होता है, इसी में उसका निवास होता है। पर्यावरण है तो हम हैं। पर्यावरण में ही हम सुरक्षित रहते हैं, पल्लवित होते हैं। हमारे जीवन की धुरी ही पर्यावरण है। अतः पर्यावरण का शुद्ध होना, संतुलित होना हमारे अस्तित्व को बचाए रखने के लिए अत्यंत आवश्यक है।

समाज के आचार विचार, जीवन-मूल्य, मानवीय मूल्यों से ही समाज की उन्नति या पतन का आकलन हो सकता है। विचार और आचार सदैव पवित्र, पावन व नैतिक बने रहे उसके लिए संकल्प शक्ति का विकास अपेक्षित है। वस्तुतः संकल्प शक्ति के विकास का अर्थ ही व्रत है। यह निरंतर अभ्यास से बढ़ता व स्थिर होता है।

हमारा व प्रकृति का रिश्ता सदियों पुराना है। पर्यावरण से मानव का दोस्ताना बहुत गहरा रहा है। प्रकृति व पर्यावरण पूरक होते हैं एक दूसरे के।

हमारी भारतीय संस्कृति बिना पर्यावरण की चेतना के अधूरी ही मानी जाएगी। इसी पर्यावरण पर समस्त चर-अचर प्राणियों का जीवन निर्भर होता है इसी में उसका निवास होता है। पर्यावरण है तो हम हैं। पर्यावरण में ही हम सुरक्षित रहते हैं, पल्लवित होते हैं। हमारे जीवन की धुरी ही पर्यावरण है। अतः पर्यावरण का शुद्ध होना, संतुलित होना हमारे अस्तित्व को बचाए रखने के लिए अत्यंत आवश्यक है। संतुलित पर्यावरण जहां होगा वहां प्रगति होगी। असंतुलित पर्यावरण विनाश की ओर धकेलता है हमें।

जल, अग्नि, हवा, पेड़-पौधे, पक्षी, पशु एवं पृथ्वी पुष्ट, संरक्षित और संतुलित हों, परिपूर्ण हों, प्राकृतिक संसाधनों से, यही पर्यावरण का अर्थ है, उद्देश्य है। मनुष्य और प्रकृति का आपसी सामंजस्य एवं सहकार से ही पर्यावरण शुद्ध एवं संतुलित, प्रदूषण मुक्त रह सकता है।

यह सर्वज्ञात है विकास के नाम पर प्रकृति की बलि चढ़ती रही है। अंधाधुंध विकास ने प्रकृति को, पर्यावरण को खोखला व बेजान बना दिया है। सब कुछ बदल गया है, बनावटी हो गया है यह तथ्य किसी से छिपा नहीं है। आधुनिक युग में महान आचार्यश्री तुलसी के पर्यावरण जागरूकता अणुव्रत पर ही पर्यावरण की सुरक्षा को लेकर सभी की दृष्टि टिकी हुई है। मौलिक स्वरूप को बचाए रखने का प्रश्न है आखिर।

यदि हम श्रमण जीवन पर दृष्टिपात करें तो पाएंगे कि उनका जीवन पूर्णत: पर्यावरण की सुरक्षा के लिए कटिबद्ध होता है। उनके कार्य प्रणालियों की रक्षा करने में निहित है। कम से कम वस्तुओं का उपयोग भी पर्यावरण को संतुलित बनाए रखने का ही संदेश देते हैं।

महात्मा गांधी ने कहा- 'गंगा पास में हो तो भी उस पर उनका हक सिर्फ और सिर्फ एक लोटे भर का है। प्रकृति सभी की जरूरत पूरी कर सकती है, लेकिन लालच से किसी का भला नहीं होगा।' महात्मा गांधी की ये चेतावनी कितनी सच थी। कितने प्राकृतिक रह गए हैं हम? विद्‌यालय में शिक्षिका ने कक्षा-पहली के (जो 5 वर्ष के थे) बालकों से कागज पर कोई भी एक चित्र बनाने को कहा। किसी ने रोबोट बनाया तो किसी बालक ने रॉकेट, किसी ने मोटरगाड़ी, हवाई जहाज, बैटबॉल, हेलीकॉप्टर, छोटा भीम, मोबाइल, टी.वी. के चित्र बनाएं। आश्चर्य की बात है किसी ने भी नहर, नदी, नाले, झरने, पहाड़, पशु, पक्षी या प्राकृतिक दृश्यों को कागज पर नहीं उतारा? बच्चे जो देखते हैं वही

तो बनाएंगे ना? वृक्ष, नदी, नाले, झरने, गेहूं की बाली, ईख, मटर की फली, तुलसी का पौधा, पक्षी, नाचता मोर, चिरैया, कोआ, नीम, इमली आदि नहीं बनाई क्योंकि इनके चित्र बाल मन में उभरते ही नहीं। कई युवा-युवतियां जिनकी परवरिश बड़े शहरों में हुई होती है वे सामान्य पेड़ों यथा नीम, आम, मीठा नीम, नींबू आदि नहीं पहचानते। हम विकास के नाम पर कितना खोते जा रहे हैं ना?

पर्यावरणीय संस्कार विकास की चकाचौंध में कहीं धूमिल हो गए लगते हैं। हमारी सभ्यता व संस्कृति प्रकृति के साथ गुंथी हुई है यही खोते जाएंगे तो हम कहां पर पैर रख पाएंगे? हमारी संस्कृति में तो कई पौधों को हम पूजते आए हैं। पीपल, केला, आंवला, तुलसी को नित्य पानी अर्पित करना धर्म का कार्य माना जाता रहा है। यह सब वृक्षों को संरक्षित करने के उपाय ही तो हैं।

कई जातियों में वधू अपने पिता के घर से एक पौधा लेकर अपने ससुराल में जाकर लगाती है। राजस्थान में कुछ जातियां पेड़ों को काटने से बचाने के लिए महिलाएं पेड़ से लिपट जाती हैं, कई बार जान भी गंवा बैठती हैं। ये प्रथाएं वृक्षारोपण व इनके संरक्षण को पोषित करती रही हैं। पुनर्जीवित करने हैं हमें ये वृक्ष संस्कार।

पर्यावरण चेतना गत दशकों में बहुत जगी है इस बात से इंकार नहीं किया जा सकता, किंतु इसके साथ-साथ हमारे प्रकृति के प्रति जो मूल संस्कार हैं, वह समाप्त होते गए। तीव्र गति से होता विकास, बढ़ती सड़कें, कंक्रीटो के सघन जंगल में न जाने कितने वृक्षों की बलि ली है? जल स्तर भी घटा है। अंधाधुंध शहरीकरण व सड़कों के जाल की कीमत 66% हरित क्षेत्र की गिरावट व 74% जल ढ़ाचों के गायब होने में चुकाई है। है ना खतरनाक सौदा? सन् 2030 तक तो केवल 2 से 4% तक का ही वनक्षेत्र रह जाएगा आंकड़ों की मानें तो। कल्पना तो कीजिए उस पृथ्वी की, कैसी दिखेगी वो?

वृक्षों की कमी, जल संचयन ढांचे चरमराने के कारण माह अप्रैल से ही तीखी गर्मी की तपिश से दो चार होना पड़ रहा है। बारिश भी कम हो रही है, शीतल हवा के झोंके भी कम ही आते हैं अब महानगरों में। पहले घर के बड़ें आंगन में जामुन, आम, नीम, अमरूद आदि के वृक्ष उगाए जाते थे, पर अब घरों में इन वृक्षों के लिए स्थान ही कहा है? वृक्षों के साथ-साथ जल संचयन भी खत्म हो रहा है, जो आने वाले समय में खतरनाक साबित होगा।

हमारी नदियां, झीलें, झरने, कुएं, बावड़ियाँ, घाट, पहाड़, पशु-पक्षी, खेत खलिहान, हमारा ठेठ देसी रसोई, भोजन, पहनावा हमारी पहचान है। ये सब हमारे अपने हैं, अपनों को सहेजने का दायित्व भी हमारा ही है ना? आज के बच्चों के बचपन से कहां खो गए वह पक्षी, पशु, खेत खलिहान, पहाड़, आकाश, सूरज, चांद तारे? वो मोर को नाचते देखना, मोर के पंख इकट्ठे करना, खरगोश के पीछे छलांगे लगाना आदि कितना रोमांच देता था हमें? बचपन में गर्मी की छुट्टियों में दादी जी के साथ बुआ, चाचा के भाई बहनों के साथ छत पर चांद तारों से बातें करना, सप्त ऋषियों की कहानियां सुनना। यह सब क्रियाएं बालकों में पर्यावरणीय संस्कार ही तो जगाते थे।

घर के आंगन में ही पुदीना, धनिया, कीकर, शहतूत, अमरूद के पेड़ होते। आम की घनी छांव में समवयस्क बालकों के साथ बतियाते। विद्यालय में प्रतिवर्ष 8 दिवसीय वनशाला में जाते, वहां वास्तव में वनों में, घनी हरियाली में, सूर्यास्त देखते, वन्यजीवों का परिचय लेते, कई वृक्षों के बारे में जानते, पहाड़ों पर चढ़ते-उतरते, हाथ से खाना बनाते आदि क्रियाओं में हम पर्यावरण के कितने निकट होते थे ना? ये सब पर्यावरण के प्रति चेतना, पशु पक्षियों से आत्मीयता, सामंजस्य बढ़ाने के तरीके ही तो थे और आज का बचपन? सुबह स्कूल, फिर हॉबी क्लासेस फिर मोबाइल पर गेम्स, टी.वी. देखना, होमवर्क करना फिर सो जाना। कभी जू में जाकर जानवर देखना या

क्लब में जाकर कुछ खेलना-कूदना। बस इस बचपन में पर्यावरणीय संस्कार विकसित करने का कोई स्कोप नजर नहीं आता। राज्य सरकारें पर्यावरण के प्रति जागरूक हैं व प्रयत्नशील हैं पर्यावरण संरक्षण के लिए, प्रदूषण को कम करने के लिए।

पिछले दशकों से कई पौधे सरकारी तंत्र एवं प्राइवेट एजेंसियों द्वारा रौंपे गए। लाखों रुपए वृक्षारोपण अभियान में खर्च किए जाते हैं लेकिन आमजन की भागीदारी का अभाव होने के कारण अपेक्षा के अनुकूल हरियाली नहीं पहुंच पा रही है। पृथ्वी, जल व थल के अनाप-शनाप दोहन के कारण ही पर्यावरण की समस्या पैदा होती है। जलवायु प्रभावित होती है। पेरिस समझौता 2017 इस बात का साक्षी है कि सारा विश्व जलवायु परिवर्तन के खतरों के प्रति चिंतित है।

प्रतिवर्ष 5 जून को विश्व पर्यावरण दिवस मनाया जाता है कई लक्ष्य तय किए जाते हैं योजनाएं बनाई जाती है। विचार-विमर्श, गोष्ठियों की जाती है लेकिन यह नाकाफी है। अबकी बार कुछ कर गुजरने की ठाननी होगी। स्वर्णिम भारत बनाने के लिए हर व्यक्ति को क्रियाशील बनाना होगा, लोकजुंबिश का रूप देना होगा। इसके लिए प्रत्येक व्यक्ति अपने अपने स्तर पर निम्नांकित संकल्पों, कार्यों को अपने हाथ में ले सकते हैं -

1. हरे भरे वृक्षों को न काटने का संकल्प लें।
2. छोटा, बड़ा युवा हो या वृद्ध सभी अपने जन्मदिन के उपलक्ष में पौधा रौंपे।
3. शादी विवाह आदि उत्सवों पर वर-वधू को पौधे उपहार में देना श्रेष्ठ रहेगा।
4. बचपन से ही बालकों में पर्यावरण मित्र बनने के संस्कार डालना।

5. पौधों का रोपण करें वह उन्हें पेड़ बनने तक रखरखाव की जिम्मेदारी अपने ऊपर लें।
6. यदि फ्लेट में रहते हैं तो सोसाइटी को हरा-भरा रखने का संकल्प लें।
7. आसपास के उद्यानों की देखरेख करने का भी जिम्मा उठा कर देखिए, बहुत सुकून देगा।
8. आजकल तो स्थानीय नेता, पार्षद, जिला प्रशासन आदि हरियाली विकसित करने एवं उसे बनाए रखने के लिए कार्य करते हैं उनके साथ कदम से कदम मिलाकर इस नेक कार्य के लिए आगे आएं, उन्हें सहयोग दें।
9. वृक्षारोपण जैसे नेक कार्य दलगत राजनीति से ऊपर उठ कर किए जाने चाहिए। गुटबाजी को हवा ना दें।
10. स्वच्छ, शुद्ध हवा पेड़ों से ही तो मिलती है सघन वन जंगली जानवरों का आवास होता है। विकास के नाम पर पृथ्वी को चीरा-फाड़ा जा रहा है, खदानें, मीलें और न जाने क्या क्या? कहीं ऐसा न हो कि भविष्य में वृक्ष लगाने के लिए जगह तलाशनी पड़े। अतः वृक्षारोपण के फायदे एवं वृक्ष काटने के नुकसान को जन-जन तक प्रसारित करने हेतु कार्य करें।
11. आने वाली पीढ़ी को प्रदूषण मुक्त वातावरण उपलब्ध कराने के लिए पर्यावरण को शुद्ध बनाएं ताकि शुद्ध हवा, पानी व साफ-सुथरी हरी-भरी भूमि प्राप्त हो सके। पृथ्वी महाविनाश से बच सके इसके लिए ईमानदार प्रयत्न हों। सदैव पर्यावरण से मित्रता बनाए रखें ताकि जीवन में गुणवत्ता का विकास हो सके।
12. प्लास्टिक का उपयोग खत्म करने के लिए चहुंओर से आवाज उठ रही है, इसके खतरों से अवगत कराया जा रहा है। पूरी तरह से प्लास्टिक का उपयोग बंद न भी किया जा सके तो भी न्यूनतम तो किया जा सकता है ना? प्लास्टिक का उपयोग

मनुष्य, पशु, समुद्री जीव के लिए प्राणघाती है, प्लास्टिक के कचरों के ढेर ने तो पृथ्वी को, समुद्र को डंपिंग यार्ड ही बना डाला है? चेतना तो होगा ही अब।

13. विकास के नाम पर कार्बनडाइऑक्साइड छोड़ी जा रही है जो हर वर्ष बढ़ती जा रही है। जलवायु के प्रति चिंता है, क्लाइमेट चेंज पर हुए पेरिस समझौता इस बात का प्रमाण है। इसके लिए हमें सतत् सजग व क्रियाशील होना हैं।
14. वन खत्म हो रहे हैं तो जाहिर है कि वन्य जीवों की संख्या भी घट ही रही है। हाथी, शेर, चीते, बाघ आदि जंगली जीव बहुत कम ही बचे हैं। इन्हें बचाने की मुहिम चलाई जा रही है। जंगल बचाओ अभियान में हम सक्रिय भूमिका निभा सकते हैं।
15. समुद्री जीवो की संख्या में भी अप्रत्याशित कमी देखी गई है। जल प्रदूषण के लिए हमें जागरूक होना होगा। झीलों में प्रदूषण फैल रहा है। झीलों के किनारे बड़े-बड़े होटलों का निर्माण हो गया है, इन होटलों का कचरा, मल-मूत्र झीलों में प्रवाहित हो रहा है, जो झीलों के पानी को गंदा एवं प्रदूषित कर रहा है। प्रशासन से इन होटलों को तुरंत प्रभाव से प्रदूषण पर रोक लगाने की मांग करनी होगी हमें।
16. वायु प्रदूषण की रोकथाम में भी हम, सक्रिय भूमिका का निर्वहन कर सकते हैं। अपने स्तर पर वाहनों का धुआं, पटाखों का धुआं आदि कम कर सकते हैं।
17. घरेलू गौरैया जो अब विलुप्त प्रजाति में शुमार हो चुकी है, इसे पुनः हमें घरेलू बनाने का प्रयास करना चाहिए। चील, बाज आदि अन्य पक्षी भी कम दिखाई देते हैं। आज के बच्चे केवल इन्हें केवल चित्रों में ही दिखते हैं। यह पक्षी हमारे मित्र हैं। आसपास वृक्षारोपण, पानी के परिण्डे, दाना आदि की व्यवस्था करनी होगी। इनका कोई शिकार ना करें इस बात का ध्यान रखना होगा।

18. बिजली के उपकरण कम से कम बिजली की खपत वाले ही खरीदें। अनावश्यक लैपटॉप, मोबाइल, कंप्यूटर, टी.वी., घर की लाइट्स चलता ना छोड़े। यदि स्ट्रीट लाइट्स दिन में भी जल रही हो तो बिजली विभाग को कहें।
19. यातायात के नियमों का पालन करें। चौराहों पर लाल बत्ती पर वाहन बंद करें। पेट्रोल व डीजल की फिजूलखर्ची बंद करें। कार की पूलिंग करें।

पर्यावरणीय संस्कार, पर्यावरण की शुद्धता, अनुकूल जलवायु, प्रदूषण को खत्म करने खत्म करने के लिए ठोस कदम उठाते रहने पर ही हम सही अर्थों में स्वर्णिम भारत बनाने की ओर अग्रसर होंगे।

अणछाई

"**मां** ने अपनी 2 वर्ष की जिंदा बेटी को कुएं में फेंक दिया। लाश कुएं में मिली। जांच पड़ताल के पश्चात मां को गिरफ्तार कर जेल भेज दिया गया। पूछताछ करने पर ज्ञात हुआ कि मां की यह तीसरी बेटी थी। गर्भ में पल रही चौथी संतान भी संभवतः लड़की ही थी। ससुराल में आए दिन इस संदर्भ में ताने दिए जाते थे, प्रताड़ित किया जाता था, अतः माँ स्वयं भी अवसाद से घिर गई। इन सब से छुटकारा पाने के लिए ही अपनी 2 साल की मासूम बच्ची को जिंदा कुएं में पटक आई व पीछे मुड़कर भी नहीं देखा।" ये समाचार दैनिक समाचार पत्रों में सुर्खियों में छपा। जिसने भी पढ़ा, सन्न रह गया। घटना हर हृदय को झकझोर गई।

क्या 21वीं सदीं में भी कन्याएं अणछाई (अनचाही) ही है? यह प्रश्न लगातार मस्तिष्क को कुरेदता रहा। पुराने जमाने में बेटी का नाम ही 'अणछाई' रख देते थे, तो आज बेटी का नाम अंतिमा रख दिया जाता है। 'अणछाई' को बचपन से लेकर बुढ़ापे तक तक इसी नाम से पुकारा जाना उसे इस बात का लगातार एहसास कराता रहता कि वह अणछाई (un-wanted) है, उसे कोई प्यार नहीं करता, उसकी किसी को जरूरत नहीं है। हथौड़े मारने जैसा अनुभव होता होगा वह। नवजात बालिकाओं को प्रायः प्रतिदिन कचरे के ढेर में, अस्पताल के पालना गृहों में, आश्रमों के पालने में माताओं द्वारा छोड़ा जा रहा है। यह तथ्य इस ओर इंगित करता है कि बालिका आज भी तिरस्कृत है, त्याज्य है। यदि हम शोध करें तो पाएंगे कि

इन पालना घरों में, कचरा पात्रों में छोड़ गए शिशुओं में एक भी लड़का नहीं था।

भ्रूण हत्याओं के संदर्भ में भी यदि अनुसंधान किया जाए तो ज्ञात होगा कि कन्या भ्रूणों की ही हत्या की गई, बालक भ्रूणों की नहीं। यद्यपि अब भ्रूण परीक्षण, भ्रूण हत्याओं पर रोक लगाई गई है, किंतु इसका कितना प्रभावी क्रियान्वन हो पा रहा है, यह विचारणीय बिंदु है। जनगणना में भी ग्रामीण क्षेत्रों में प्रायः परिवार के मुखिया केवल बालकों को ही अपनी संतान में शामिल करते हैं। बालिकाओं को वह जनगणना में गिनाते ही नहीं। कितनी गहरी जड़े हैं समाज में लैंगिक असमानता की!

देश में प्रतिदिन कितने बलात्कार हो रहे हैं, नाबालिग से लेकर बूढ़ी स्त्रियों तक के, इनकी कोई गिनती नहीं है; क्योंकि अधिकांश केस तो दर्ज ही नहीं हो पाते। स्त्री पर जोर-जबरदस्ती करने का अधिकार किसने दिया है पुरुष को?

गत वर्षो में महिलाओं के उत्थान के लिए अनेक कानून बनाए गए, अनेक योजनाएं लागू की गई है, इससे महिलाओं में की स्थिति में सुधार हुआ है, इस बात से इंकार नहीं किया जा सकता, लेकिन सिक्के का दूसरा पहलू स्याह है, जहां बालिकाओं को पैदा होने से पूर्व ही नहीं पैदा होने के पश्चात् भी मारा जा रहा है। इसलिए आज भारत में लिंगानुपात लगातार घटता जा रहा है। यदि इसी रफ्तार से लड़कियों की संख्या घटती रही तो आने वाले समय में लड़कियां बहुत कम ही रहेंगी।

हमारे समाज में महिला के प्रति जो उपेक्षित, नकारात्मक एवं तिरस्कार का दृष्टिकोण है उसकी जड़े गहरी व मजबूत है। इन जड़ों को उखाड़ फेंकने के लिए केवल सरकारी प्रयास ही पर्याप्त नहीं वरन्

हमें स्वयं अपने स्तर पर भी पहल करनी होगी। हमें हर स्तर पर यथा व्यक्तिगत, सामाजिक, प्रादेशिक, राष्ट्रीय एवं सांस्कृतिक स्तर पर बालिका के प्रति मानसिकता को बदलना होगा। हर व्यक्ति को बालिका की समानता के लिए अपने विचारों को सकारात्मक रूप देना होगा। हर रिश्ते में, हर स्तर पर बालिका को समानता का दर्जा देना होगा।

समाज में बालिका के प्रति 'अणछाई' नामक कालिख को खत्म करके 'मणछाई' (मनचाही) की उजास को लाने के ठोस प्रयास अपेक्षित है। इसके लिए हम निम्नांकित छोटे-छोटे प्रयास कर सकते हैं-

- घर पर बच्चों में लैंगिक भेदभाव ना करें। बेटे-बेटी को समान दृष्टि से देखें।
- बच्चों में भी लड़का-लड़की समानता के संस्कार डालें।
- बेटों को बालिका की इज्जत करना सिखाएं। उन्हें शांत व सौम्य रहने की शिक्षा देवें।
- प्रायः बालिकाओं को जन्म न देने की इच्छा के पीछे कहीं न कहीं उसकी असुरक्षा का भाव भी अचेतन में रहता है; अतः बालिका को स्वयं की सुरक्षा करने के गुर सिखाएं।
- बालिकाओं को लेकर समाज में जो कुरीतियाँ व अंधविश्वास हैं, उन्हें जड़मूल से खत्म करें।
- बालक बालिका को शिक्षा, प्रतिष्ठा आदि के समान अवसर उपलब्ध कराएं।
- बचपन से बालिका को निडर, बहादुर एवं शक्तिशाली बनने की भावना कूट-कूट कर भरें।
- माता पिता अपनी संतानों में समान रूप से कार्य विभाजन करें ताकि उनमें असमानता का भाव न पनपे।
- बेटे बेटी को अनुशासन में रहना सिखाएं।
- बेटे बेटी को समान रूप से अपना जीवन जीने का हक दें।

- माता-पिता भी एक दूसरे को आदर देवें।
- बेटे बेटी को समान शिक्षा, स्वास्थ्य सुविधाएं एवं सांस्कृतिक सुविधाएं उपलब्ध कराएं।
- आसपास में यदि महिलाओं, बालिकाओं को प्रताड़ित किया जा रहा है तो उसके खिलाफ आवाज उठाएं।
- महिलाओं को अबला सिद्ध करने के फेर में ना पड़े।
- लड़की की शादी में किए जाने वाले अंधाधुंध खर्च पर लगाम रखें।
- लड़की के स्वाभिमान को इज्जत दें।
- लड़की को कमतर समझने की भूल ना करें।
- वे परिवार समाज से बहिष्कृत हो जो बेटियों की हत्या करते हो।
- सरकार द्वारा बनाए गए कानूनों का सख्ती से पालन करें।
- एन.जी.ओ. पिछड़े गांव में महिलाओं के उत्थान का बीड़ा उठाएं।
- 'बालिका बचाओ' की मुहिम में बढ़ चढ़कर हिस्सा लें।
- परिवार में महिला को निर्णय लेने की स्वतंत्रता दें।
- महिलाओं के प्रति हिंसा और अपराध का मुंहतोड़ जवाब दिया जाना चाहिए।
- राजनीति में महिलाओं की भागीदारी बढ़ाई जानी चाहिए।
- आर्थिक स्तर पर भी स्त्री को सशक्त होना चाहिए।
- परिवार में स्त्री को संपत्ति का हक मिले।
- कन्या भ्रूण हत्या ना करें न होने दें। इस संबंध में चिकित्सक भी कन्या भ्रूण हत्या न करने का संकल्प लें।

बालिकाओं का जन्म सुरक्षित हो, पालन पोषण समान हो, बालिका अणछाई से मणछाई बने इन सब के लिए हमें व्यक्तिगत स्तर से लेकर समाज के हर स्तर पर एक आंदोलन चलाना होगा। लोक-जुंबिश की तरह लेना होगा, तभी बड़ा बदलाव लाया जा सकेगा।

यह एक लंबी व सतत् चलने वाली प्रक्रिया होनी चाहिए। कभी रुके नहीं, थके नहीं, अनवरत-चरैवेति चरैवेति। तब ही हम किसी बालिका को अणछाई बनने से रोक पाएंगे।

इस नेक कार्य के लिए हमें अपने को समर्पित करने की आवश्यकता है। आइए एक कदम बढ़ायें तो सही।

मां होती है बच्चे की आइकॉन

कई बार जब बच्चा गलत व्यवहार करता है या अनुचित शब्दों का उपयोग करता है तो माताएं तुरंत भृकुटी तानती है - 'अरे! तुम ऐसी गंदी बातें कहां से सीख कर आए हो?

सच तो यह है कि बालक सबसे अधिक अपने घर परिवार से विशेषत: माता से ही सीखता है। बच्चे बहुत कीन ऑब्जर्वर होते हैं वे अपनों से बड़ों को सदैव देखते रहते हैं व उन्हीं का अनुसरण करते हैं। अधिकांश अभिभावक इस बात से निश्चिंत होकर बालकों के समक्ष अवांछित व्यवहार करते रहते हैं कि ये तो अभी बच्चा है, कुछ नहीं समझता। यहीं अभिभावक भूल कर बैठते हैं, बच्चा वांछित अवांछित व्यवहार का अनुसरण करने लगता है।

सर्वप्रथम, बच्चा अपने आजूबाजू माँ को ही पाता है, वो उन्हीं का सबसे अधिक सामीप्य प्राप्त करता है। वो ही उसकी प्रथम आइडल होती है माँ ही से बालक निरंतर इंटरेक्ट करता रहता है शब्दों से, भावों से, हलन-चलन से। स्वाभाविक है कि बच्चा सीखता भी अपनी मां से ही सबसे अधिक है। माँ जैसे संस्कारों का बीजारोपण बालकों में करती है वैसा ही वृक्ष पल्लवित होता है। मां के मातृत्व की शक्ति इतनी प्रबल होती है कि वो बालक को जैसा चाहे घड़ सकती है।

प्रथम 5 वर्षों में बालक के व्यक्तित्व का निर्माण होता है व ये प्रथम 5 वर्ष का अधिकांश समय वो अपनी मां की छत्र छाया में ही व्यतीत करता है। अतः इस दृष्टि से मां की महति भूमिका एवं उत्तरदायित्व हो जाता है कि वह बालकों में सद्‌गुणों एवं सुसंस्कारों का संचार करें।

वो अपनी जिम्मेदारियों का निर्वाह किस प्रकार कर पाती है यह माँ के स्वयं के व्यक्तित्व पर निर्भर करता है।

दरअसल सशक्त माँ ही अपने बच्चों का सशक्तिकरण कर सकती है विशेषत: गर्ल चाइल्ड का। सशक्त माँ वही हो सकती है जिसे उसके अपने माता-पिता ने सशक्त लड़की बनाया हो। अर्थात् यदि उसकी परवरिश अपने माता पिता के घर सकारात्मक, सार्थक व उच्च कोटि की हुई है तो वह निश्चित रूप से सशक्त मां बन सकती है। आत्मविश्वास, आत्मसम्मान, शिक्षा, व्यावहारिक ज्ञान आदि का संचार बालिका में हो ऐसी परवरिश माता-पिता करेंगे तो लड़की आगे जाकर स्ट्रांग एंपावर्ड नारी एवं मां बन सकती है। अतः प्रारंभ हो माता पिता के घर से।

वस्तुतः बच्चे के जीवन का निर्माण माँ ही करती है। माँ ही बालक को सुसंस्कारों से पोषित करती है। संस्कारों का संरक्षण करती है। कहा भी जाता है कि बच्चा मां का आईना होता है। जो कुछ भी बच्चा करता है वो उसके मां की प्रतिछाया झलकती है कि उसकी मां सुघड़ है या फ़ूहड़?

हर माँ अपने बच्चों को अच्छे संस्कार ही देना चाहती है, किंतु कभी-कभी अनजाने में ही वो बालक को नकारात्मक दृष्टिकोण भी दे जाती है। आइए, देखते हैं कुछ ऐसे स्टेटमेंट्स जो मां अनायास ही कह देती है।

- दोस्त से पिटकर आया है? जा पहले उसे पीटकर आ।
- आजकल ईमानदारी का जमाना नहीं है।
- नैतिकता गुजरे जमाने की बात हैं।
- आजकल सब चलता है, चरित्र की बातें करना बेमानी है।
- तुझे तो इंजीनियर बनना ही है चाहे कुछ भी हो जाए।
- तू तो शादी मत करना, लिव इन रिलेशनशिप बेहतर ऑप्शन है।

- तेरी टीचर को कुछ आता जाता नहीं है, मैं स्कूल आकर उससे उनसे बात करूंगी।
- पैसे कमाने का कोई भी तरीका अपना सकते हो।
- रिश्तों को ज्यादा तवज्जो देने की जरूरत नहीं है। तुम तो केवल अपना स्वार्थ साधो।

ये तो केवल उदाहरण मात्र है और भी कई बातें हम ऐसी कह जाते हैं, ऐसा अनुचित व्यवहार कर जाते हैं जो बच्चों के समक्ष कभी भी नहीं करनी चाहिए। अभिभावकों को यह नहीं भूलना चाहिए कि बालक उनको आदर्श मानता है व उनकी हर गतिविधि को ठीक मानता है। हमें सतर्क रहना चाहिए कि बच्चा हमें सदैव ऑब्जर्व कर रहा होता है।

कुछ आधुनिक माताएं भी है जो बालक के समक्ष नकारात्मक उदाहरण पेश करती हैं। उनकी उश्रंखलता बालक पर विपरीत प्रभाव डालती है, ऐसे बालक आगे चलकर समाज के लिए हितकर सिद्ध नहीं होते हैं। जो मांऐ स्वयं धूम्रपान करती हैं वो किस मुंह से अपने बच्चे को नशे से बचने के लिए कह सकती है? वो मांऐ चरित्र निर्माण किस प्रकार कर पाएंगी? जो मां सदैव अपने पति से, परिवार से झगड़ा करती रहती हो वो बालक को अहिंसा का पाठ कैसे पढ़ाएंगी? जो मां स्वयं मेहनतकश न हो वो क्या बालक में श्रम के प्रति निष्ठा पनपाएगी?

मां के नैसर्गिक गुणों का आधुनिकता की होड़ में ह्रास नहीं होना चाहिए। प्रकृति ही कन्या को मां बनते ही अनेक गुण पनपा देती है, उन्हें कुचलना नहीं चाहिए। मां को अपने दायित्वों का निर्वाह कुशलतापूर्वक करना ही चाहिए।

आजकल के छात्र-छात्राओं पर दृष्टिपात करें तो लगता है कि कितने उश्रंखल व स्वछन्द हो गए हैं ये? यूनिवर्सिटीज के वार्षिक कार्यक्रमों में खुलेआम शराब का सेवन, अश्लील नृत्य, शर्मनाक वेशभूषा का चलन आम बात हो गई है। छात्र-छात्राएं जो संभ्रांत परिवारों से होते

हैं चोरी करते पकड़े जाते हैं, भ्रष्टाचार, बलात्कार के आरोपी बन जाते हैं। महिलाएं भी भ्रष्टाचार में लिप्त पाई जाती रही है। कुछ बालाएं तो अपने कैरियर को आगे बढ़ाने के लिए कुछ भी करने को तत्पर हो जाती है। ये सब देखकर मन में यही प्रश्न उठता है कि इनकी माता ने कैसे संस्कार दिए है इनको?

सच मानिए, बालक को गढ़ने का सारा दारोमदार, प्राथमिक तौर पर मां पर ही होता है। बच्चा मां को ही आदर्श मानता है। अतः हर मां अपने बच्चे के समक्ष स्वयं आदर्श प्रस्तुत करें। बालक को स्ट्रांग व एंपावर्ड बनाना माता का ही कार्य है। अधिकांश माताएं तो वास्तव में आदर्श ही होती है स्ट्रांग एंपावर्ड होती है। अपने बच्चों को सही गलत की पहचान करवाती है। अच्छे बुरे का भान कराती है, शिक्षित करती है, जीवन मूल्यों से रूबरू करवा करवाती है, व्यवहारिक ज्ञान प्रतिपादित करती है, ऊंच-नीच सिखाती है, आत्मविश्वासी, विवेकशील व मेहनती बनाती है, साहसी बनाती है समस्याओं से जूझने की शक्ति प्रदत्त करती है। उन्हें सर्वगुण संपन्न बनाने के लिए जी तोड़ प्रयत्न करती है।

सद्संस्कारों की दात्री मां ही तो होती है। बच्चों को समस्याओं से पलायन करने से रोकिए, ताकि बालक निराशा से घिर कर आत्महत्या जैसा कदम कभी भी न उठाएं। हर हाल में खुश रहने के गुर सिखाइए। अपने बच्चे को अच्छा जीवन जीने के लिए तैयार करें।

आधुनिकता की आड़ में हम अपने मां होने के दायित्व को ना भूले। मातृत्व का भरपूर आनंद लेवे। प्रकृति ने ही कन्या को मां बनने का सौभाग्य प्रदान किया है। प्रकृति ने ही एक माँ में कई नेसर्गिक गुणों को स्थापित किया है। प्रकृति द्वारा दिए गए इस दायित्व को निभाएँ। कृपया प्रकृति के साथ खिलवाड़ न करें।

तृष्णा : चिर - तरुणा

'संतोष' शब्द या भाव हमारे व्यक्तित्व से लुप्तप्राय हो चुका है। अब यह शब्द बहुत कम देखने सुनने या अनुभव में आता है। क्यों गायब हो गया यह शब्द हमारी डिक्शनरी से? क्योंकि इसको अंधकार में धकेल दिया है लोभ प्रवृत्ति ने। लोभ ने इस जगत में अपना मायाजाल इस तरह फैला दिया है कि संतोष भाव का सांस लेना दूभर हो गया व दम तोड़ चुका है। इसलिए तो आज वर्तमान सामाजिक, पारिवारिक व्यवस्थाओं पर अर्थव्यवस्था का दबदबा है। चहुं और 'अर्थ ही अर्थ' है।

आज लखपति करोड़पति, करोड़पति अरबपति और अरबपति खरबपति बनना चाहता है! पार्षद विधायक बनना चाहता है, विधायक मंत्री, मंत्री मुख्यमंत्री व मुख्यमंत्री प्रधानमंत्री? व्यापारी, उद्योगपति, अपना व्यवसाय दिनदूना रात चौगुना बढ़ाना चाहता है। नौकरीपेशा युवा वर्ग अधिक से अधिक ऊंचा पैकज पाना चाहता है। सभी भौतिक सुख-सुविधाओं को बढ़ाना चाहते हैं। एक गाड़ी से संतोष ना हुआ तो 10 गाड़ियां घर में खड़ी करना चाहता है। धनी श्रेष्ठी वर्ग हर देश व शहर में अपना फ्लेट चाहता है। गहनों में दिनोंदिन वृद्धि की लालसा तो हर स्त्री को रहती ही है। अरे, कौनसा क्षेत्र ऐसा है जो असीमित इच्छाओं, लालसाओं, तृष्णाओं व लिप्साओं से अछूता है?

हम इन अंध लालसाओं से इस कदर घिर चुके हैं कि अच्छा-बुरा आवश्यकता-इच्छा में भेद करना ही भूल चुके हैं। अरे! इन इच्छाओं पर कहीं विराम है कि नहीं? बेलगाम इच्छाओं ने हमें कहां लाकर खड़ा कर दिया? एक देश दूसरे देश का दुश्मन, एक राजनेता दूसरे

से राजनेता का दुश्मन, व्यापारियों एवं उद्योग पतियों में आपसी वैमनस्य, नौकरी में गलाकाट प्रतिस्पर्धा, बाप बेटे का दुश्मन, भाई भाई में बैर और यहां तक कि पति-पत्नी भी एक-दूसरे के विरोधी बनते नजर आ रहे हैं। रुकिए, रुकिए! कहां जा रहे हैं हम? क्या पाना चाहते हैं हम? क्या अमर होकर आए हैं इस पृथ्वी पर हम? केवल लोभ के वश में ही अपना जीवन गुजारना चाहेंगे क्या हम? ठहरिए, सोचिए व जानिए कि लोभ, तृष्ण लिप्सा के वशीभूत होकर हम क्या पाएंगे? इससे हमें घृणा, बैर, बेचैनी, अशांति, क्रोध, दुख, ईर्ष्या, द्वेष, तनाव क्लेश, आपसी वैमनस्य के अलावा कुछ भी प्राप्त नहीं होगा।

तनाव हमारी जिंदगी का हिस्सा ही बन गया है। और हमें इसी तनाव में रहने की आदत भी बन गई है इसी को हमने अपनी लाइफ स्टाइल बना लिया है। इसी तनाव भरी जिंदगी को हमने अपनी नॉर्मल लाइफ समझ लिया है। कितना घातक है यह भाव? कितना विनाशकारी है समाज के लिए, स्वयं के स्वास्थ्य के लिए?

आज मानव इस लोभ के वश में होकर हत्याएं, भ्रष्टाचार, बलात्कार व अमर्यादित व्यवहार करने में भी संकोच नहीं करता।

शिक्षा का क्षेत्र, चिकित्सा का क्षेत्र, प्रौद्योगिकी का क्षेत्र आदि अति संवेदनशील क्षेत्रों में भी लोभ की घुसपैठ हो चुकी है। शिक्षा जैसे क्षेत्र का भी पूर्ण व्यवसायीकरण हो चुका है व लोभ ने अपने पैर पसार लिए हैं।

कभी न खत्म होने वाली इस रेस में एक क्षण ठहर कर चिंतन-मनन कीजिए। आकाश की तरह अनंत इच्छाओं का कोई छोर है क्या? कब तक इस अंधकुएं में गोते लगाने की इच्छा है? क्या सदैव अतृप्त ही रहने की इच्छा है या तृप्ति की तरफ बढ़ना चाहते हैं?

इच्छा व आवश्यकता के बीच भेद करना सीखना ही होगा। तृप्ति का संबंध सीधा-सीधा मन से है धन संपत्ति से नहीं। और जब तक

इस मन में संतोषभाव का उदय नहीं होता तब तक यह लोभ प्रवृत्ति अपना तांडव करती ही रहेगी।

इच्छा रखना बुरी बात नहीं है लेकिन इच्छा निकृष्ट नहीं होनी चाहिए, स्वार्थ रहित होनी चाहिए। इच्छा से ही सृजनात्मकता विकसित होती है। इच्छा सदैव उपकारी, हितकारी होनी चाहिए। हमें आध्यात्मिक इच्छाएं भी विकसित करनी चाहिए।

तृष्णा वस्तुतः वह भाव है जो सदा युवा ही रहता है। आदमी चाहे बुढ़ा हो, बीमार हो, मृत्युशैया पर हो-तब भी उसकी तृष्णाएं हिचकोले खाती रहती है। तृष्णा चिरतरुणा ही रहती है यह वक्त के साथ बूढ़ी या खत्म नहीं होती। तृष्णा की पूर्ति कभी नहीं हो सकती। लोभ, तृष्णा, इच्छा आदि पर ब्रेक लगाना अति आवश्यक है। तृष्णा परम दुख का कारण है। तृष्णा ही के कारण हम जीवन में दुख पाते हैं। भगवान ने कहा, "कैलाश के समान सोने व चांदी के असंख्य पर्वत भी किसी के पास हो जाएं, परंतु यदि मनुष्य लोभी है, तृष्णातुर है तो वे उसकी वृत्ति के लिए कुछ भी नहीं है क्योंकि इच्छाएं आकाश के समान अनंत हैं।

मनुष्य के जीवन का अंत आता है किंतु तृष्णा, इच्छा का कहीं अंत नहीं आता। क्या आपको नहीं लगता कि मनुष्य इस जीवन में सब कुछ प्राप्त कर लेने की लालसा रखता हुआ बेतहाशा भागता चला जा रहा है जैसे कि वह अमर है? कभी उसे मृत्यु आएगी ही नहीं? इतना नादान है क्या मनुष्य? संसार की प्रत्येक वस्तु की लालसा है उसे, सबको इकट्ठा करना चाहता है वह।

ज्ञानी कहते हैं परिग्रह पाप का घर है, त्याग मुक्ति का द्वार। अतः परिग्रह (संग्रहवृत्ति) से दूरी बनाए रखो।

महापुरुषों ने चार कषाय बताए हैं- क्रोध, मान, माया और लोभ। यद्यपि लोभ को अंत में रखा गया है किंतु यह सभी कषायों का

सरदार भी है। प्रत्येक कषाय की उत्पत्ति का हेतु लोभ ही तो है। जो सब गुणों का नाश कर देता है।

आज तो कतिपय बाबा, सन्यासी भी कितने लोभी हो गए हैं कोई स्त्री के रूप रंग का, कोई यश कीर्ति का, कोई पैसे का, कोई पद का, कोई सत्ता का, कोई संतान का, शिष्यों का। भौतिक सुख-सुविधाओं, काम, वासना के ये दास हो चुके हैं।

हर व्यक्ति हर क्षेत्र में लोभ का बोलबाला है। प्रिंट मीडिया इलेक्ट्रॉनिक मीडिया में तो इसी प्रवृत्ति की परिणति है लहलहाता विज्ञापन उद्योग। हर व्यक्ति अपना सच्चा झूठा विज्ञापन कर ज्यादा से ज्यादा मुनाफा कमाना चाहता है।

तृष्णा ही तो मोह का खाद पानी है। तृष्णा मोह को सदा लहलहाती रखती है, व्यक्ति को असंतुष्ट रखती है। कई बार लोभवश व्यक्ति झूठ का भी सहारा लेता है। भगवान ने कहा कि निर्भीक स्वतंत्र विचरण वाला सिंह भी मांस के लोभ में जाल में फंसता है। लोभ ही है जो हमें नरक में धकेलता है। लोभ का एक ही रामबाण इलाज है, वो है संतोष।

गरीब व्यक्ति फिर भी संतुष्ट हो सकता है लेकिन धनवान के लिए संतोषवृति दूर की कौड़ी है। ज्यों ज्यों धन की अधिक प्राप्ति होती है, लोभ भी बढ़ता जाता है। मोह में, राग द्वेष, कलह में धंसता चला जाता है, जहां से बाहर निकलना अत्यंत दुष्कर कार्य हो जाता है।

लोभ ही सब पापों का जनक है और यह हमारी आत्मा को पतन की ओर ले जाता है। इच्छाओं का गुलाम बनकर व्यक्ति कभी मोक्षगामी नहीं बन सकता। प्रभु ने इसीलिए इच्छाओं को सीमित करने को कहा। लोभ की धारा सदैव आगे की तरफ ही बढ़ती रहती है पीछे हटने का नाम ही नहीं लेती।

भगवान ने कहा कि काम और लोभ सुगति के बाधक शल्य है। सुखी वही हो सकता है जो संतोषी होता है।

परिग्रह की लालसा हमें क्यों होती है? अपने परिवार के लिए ही ना? लोभी व्यक्ति सात पीढ़ी तक के लिए धन जमा करने की सोचता है।

हम लालच में अपना अमूल्य जीवन खो रहे हैं यह विचार हमारे मन में कभी पनपता है क्या? लालच हमारे अज्ञान के कारण हैं यह कभी ध्यान में आता है क्या? हम 'स्व' (आत्मा) को भूल कर 'पर' (शरीर) को पोषित करने में लगे हैं यह चेतावनी मन कभी देता है क्या? यदि नहीं तो निश्चित ही हमें जागने की आवश्यकता है।

लोभ को हमें कंट्रोल करना ही होगा। भगवान ने कहा लोभ विजय से जीवात्मा को संतोष की प्राप्ति होती है। संतोष ही सबसे बड़ा धन है यह शिक्षा हमें पुनः याद करनी है। श्रावक के 12 व्रतों में 5वां व्रत परिग्रह परिणाम परिमाण व्रत है जो इच्छाओं को परिसीमित करते हैं।

यदि हम बार-बार संसार भ्रमण से मुक्ति चाहते हैं तो हमें मोह व लोभ को तजना ही होगा। मोह व लोभ का बहुत गहरा संबंध है। ज्यों ज्यों तृष्णा बढ़ती है त्यों त्यों मोह भी बढ़ता जाता है। इसी के साथ उत्पन्न होते हैं राग व द्वेष। सारे दुखों की जडें है राग और द्वेष। राग-द्वेष से ही जीव अनंत भवों में भटकता रहता है, वह मुक्ति को प्राप्त नहीं कर पाता। अतः यदि राग-द्वेष के बीज ही सुखाने है तो मोह व लोभ को भी उखाड़ना होगा।

जो व्यक्ति संतोष को प्राप्त करता है वह नवीन कर्मों के बंध को भी रोकता है साथ ही साथ पूर्व में बंधे हुए कर्म भी नष्ट कर देता है यह महावीर की वाणी है।

अतः हम इच्छाओं के पुतले की होली जलाएं, कृश कर दें सारी अनिष्टकारी इच्छाओं को व प्रस्फुटित होने दें एक नवीन संतोष की

ऊर्जा को। केवल एक ही इच्छा को बलवती होने दें वो है मोक्ष प्राप्ति की इच्छा। तृष्णा व लोभ को नियंत्रित करें। परमार्थ व हितकारी कार्य करें।

एक अमरिकी रिपोर्ट में यह बात रेखांकित की गई है कि भारत में हर स्तर पर भ्रष्टाचार है। भ्रष्टाचार के पीछे कौनसा भाव काम करता है, तृष्णा ही न? तृष्णा को हम पोषित करते हैं इसलिए वह चिरतरुणा बनी रहती है।

परमार्थ भी इस लोभ के साथ होता है कि मेरा नाम होगा। विरले पुरुष ही है जो निष्काम भाव से सेवा करते हैं।

तृष्णा को आप अपने ऊपर राज न करने दें, स्वयं उसको नियंत्रित कर लें।

संवाद करें : सींचें संस्कारों को

12 वर्षीय विद्यार्थी ने अपने ही घर पर फांसी लगाकर अपनी जान दे दी। ज्ञात हुआ कि उसको विद्यालय में शिक्षकों द्वारा प्रताड़ित किया जा रहा था, मारा पीटा जा रहा था। बालक के सुसाइड नोट से पता चला कि यह मारपीट का सिलसिला कई महीनों से चल रहा था। बालक यह सहन न कर सका व उसने जान दे दी।

प्रश्न यहाँ यह उठ रहा है कि उसने अपने अभिभावकों से इसका जिक्र क्यों नहीं किया? अपनी आप बीती माँ से क्यों नहीं शेयर की? अपने मित्रों को, सहपाठियों को बता सकता था। यदि वह अपनों को अपनी समस्या बताता तो अवश्य ही कोई हल निकल आता। लेकिन इस बालक ने इस संबंध में कोई भी संवाद नहीं किया।

बच्चे संवाद क्यों नहीं करते? अपने अभिभावकों से संवाद विहीन क्यों रहना चाहते हैं? क्यों वे अपनी समस्या अपनों से शेयर नहीं करना चाहते? क्यों वे अकेले ही परेशानी से जूझते रहना चाहते हैं? जब वे अकेले इसका हल नहीं निकाल पाते तो जान दे बैठते हैं? यह कौनसा तरीका है जीवन जीने का और जीवन देने का? वस्तुतः, बालक भ्रमित हो रहे हैं, वर्तमान समस्याओं से निपट नहीं पा रहे हैं। मार्गदर्शन के अभाव में जान गवां रहे हैं।

इसी प्रकार की एक और दुर्घटना है। एक तरफा प्यार सार्वजनिक करने की धमकी देने पर साथियों ने उस बालक की हत्या कर दी। संवाद करने से, बातचीत करने से कई समस्याओं का हल निकाला जा सकता है।

सबसे गंभीर प्रश्न उठ रहा है कि आज बालक क्यों अपने माता-पिता से संवाद नहीं करना चाहता? या माता-पिता ही अपनी आपाधापी भरी जिंदगी में दो पल अपने बच्चों के लिए नहीं निकाल पाते? कारण कुछ भी हो लेकिन यह कटु सत्य है कि आज अभिभावकों व बालकों के बीच संवाद बमुश्किल हो पाता है। इसके गंभीर परिणाम समाज के समक्ष दृष्टिगोचर हो रहे हैं।

बालकों में संस्कार निर्माण की जब हम बात करते हैं तो नैतिक मूल्यों, जीवन मूल्यों एवं आदर्शवादिता का जिक्र आता है। बालकों में नैतिक मूल्यों के विकास हेतु विद्यालयों में, स्वयंसेवी संस्थाओं द्वारा नानाविध प्रयास किए जा रहे हैं। नैतिक मूल्यों का पाठ पढ़ाना सरल कार्य हो सकता है, लेकिन उन्हें आचरण में लाना कुछ मुश्किल है।

बालक का हृदय अत्यंत कोमल एवं संवेदनशील होता है। वह चाहता तो है अपनी समस्याओं को शेयर करना लेकिन जब वह देखता है कि अभिभावकों के पास उसके लिए समय नहीं है तो वह कुंठा से घिर जाता है। समस्याओं का समाधान नहीं मिल पाने पर उसकी आँखों के सामने अंधेरा छा जाता है। उसका मन निराशा से घिर जाता है जो उसे आत्महत्या की तरफ धकेलता है।

आज बालक समस्याओं से संघर्ष नहीं कर पा रहा है। उसमें समस्याओं से जूझने की क्षमता ही नहीं रही है। अभिभावकों ने उन्हें जुझारू बनने के संस्कार नहीं दिए हैं। बालक समस्याओं से पलायन कर आत्मघाती कदम उठा बैठता है।

अभिभावकों को अपनी संतानों से अधिक से अधिक संवाद करना चाहिए। कई बार बातों ही बातों में बालक का मन पढ़ा जा सकता है, तब उसे सही दिशा-निर्देश दिया जा सकता है। बालकों के मन में अभिभावक के प्रति विश्वास का भाव होना चाहिए। अभिभावक अपना पेरेन्टहुड जिम्मेदारी के साथ निभाएँ। बालक को अभिभावक में घनी

छांव मिलनी चाहिए जो उसे सब कठिनाइयों से निजात दिलाने वाली हो। अभिभावक बालकों को अधिक से अधिक समय देने का प्रयत्न करें। बालकों में सुरक्षा का भाव पैदा करें, वे आपके पास सिक्योर्ड महसूस करें।

घर का वातावरण भी बालकों के मानस पटल पर अपना प्रभाव छोड़ता है। अभिभावकों को बालकों के समक्ष आदर्श उपस्थित करना चाहिए। बालकों के समक्ष लड़ाई झगड़ा नहीं करें। अभिभावक ध्यान रखें कि किसी आपत्तिजनक स्थिति में बालकों को नजर नहीं आए, व्यवहार शालीन रखें।

बालक अपने घर परिवार, अभिभावकों से ही सबसे अधिक सीखता है। जैसा वो सीखता है उसी के अनुरूप व्यवहार करता है। इसीलिए कहा जाता है कि बालक का व्यवहार अभिभावकों का आईना है। अतः अभिभावकों को सतर्क रहना चाहिए। बालकों को भरपूर प्रेम देंवे। प्रेम देने के साथ साथ उन्हें अनुशासन में रहना सिखाएँ। यदि हम घर पर शालीनवाणी का प्रयोग करेंगे तो बालक भी वैसे ही वाणी बोलेगा।

- चारित्रिक दृढ़ता भी बालकों में अभिभावकों द्‌वारा ही प्राप्त होती है, अतः उच्च चरित्र के धारक बनें। बालक में अच्छे बुरे की समझ विकसित करें।
- उन्हें हम 'परिस्थिति का सामना दृढ़ता से करें', इस योग्य बनाएं। उन्हें आत्मविश्वासी बनाएं। बालकों की योग्यताओं को सराहें। उनकी कमजोरियों को प्यार से दूर करने का प्रयत्न करें। उनमें हीन भावना न पनपने दें। उन्हें यह अहसास करावें कि वे आपके लिए कितने महत्वपूर्ण हैं। उन्हें कभी भी तिरस्कृत न करें। बालक में सकारात्मक विचारों को प्रवाहित करें। यदि वो सकारात्मक विचारों का होगा, तब ही वह सृजनात्मक भी होगा।

- बालकों में नैतिक मूल्यों के विकास के लिए सतत् प्रयत्नशील रहें। जीवन-मूल्यों की शिक्षा प्रभावी तौर पर एक माँ ही दे सकती है। माँ अपने दृढ़ चरित्र आत्मविश्वास आदि गुणों को अपनी संतान में स्थानांतरित करें। अपनी ममतामयी छांव में बालक को संस्कारित करें।
- बालक कभी भी मारने, पीटने, डाँटने से नहीं सुधरते, इससे तो बिगड़ने की संभावना अधिक रहती है। बालक को सदैव प्यार से समझाएं। गलती होने पर भी उसे सुधरने का मौका देंवे।
- आसपास का वातावरण अनुकूल हो तो बालक का विकास अच्छा हो सकेगा। सद्व्यवहार, शालीन भाषा, सौहार्द, सहयोग, सकारात्मक धर्म, आदि संस्कारों को पल्लवित करें। आपसी ईर्ष्या, द्वेष, क्रोध, अहंकार आदि अवगुणों से दूर रखें।

यदि हम ईमानदार कोशिश करेंगे तो अवश्य ही हमारी संतान दृढ़ निश्चयी, सद्चरित्र एवं गुणी होगी। यही संतान जब अभिभावक बनेगी तब वह इन संस्कारों को अपनी संतान में सींचेगी। यह कड़ी से कड़ी मिलती चली जाएगी व हमारी आने वाली पीढ़ी सुनागरिक बनती चली जाएगी।

अपने पेरेन्टहुड़ को सार्थक बनावें, अपनी संतान को संस्कारी बनावें, आइए हम यह संकल्प लें।

आत्महत्या किसी समस्या का समाधान नहीं

समाचार पत्रों में विद्यार्थियों द्वारा आत्महत्या किए जाने के समाचार सुर्खियों में रहते हैं। प्रतिवर्ष किशोरों द्वारा की गई आत्महत्या के मामलों में बढ़ोतरी होती नजर आ रही है। ये बढ़त निश्चित ही चिंता का एवं निराशाजनक है। विद्यार्थियों द्वारा आत्महत्या करना घोर अवसाद की परिणति होती है। जब व्यक्ति कुंठा, निराशा, तनाव से घिर जाता है तब वह आत्महत्या जैसे आत्मघाती कदम उठाता है।

क्या हमारी शिक्षा प्रणाली किशोरों को इस योग्य नहीं बनाती कि वे जीवन में आने वाली समस्याओं से दो-दो हाथ कर सके? क्या वर्तमान परिवार उन्हें भावनात्मक सपोर्ट, अपनापन एवं सुरक्षा देने में फेल हो रहे हैं? क्या हमारा समाज उनको प्रतिकूल वातावरण से जूझने की शक्ति नहीं देता? क्यों इतना कमजोर है हमारा विद्यार्थी भावनात्मक स्तर पर? वे स्वयं को मानसिक रूप से सुदृढ़, सशक्त क्यों नहीं कर पाते?

वस्तुतः किशोरवय के छात्र अति संवेदनशील होते हैं। यह वो अवस्था है जब उसमें शारीरिक व मानसिक परिवर्तन होते हैं। इस समय उसे अपनों से बड़ों का अपनापन, सहानुभूति, दोस्ताना व्यवहार एवं सुरक्षा की आवश्यकता होती है।

वह स्वयं तो बात करने में संकोच का अनुभव करता है; किंतु ऐसे समय में घर के बड़ों को आगे होकर उससे बात करनी चाहिए वह उचित मार्गदर्शन देना चाहिए। परिवार, विद्यालय एवं समाज को सकारात्मक भूमिका निभानी चाहिए।

किंतु; खेद का विषय है कि आज के भागमभाग व आपाधापी भरी जिंदगी में दो घड़ी रुक कर इन बातों पर विचार करने की किसी को सुध नहीं है? एकल परिवार, उस पर दोनों माता-पिता कामकाजी। बालक को बचपन से ही 'बिजी रखने का शेड्यूल तय कर लिया जाता है।' एक दिन में विद्यालय, कोचिंग, डांस, म्यूजिक, ड्राइंग, पेंटिंग और ना जाने कौन-कौन सी क्लासेस! बालक एक स्थान से दूसरे स्थान पर भागते-भागते कक्षाएं ज्वॉइन करता है। ऐसे में बालक भी अपने अपने माता-पिता से दूर होता चला जाता है। थके-हारे माता-पिता काम से रात को घर लौटते हैं तो बालक के साथ बात करने की ऊर्जा उनमें बाकी ही नहीं रहती।

दसवीं पास करने के पश्चात शुरू होता है बालक को कोचिंग इंस्टीट्यूट में भेजने का सिलसिला। अभिभावक भरपूर पैसा खर्च करके अपने बच्चे को अच्छे से अच्छे कोचिंग इंस्टीट्यूट में डालना चाहते हैं। बालक पर बचपन से पढ़ाई के साथ-साथ कोचिंग इंस्टीट्यूट में जानलेवा प्रतिस्पर्धा वाली पढ़ाई की मार। इन सबसे ऊपर माता-पिता की अतिमहत्वाकांक्षा का अतिरेक!

ऐसा प्रतीत होता है कि बालक का अल्हड़ बचपन, मस्त-मलंद किशोरावस्था इन कोचिंग इंस्टीट्यूटस् की बलि चढ़ गई है। खिलंदड़ किशोरावस्था, मासूमीयत सभी कुछ दम तोड़ते नजर आ रहे हैं।

आई.आई.टी. या अच्छे मेडिकल कॉलेज में प्रवेश पाने का सपना माता-पिता पालकर बैठे होते हैं, व अपेक्षा करते हैं कि उनका बालक इस पर खरा उतरे, बिना यह देखें कि बालक की क्षमताएं कितनी हैं? हर अभिभावक अपने बच्चे को नंबर वन देखना चाहता है। यह बालकों पर ज्यादती नहीं तो और क्या है?

हो सकता है कि इन गहन पठन-पाठन से विद्यार्थी की बुद्धि-लब्धता (आई. क्यू.) बढ़ती हो; किंतु भावनात्मक संतुलन तो बिगड़ता नजर

आता है। जिन बालकों को परिवार में व विद्यालय में स्वस्थ व उचित वातावरण मिला हो वे तो इन कोचिंग इंस्टीट्यूटस् की खतरनाक परिस्थितियों से सामंजस्य बैठा पाते हैं, वर्ना अन्य बालक तो टूट ही जाते हैं, बिखर जाते हैं। अपनों से दूर, घर से दूर अन्य शहरों में कोचिंग इंस्टीट्यूट में प्रतियोगी परीक्षाओं की तैयारी करने गए बालकों का मनोबल टूटने लगता है। नए वातावरण में वे स्वयं को समायोजित करने में असमर्थ महसूस करते हैं। माता-पिता की आसमान छूती महत्वाकांक्षाएं एवं अपेक्षाएं बालक को बहुत प्रेशर में डालती है, हेल्पलैस बनाती है। वह अपनी क्षमताओं से अधिक जब नहीं कर पाता है तब माता-पिता व स्वयं के संजोए सपने टूटने लगते हैं। बालक को सिर्फ अंधकार ही नजर आने लगता है। ऐसी परिस्थिति में उसके सोचने की क्षमता भी न्यून हो चुकी होती है। भावनाओं को शेयर करने वाला कोई अपना भी पास में नहीं होता है। क्या करें, क्या न करें? कहां जाए? अवसाद व निराशा का यह भयावह मंजर उसे आत्महत्या की ओर धकेल देता है।

विद्यार्थी आत्मघात कर स्वयं तो अपनी इहलीला समाप्त करता ही है, साथ ही अपने माता-पिता को कभी न भरने वाला घाव भी दे जाता है। वह यह नहीं समझ पाता कि यदि वह इंजीनियर, डॉक्टर न बन पाता तो अभिभावकों को इतना दुख नहीं होता, जितना उसकी आत्महत्या करने पर होता है।

न जाने कब और किन परिस्थितियों में संतान के दिमाग में आत्महत्या का वायरस प्रवेश कर जाए, इसके लिए अभिभावकों को सतत् सजग व जागरूक होना होगा। अपने बच्चों से अनवरत संवाद स्थापित कर उसे विश्वास दिलाना होगा कि वह उसे कितना प्यार करते हैं, स्नेह करते हैं। उसे अपनी छत्रछाया का एहसास कराना होगा। उसे भावात्मक सुरक्षा का संबल प्रदान करना होगा। संतान अभिभावकों के जीवन में कितना महत्वपूर्ण स्थान रखती है, इसकी

प्रतीती करवानी होगी। कोई भी उपलब्धि जीवन से तो अधिक प्रिय नहीं हो सकती ना?

विद्यार्थी एवं अभिभावकों का महत्वाकांक्षी होना अच्छी बात है; किंतु अति सर्वत्र त्याज्य है। अति महत्वकांक्षी होना संतान के लिए घातक सिद्ध हो सकता है।

विद्यालयों को तो केंद्रीय सरकार या राज्य सरकार द्वारा निर्धारित मापदंडों पर ही संचालित किया जाता है, जहां बालक के व्यक्तित्व के प्रत्येक पहलू पर ध्यान दिया जाना अपेक्षित होता है। विद्यालयी प्रशासन बालक के शैक्षणिक, भौतिक, मानसिक व भावात्मक विकास के लिए उत्तरदायी होता है। किंतु; कुकुरमुत्तों की तरह तेजी से पनपते कोचिंग इंस्टीट्यूट किसी भी प्रकार के नियंत्रण एवं जिम्मेदारी से मुक्त है। बालक के प्रति उनकी कोई जवाबदेही नहीं होती है। बालक के भावनात्मक पहलू से भी कोचिंग इंस्टीट्यूट का दूर-दूर तक कोई लेना-देना नहीं होता। ये अपनी शर्तों पर मोटी फीस एवं कोर्स निर्धारित करते हैं। हद तो तब हो जाती है जब कोई सरकारी/गैर सरकारी विद्यालय भी इनके साथ टाइ-अप कर लेते हैं।

सन 2015 में एक ही शहर के 29 छात्रों ने आत्महत्या की थी, जिसमें 17 कोचिंग संस्थान के थे। इसलिए गत दिनों संसद जैसे उच्च संस्थान में भी इन कोचिंग इंस्टीट्यूटस् के खिलाफ आवाज उठने लगी है।

हम कोचिंग संस्थानों का विरोध नहीं कर रहे हैं; किंतु इतनी अपेक्षा रखते हैं कि वे बालक की बुद्धिक्षमता के साथ-साथ भावनात्मक पहलू का भी खयाल रखें।

चहुं ओर विरोध के पश्चात् अब सुखद बदलाव यह आया है कि स्थानीय प्रशासन ने भी कोचिंग इंस्टीट्यूटस् पर निगाह रखनी शुरू

कर दी है। कोचिंग संस्थानों में भी 'फन डे' मनाकर बालकों को फ्रेश किया जा रहा है। कैरियर काउंसलर व मनोवैज्ञानिक की नियुक्ति के लिए भी सरकारों ने आदेश जारी कर दिए हैं। यहां तक कि छात्रों की मौतों को गंभीरता से लेते हुए हाईकोर्ट ने भी स्व-प्रसंज्ञान लिया है। यह सभी बहुत अच्छी पहल हो रही है, अच्छी शुरुआत है, इसका स्वागत किया जाना चाहिए। कई विश्वविद्यालयों के कॉलेजों में कोचिंग प्रारंभ की गयी है जो निश्चय ही सकारात्मक पहल है। अभिभावक भी बहुत सतर्क हो चले हैं अब। वे भी कोचिंग सेंटर्स वाले शहरों में रहने लगे हैं। स्वस्थ परिवेश, सही मार्ग-दर्शन एवं सुरक्षा देने लगे हैं। बालक को संरक्षण मिल रहा है।

हमारा बच्चा कभी भी निराशा या अवसाद का शिकार न बने, इसके लिए हमें बचपन से ध्यान देना होगा। बालकों को बचपन से ही खेलने का समय दीजिए। प्रायः यह देखा गया है कि जिन बालकों को खेलने का अवसर नहीं मिलता वे चिड़चिड़े हो जाते हैं। असहिष्णुता उनमें घर कर जाती है। ये उनके स्वास्थ्य पर विपरीत असर डालता है। बालकों को बचपन से ही आत्मविश्वासी बनाने की तरफ ध्यान देना चाहिए। जो बालक आत्मविश्वासी, मानसिक रूप से सुदृढ़ होते हैं वह आत्महत्या जैसे कायर कृत्य की तरफ नहीं बढ़ सकते। आत्महत्या पलायन-वादी दृष्टिकोण है। अपने बालक को हर समस्या का, हर चुनौती का साहस से, मेहनत से सामना करने के लिए तैयार करना चाहिए। आत्महत्या किसी भी समस्या का समाधान नहीं है। दृढ़ निश्चयी बालक अपनी क्षमता के अनुरूप उपलब्धि हासिल कर लेते हैं वे अपने माता-पिता का सिर ऊंचा करते हैं व अपना कैरियर बना लेते हैं।

बालकों को उनके महत्वपूर्ण होने का एहसास कराना चाहिए। अभिभावक अपनी महत्वाकांक्षाओं को उन पर कभी न थोपें। वे अपनी क्षमतानुरूप एवं रचनात्मकता के साथ आगे बढ़ें, ऐसी प्रेरणा

दें। बालकों पर किसी प्रकार का दबाव न डालें, मित्रवत व्यवहार करें। सतत् संवाद करें। उनकी समस्या को हल करें। उनके मार्गदर्शक बने। मात्र पैसे देकर अपनी जिम्मेदारी की इतिश्री न समझें। उसका विश्वास हासिल करें, बालक का भावनात्मक संबल-सहारा बनें।

बालक को ऊंच-नीच की समझ भी दें, सही गलत की पहचान कराएं। उसकी क्षमताओं, योग्यताओं से परिचित कराकर उसका उत्साहवर्धन करें। कोई नकारात्मक बात उससे न करें। उसके मित्रों के साथ उसकी तुलना न करें। बालक के एक भरोसेमंद मार्गदर्शक बनें। किसी भी माता-पिता का लाडला आत्महत्या जैसे कदम न उठाये, यह हम सब की जिम्मेदारी है। बालक यह समझे कि आत्महत्या अपराध है, वह इसे जीवन में कोई स्थान न दे। हर बालक यह विश्वास रखे कि उसके माता-पिता उसे बहुत प्यार करते हैं। बालक उनका जीवन है, सहारा है, सर्वस्व है। किसी बालक को यह हक नहीं बनता कि वह अपने माता-पिता को अपनी संतान से महरूम करे। हर विद्यार्थी अपनी डिक्शनरी से 'आत्महत्या' जैसे शब्द को हमेशा के लिए 'डिलीट' कर दे।

अभयदान का लें संकल्प

धर्म के चार मुख्य आधार बताए गए हैं - दान, शील, तप व भावना। इन चारों में प्रथम स्थान दान को प्राप्त है।

दान का सीधा-सीधा अर्थ होगा अपनी किसी वस्तु का विसर्जन करना, प्रदत्त करना, देना या भेंट करना। किसी भी परिणाम की अपेक्षा के बगैर किया गया दान ही श्रेष्ठ माना गया। दान का फल केवल दानदाता को ही नहीं, वस्तु दान प्राप्त करने वाले को, समाज को प्राप्त होता है।

दान भी मुख्यतः चार प्रकार का कहा गया है आहार दान, ज्ञान दान, औषधदान एवं अभयदान। अभयदान को सबसे उत्तम दान माना जाता है।

अभयदान का अर्थ सरल शब्दों में किसी प्राणी को अभय देना, उसे भयमुक्त करना, उसके प्राणों की रक्षा करना है। सभी जीव जीने की इच्छा रखते हैं। मृत्यु किसी को प्रिय नहीं होती। सूक्ष्म से सूक्ष्म जीवों से लेकर मनुष्य तक को अपना आयुष्य प्रिय होता है। अतः ज्ञानी कहते हैं कि किसी प्राणी का घात करना हिंसा है। अहिंसा ही सब धर्म का मूल है।

ज्ञानी जनों ने मन, वचन व काया से प्राणी मात्र की हिंसा न करने व उन्हें अभयदान देने का अनुपम संदेश विश्व को प्रदान किया।

गृहस्थ के जीवन में प्रतिपल प्राणियों के हिंसा का प्रसंग बनता है। गृहस्थ पूर्णतया इससे बच नहीं सकता, बल्कि जागरूक रहकर, विवेक रखकर वह इन प्राणियों को अभयदान दे सकता है।

वैज्ञानिकों ने सिद्ध कर दिया कि पशु-पक्षी, मनुष्य आदि में तो जीव होता है। किंतु वनस्पति, पृथ्वी, जल, अग्नि व वायु में भी अनेक सूक्ष्म जीव होते हैं, जिनमें चेतना होती है। लोक के समस्त जीवो की रक्षा करना, उन्हें अभयदान देना परम धर्म माना गया है।

वर्तमान युग में मनुष्य का जीवन विचारणीय है। भौतिक सुविधाओं से पूर्ण, संचार माध्यमों को माध्यमों के नेटवर्क में उलझा, अर्थोंपाजन की अंधाधुंध प्रतिस्पर्धा में रत वह कहां पहुंचना चाहता है, वह खुद ही असमंजस में हैं इस जीवन में भी वह जीवो को अभयदान दे सकता है यदि वह थोड़ा सा जागरूक हो, विवेकशील हो प्रयत्नशील हो।

स्त्री, पुरुष, बालक, वृद्ध सभी जीवों को विराधना से, प्राणों का घात करने से बच सकते हैं यदि वे निम्नांकित प्रयत्न करें तो -

- मन में अभय दान के लिए संकल्प लें दृढ़ निश्चय कर लें।
- आत्मा को पाने की राह में चलने वाला व्यक्ति स्वयं अभय बने व अन्य प्राणियों को अभय बनाए। न स्वयं डरे, न दूसरों को डरावें।
- अहिंसा को पूर्णत: अपनावें, क्योंकि यही सभी धर्मों का मूल है।
- जहां अशांति हो, वहां अहिंसा रूपी रामबाण औषधि को अपनाएं।
- सभी जमीकंद में अनंत जीव होते हैं, अतः उनका त्याग करना, यदि हमेशा के लिए नहीं किया जा सके तो चातुर्मास में तो अवश्य जमीकंद के जीवो को अभयदान प्रदान करें।
- शहद व मक्खन में भी अनंत जीवो की उत्पत्ति होती है, अतः उसके सेवन में भी मर्यादा करनी चाहिए।
- पानी का उपयोग आवश्यकतानुसार ही करें। सदैव छाना पानी पीएं।
- नहाते समय, ब्रश करते समय व कपड़े धोते समय आवश्यकता पड़ने पर नल चलावें।

- घर के सहायक कर्मचारी को भी पानी, लाइट आदि का मर्यादित उपयोग करने के निर्देश देवें।
- बचपन से ही सुनते आए हैं कि चौथा विश्व युद्ध पानी के लिए होगा। अतः अनावश्यक पानी की बर्बादी रोके, अभयदान भी होगा।
- होटल, रेस्टोरेंट में खाना खाने में जीवो की हिंसा का अधिक प्रसंग बनता है, इससे बचें।
- बासी दही, दूध, मिठाइयाँ आदि का सेवन न करें, क्योंकि इनमें जीवो की उत्पत्ति हो जाती है।
- मिठाइयों के रस, चाशनी को खुले नहीं छोड़े, अन्यथा अनेक चीटियां उस पर चिपक कर प्राण त्याग देगी।
- बार-बार भोजन गर्म करने से पौष्टिकता भी खत्म होती है वह जीवो की हिंसा का भी प्रसंग बनता है। इससे बचें।
- पतंग उड़ाने से वायु में रहे हुए जीवो के तथा पतंग की डोर से अनेक पक्षियों के हनन का प्रसंग बन जाता है। ऐसे शौक पूरे करने में पूरा विवेक बरतें।
- वनस्पति, पेड़, पौधों में भी जीव होता है, आवश्यकतानुसार ही इनका उपयोग करें। बिना कारण घास को तोड़ना, फूलों को मसलना, पत्तों को तोड़ना, फलों को तोड़ना आदि से बाज आएं।
- पृथ्वी के जीवो को भी अभयदान देना है। सुरंगे खोदने, नींव खोदने, खान खोदने से अनंत जीवों का हनन होता है, इनसे बचने के लिए जागरूक रहें, बिना कारण मिट्टी को कुरदने से परहेज करें।
- पानी में, सागर, समुद्र में बिना कारण पत्थर फेंकना, कीचड़ में ढेला फेंकना, मिट्टी के ढेलो को फोड़ना जीव हनन का कारण बनता है। ध्यान दें।

- कहीं पर कोई खाद्य वस्तु खुली न छोड़ने के लिए अन्य लोगों को प्रेरित करें व स्वयं भी इस पर अमल करें।
- कई बार बच्चे कीड़े, मकोड़े, चींटी, मक्खी हाथ से मसलते या पावों से घात करते नजर आते हैं। उन्हें ऐसा न करने के कारण बताएं व अभय दान के संस्कार डालें।
- बार-बार गैस जलाने, अग्नि प्रज्वलित करने से बचें।
- टी.वी., ए.सी., गीजर, पंखा, वाशिंग मशीन, विद्युत चालित अन्य संसाधनों के उपयोग में भी विवेक की अपेक्षा है।
- मेकअप के समस्त कॉस्मेटिक्स अनेक जीवो की हिंसा के पश्चात तैयार होते हैं। जीवो को अभयदान देने के लिए कॉस्मेटिक्स के उपयोग की मर्यादा तो कर ही सकते हैं।
- फूलों की माला, मोतियों की माला व अन्य गहने भी हिंसा के पश्चात ही प्राप्त होते हैं। इनको पहनने की मर्यादा करें।
- रेशम के कपड़े, चमड़े के बैग, चमड़े के जूते, चमड़े के कोट आदि में रेशमी कीड़े, पशुओं की चमड़ी का प्रयोग किया जाता है। अभयदान के लिए इनका प्रयोग करना त्याग दें।
- मोबाइल, कंप्यूटर आदि का तो जमाना ही है, क्या बच्चे, क्या बूढ़े, सभी इन पर गेम्स खेलते नजर आते हैं वो भी बिना पलक झपकाए। आवश्यकता पड़ने पर ही इनका प्रयोग करें क्योंकि ये हमारी सेहत खराब करने के साथ-साथ कर्मबंध का भी कारण बन रहे हैं।
- शराब, मांसाहार का सेवन तो त्याज्य है ही।
- आवागमन में चाहे पैदल हो या, साइकिल, स्कूटर, मोटरगाड़ी, ट्रेन, हवाई जहाज, पानी का जहाज, हेलीकॉप्टर आदि में, सभी से जीवो से हिंसा होती है। इनको मर्यादित कर दें।
- लाल बत्ती होने पर भी चौराहों पर मोटरगाड़ियों में पेट्रोल जलता ही रहता है। गाड़ी बंद करें। पेट्रोल की भी बचत होगी व जीव दया भी।

- एक मकान से व्यक्ति संतुष्ट नहीं होता तो वो कई मकान बनवाता है वह समारंभ के कारण जीवो की विराधना का प्रसंग बनता है। संतुष्टि में ही सार है।
- दीवाली में घरों की सफाई, धोबी को कपड़े देते समय, अनाज और दालों की सफाई करते समय विवेक रखें व जीवो को अभयदान दें।
- मच्छर, कॉकरोच आदि पर इन्सेक्टिसाइट्स के प्रयोग से बचें।
- लोक के समस्त जीवो की रक्षा करना हमारा दायित्व होता है। पर्यावरण की सुरक्षा के लिए ये हमारा नैतिक कर्तव्य भी बनता है। होली दहन, पटाखे फोड़ना आदि से बचना अपेक्षित है।
- जीवन की समस्त क्रियाएं यत्न पूर्वक करना तथा उठना, बैठना, चलना, सोना, खाना-पीना, आवागमन, परिग्रह आदि पर अंकुश लगाने की आवश्यकता है। अहिंसा को अपनाएं। हिंसा को त्यागें। मनुष्य की तरह हर जीव सदैव सुख चाहता है, प्रसन्नता एवं शांति चाहता है।

यकीन कीजिए, अभयदान देकर आपको भी असीम प्रसन्नता एवं आत्म संतुष्टि की अनुभूति होगी। मनुष्य चेतन है, संवेदनशील है, करुणाशील है। वो अनुकंपा का भाव रखता है, वह उदारमना है। यही भाव है जिनके कारण वो परोपकार कर सकता है, दान कर सकता है, अभय दान दे सकता है। यह मनुष्य के 'स्व' का भाव है, इसे जागृत करें।

समय की मांग है कि समस्त जीवो को अभय दान प्राप्त हो। आत्मा के कल्याण के लिए, स्वास्थ्य की रक्षा के लिए, पर्यावरण की सुरक्षा के लिए, विश्व के कल्याण के लिए आइए जागृत होते हैं, अभयदान का संकल्प लेते हैं।

मानवीय मूल्यों का आधार: संवेदनाएं

मनुष्य इस पृथ्वी पर सर्वश्रेष्ठ प्राणी है, यह एक स्वर में भारत के सभी शास्त्रों में माना गया है। मनुष्य को अन्य जीवों से पृथक व उत्कृष्ट बनाते हैं-उसके मानवीय गुण। ये मानवीय गुण ही मानव को मानव बनाते हैं इसमें कोई संदेह नहीं है। मानव के उन्नत विचार एवं मूल्य उसे दूसरे प्राणियों से जुदा करते हैं। मानव में मानव सुलभ करुणा, दया, सहानुभूति, अहिंसा, परस्पर सहयोग, ईमानदारी, संयम, अपरिग्रह, शालीनता, सत्य, आदर-भाव, विनय आदि मूल्य दूसरे प्राणियों में सहसा उपलब्ध नहीं होते। इन मानवीय गुणों, मूल्यों के अभाव में मानव पशु समान ही होता है।

मनुष्य में उन्नत विचारों को जन्म देता है उसका उन्नत मन। मानव उन्नत व विशाल हृदय का स्वामी होता है। उसका हृदय दूसरों की पीड़ा देखकर पसीजता है। वह दूसरों की पीड़ा दूर करने हेतु हाथ आगे बढ़ाता है वह स्वयं उस पीड़ा को महसूस करता है। मानव का करुणामय होना, दयावान होना, दानवीर होना, कर्तव्यनिष्ठ होना, चरित्रवान होना, संयमशील होना आदि मानवीय मूल्यों की श्रेणी में आते हैं।

वस्तुतः यदि देखा जाये तो मानवीय मूल्यों के मूल में कोई कार्य करता है तो वो है संवेदना। क्या संवेदनाओं के अभाव में मानवीय मूल्यों का विकास हो पाएगा? ये संवेदनाएं ही हैं जो मानवीय मूल्यों को पनपाती हैं व मानव को मानव बनाती है। यदि मानव संवेदनाशून्य हो जाए तो वो पशुतर हो जाएगा।

संवेदना शून्य हृदय पाषाण समान ही माना जा सकता है। संवेदनाओं से सराबोर मन ही दूसरों की भावनाओं को समझ सकता है। अतः संवेदना ही मानव मूल्यों को जन्म देती है।

संवेदनाएं ही हमें सामने वाले व्यक्ति की कठिनाइयों की तदनुभूति (Empathy) करवाती हैं और व्यक्ति उसकी मदद को आगे बढ़ता है। संवेदनाएं ही व्यक्ति के प्रति सहानुभूति जगाती है करुणामय बनाती है। संवेदनाएं हमें पाप कर्म से बचने की भी प्रेरणा देती है।

क्या आपको असंवेदनशील व्यक्ति मृत-प्राय: प्रतीत नहीं होता? वस्तुतः संवेदनशील व्यक्ति ही जीवन को जीता है। संवेदना शून्य व्यक्ति रोबोट की भांति दृष्टिगोचर होता है जो बिना किसी भावनाओं, इमोशन्स के कार्य को अंजाम देता चला जाता है। जिस व्यक्ति में प्रेम का सागर लहराता है उसके अचेतन में संवेदनाएं ही कार्य कर रही होती है

संवेदनशील व्यक्ति ही सामाजिक सरोकार रखता है। पर्यावरण संरक्षण के प्रति भी वह जागरूक रहता है जो वर्तमान में अत्यंत महत्वपूर्ण सरोकार है। सामाजिक विकास, आर्थिक विकास हो या शिक्षा का क्षेत्र, सर्वत्र संवेदनाएं अपेक्षित हैं।

शिक्षा के क्षेत्र में कंप्यूटर, इंटरनेट आदि कई टेक्नोलॉजी आ गई है जो नि:संदेह विद्यार्थी को प्रचुर मात्रा में नॉलेज दे रही है। प्रश्न यह उठता है कि क्या इनमे संवेदनाएं हैं? क्या यह बालक को वो सुरक्षा की, प्रेम की, अपनत्व की भावना का संचार कर सकती है, जो एक शिक्षक बालक के कंधे पर प्रेमपूर्ण हाथ रखकर, उसकी पीठ थपथपाकर या उसके सिर पर हाथ रख कर आशीर्वाद देता है? नहीं दे सकती। इन तकनीकों में संवेदनाएं, भावनाएं, सकारात्मक तरंगों का सर्वथा अभाव होता है। संभवतः इसीलिए आज का युवा संवेदनाओं, इमोशन्स, भावनाओं से कोसों दूर निकल गया है।

संवेदनाओं के अभाव में सामंजस्य बैठाना भी कठिन होता जा रहा है। 'लाइफ इज़ नथिंग बट एडजस्टमेंट' यह एक पुरानी कहावत है। जीवन में धन है, पावर है, प्रचुर भौतिक सुख-सुविधाएं हैं, पर नहीं है तो परिवार व समाज में सामंजस्य। संवेदनाएं नहीं होने के कारण तालमेल नहीं बैठता है। परिणाम स्वरूप टूटते घर, बिखरता वैवाहिक जीवन, बिलखता बचपन झगड़े, टंटे, दंगा फसाद, वृद्धों की उपेक्षा व स्वार्थी मानव स्वभाव। जाहिर है कि ये अशांति को जन्म देते हैं।

मूलतः मानव शांतिप्रिय होता है। जब शांति नहीं मिलती तो वह तनाव से घिर जाता है, जो युवा को भटका देता है, दिशा विहीन बना देता है। इसके घातक परिणाम हम समाज में रोजमर्रा की जिंदगी में देख ही रहे हैं। आत्महत्या, हत्या, अपहरण, बलात्कार, भ्रूण हत्या, नवजात बालिका की हत्या या परित्याग, लूटपात, डकैती आदि नित्य प्रति समाचार पत्रों की सुर्खियां बनती है। क्या कोई भी संवेदनशील व्यक्ति ये कृत्य कर सकता है? नहीं ना? केवल चेतनाशून्य, विवेक शून्य, दिशा विहीन, असंवेदनशील, नकारात्मक सोचवाला व्यक्ति ही ऐसे घिनौने कार्य को अंजाम दे सकता है। ये मानवता को बहुत पीछे धकेल देते हैं, मानवीय मूल्यों के ह्रास का घोतक हैं ये कृत्य।

कितना संवेदना शून्य हो गया है आज का मानव? आइए देखते हैं-

- सड़क पर कोई दुर्घटना हो जाती है, दुर्घटनाग्रस्त आदमी लहूलुहान अवस्था में पड़ा तड़पता रहता है। सड़क पर वाहन सरपट दौड़ते रहते हैं। कोई भी रुक कर उसकी सहायता करने की जहमत नहीं उठाता। मर गई हैं उनकी संवेदनाएं। यह बड़े शहरों का आम नजारा है। जब तक एंबुलेंस या पुलिस उसकी मदद को पहुंचती है, तब तक बहुत देर हो चुकी होती है। घायल व्यक्ति दम तोड़ चुका होता है। हां, अपवाद सर्वत्र होते हैं। गांवों में, कस्बों में संवेदनाएं जीवित है और वे मदद को आगे आते हैं

- समाज में लड़कियों के प्रति असंवेदनशील रवैया, नकारात्मक भावना ही तो बालिका-भ्रूण-हत्या, कन्या-हत्या की जिम्मेदार है। आंखों के सामने लड़की की इज्जत लूट ली जाती है, लेकिन कोई भी विरोध करने का साहस नहीं करता? स्वास्थ्य का सीधा संबंध मानव की जान से होता है; किंतु आज स्वास्थ्य के साथ खिलवाड़ करने में संकोच नहीं हो रहा है। मिलावटी दवाइयों का निर्माण, मिलावटी खाद्य सामग्री, मिलावटी दूध, दही, घी, मावा, मिलावटी मसाले, यहां तक कि तरकारी व फल तक भी शुद्ध उपलब्ध नहीं हो रहे हैं। मिलावटी क्या नहीं है आज? हम न जाने क्या खा रहे हैं, इसका पता है क्या हमको? मिलावट ने हमारे स्वास्थ्य को चौपट कर के रख दिया है। जान से खेलने से भी परहेज नहीं है इन मिलावटखोरों को, क्योंकि इनमें भी संवेदनाओं का टोटा पड़ गया है। अन्यथा यह मिलावटखोर हमें मृत्यु के मुँह में धकेलने से पूर्व सौ बार सोचते।
- छोटे, बड़े, सरकारी, गैर सरकारी अस्पतालों में क्या खेल चल रहा है? सबको केवल अपने मुनाफे की फिक्र पड़ी हुई है, मरीज की नहीं। चिकित्सकों द्वारा वे ही दवाइयां लिखी जाती है जिन पर कमीशन मिलता है? छोटे-बड़े सभी चिकित्सक मोटी-मोटी रकम लेकर ऑपरेशन करते हैं। अस्पताल चलाना भी एक व्यवसाय बन गया है। गरीब व्यक्ति बड़े प्राइवेट अस्पतालों में इलाज करवाने की सोच भी नहीं सकता। कई बड़े अस्पतालों में कई ऑपरेशन अनावश्यक भी कर दिए जाते हैं। गत दिनों हुए एक सर्वे में पाया गया कि कई घुटने प्रत्यारोपण के ऑपरेशन अनावश्यक ही किए गए। केवल 35 प्रतिशत ऑपरेशन ही आवश्यक थे। वर्तमान में गर्भवती महिलाओं को भी चिकित्सकों द्वारा डायरेक्ट ऑपरेशन की डेट दे दी जाती है। नॉर्मल डिलीवरी का चलन लुप्त प्राय: ही हो गया है?

क्या चिकित्सक पैसा कमाने के लिए इतना नीचे गिर सकते हैं? इससे ज्यादा घिनौना मजाक मरीज के साथ और क्या हो सकता है? आपको क्या लगता है कि कोई भी भावनाओं से परिपूर्ण, संवेदनाओं से सरोबार व्यक्ति ऐसे कार्य कर सकता है? नहीं 'ना! अरे! चिकित्सक को तो भगवान की संज्ञा दी जाती है। क्या यह अपना जमीर खो चुके हैं, उनकी संवेदनाएं चुक गई है क्या?

– शिक्षा जैसा पुनीत कार्य व्यवसाय में बदल चुका है। मोटी मोटी फीसें, मोटे मोटे डोनेशन्स आज शिक्षा का धर्म हो गया है। विद्यालयों, महाविद्यालयों का स्थान कोचिंग इंस्टीट्यूशन्स ने ले लिया है जो केवल पैसा कमाने की फैक्ट्री मात्र होते हैं। उन्हें बालकों में संस्कार-निर्माण, मानवीय मूल्यों के विकास से दूर-दूर तक कोई सरोकार नहीं होता। ये गलाकाट प्रतिस्पर्धा को भी बढ़ावा देते हैं जो कतिपय बालकों पर भारी पड़ती है। ये इन्स्टीट्यूशन्स मानवता के साथ कैसा धोखा कर रहे हैं? कैसी पीढ़ी का निर्माण कर रहे हैं ये लोग? असंवेदनहींनता की पराकाष्ठा है यह।

– धर्म के क्षेत्र में कैसे-कैसे सो-काल्ड संत, 'भगवान' पैदा हो गए हैं? धर्म की आड़ में न जाने कैसे-कैसे अनैतिक कार्य कर रहे हैं। इसका पूरा पूरा अंदाजा लगाना हमारी कल्पना शक्ति के बाहर है; क्योंकि इनके फलते-फूलते गोरखधंधे का कोई ओर छोर नहीं है। धर्म की आड़ में संत बन बैठे यह पाखंडी किसी अपराधी से कम नहीं है। यह पाखंडी संत बलात्कारी, असंस्कारी, क्रूर, वहशी, अनैतिकता से परिपूर्ण पापी, कामी, बदमाश होते हैं। धर्म की आड़ में कुकृत्य करने वालों को तो आने वाली पीढ़ी कभी भी माफ नहीं कर सकती। यह हमारे समाज के सबसे बड़े कलंक है। इनमें संवेदनाओं का संचार कभी भी नहीं होता, यह पूर्णत: संवेदना-चेतना शून्य होते हैं। ये मानवता के घोर शत्रु है।

- अतिक्रमण करने वालों का को क्या हम संवेदनशील कह सकते हैं? नहीं ना? भूमि अतिक्रमण, पर्यावरणीय अतिक्रमण, रिश्तो में अतिक्रमण करने वाले समाज में कहां नहीं है? ये सर्वत्र व्याप्त है। पिछले वर्षों में देश में जो प्राकृतिक आपदाएं आई वो सब इन्हीं अतिक्रमणों का ही तो नतीजा था। अनगिनत लोग अकाल मृत्यु को प्राप्त हुए, उसका जिम्मेदार कौन है? हां, ये संवेदना से शून्य अतिक्रमी ही इन मौतों के उत्तरदायी हैं। ये हत्यारे हैं। संवेदनाविहीन मानव समाज के लिए तो घातक होते ही हैं वरन्, मानवता को नष्ट करने वाले भी होते हैं।
- संवेदना शून्य, चेतना शून्य लोग सफाई, स्वच्छता के प्रति भी बेखबर होते हैं। सफाई व्यवस्था के प्रति न तो जागरुक होते हैं नहीं रुचिशील। सारे देश, प्रदेश, शहर, मोहल्ले में गंदगी का आलम हो तब भी ये लापरवाह ही रहते हैं। कतिपय लोग ऐसे भी होते हैं जो अपने घर को तो स्वच्छ रखते हैं लेकिन अपने घर का कूड़ा-कचरा पड़ौसी के घर के सामने खाली पेड़, बाड़े में फेंक देते हैं? यह भी असंवेदनहीनता का ही घोतक माना जाएगा?
- इन दिनों राजनीतिज्ञ व पत्रकार भी असंवेदनशीलता से घिरे देखे जा सकते हैं।
- सरकारी अफसरों, कर्मचारियों, पुलिस महकमे के अधिकारियों, कर्मचारियों ने तो मानो असंवेदनशील होने की कसम ही खा रखी है। आपके पांव के जूते घिस जाएं, लेकिन मजाल है कि उनके कानों पर जूं रेंग जाए, ये आपका काम कर दें। तौबा है ऐसे असंवेदनशील सरकारी मातहतों से!

उपरोक्त विवेचना से स्पष्ट होता है कि किसी भी पाप या पुण्य को करने के लिए भावनाओं, संवेदनाओं का ही आधार प्रमुख होता है।

संवेदना ही हमें अच्छे कार्य करने के लिए प्रेरित करती है। संवेदना-शून्य व्यक्ति ही पाप कर्म की ओर उन्मुख होता है।

समाज में चेतनाशील, संवेदनशील व्यक्तियों की भी कमी नहीं है। अनेक समाजसेवी देहदान, अंगदान, रक्तदान, शिक्षादान, अर्थदान आदि कार्यों में तनमन से जुटे हुए हैं। कई चिकित्सक वास्तव में मरीज के लिए मसीहा ही बनकर उपस्थित होते हैं। कई शिक्षाविद्, धर्मनिष्ठ व्यक्ति छात्र/छात्राओं की शिक्षा का बीड़ा उठा रहे हैं। कई सामाजिक संगठन, निजी संस्थाएं बालिकाओं का लालन पोषण कर रहे हैं। कई समाजों ने भ्रूण हत्या नहीं करने की शपथ खाई है। समाज में आज भी ऐसे गुरु, साधु, संत बिराज रहे हैं जो समाज को नई दिशा दे रहे हैं; जिनके चरणों में मस्तक स्वत: ही झुक जाता है। वे हमारे आदरणीय पूजनीय है। इन सभी सुसंस्कृत संस्थाओं, समाजों, शिक्षाविदों, चिकित्सकों, साधु-संतों, ईमानदार अफसरों के कारण ही तो हमारा समाज चल पा रहा है अच्छे लोगों की कमी नहीं है। बहुत से लोग समाज के उत्थान के लिए आगे आ रहे हैं। ऐसे संवेदनशील महानुभाव साधुवाद के पात्र है।

आवश्यकता इस बात की है कि समाज के उत्थान एवं मानवीय मूल्यों को प्रतिपादित करने के लिए प्रयत्नशील संगठनों को अनैतिक कार्यों के प्रति पुरजोर विरोध दर्ज कराना चाहिए। संवेदनाओं को जगाने के लिए प्रशिक्षण कार्यक्रम कराए जाने चाहिए। सामाजिक कंटकों को कड़ी से कड़ी सजा दिलवाने के लिए आंदोलन को अंजाम तक पहुँचाना चाहिए। धर्म के नाम पर अनैतिक कार्य करने वालों का सामाजिक बहिष्कार करना चाहिए। नारी के प्रति सकारात्मक संवेदनाएं विकसित की जानी चाहिए। सोच को बदलना चाहिए। 'हमें इससे क्या कंसर्न है'- इस सोच को भी बदलना होगा।

बलात्कार से पीड़ित नारी को तिरस्कृत रूप में नहीं देखा जाना चाहिए। भ्रूण हत्याओं व बालिका शिशु का तिरस्कार करने वालों के

प्रति कठोर रवैया अपनाना चाहिए। स्वास्थ्य के प्रति खिलवाड़ करने वालों को बख्शना नहीं चाहिए। सफाई के प्रति लापरवाह, बेपरवाह व्यक्तियों को स्वच्छता अभियान से जुड़ने के लिए पाबंद करना चाहिए। अतिक्रमण चाहे भूमि का हो या पर्यावरण का, तत्काल रोका जाना चाहिए। अतिक्रमण करने वालों को एहसास कराना चाहिए कि वह कितना अमानवीय कृत्य कर रहे हैं। वे इतने स्वार्थी न बनें, इस बात की चेतना उनमें जगनी चाहिए। शिक्षा के लिए खुली दुकानों पर पहरा होना चाहिए। शिक्षा ही मानवीय मूल्यों को जगाने का सशक्त माध्यम होता है, इसलिए शिक्षा में किसी प्रकार का समझौता हमें मान्य नहीं होना चाहिए।

मानवीय मूल्यों को स्थापित करना, आज की महती आवश्यकता है। मानवीय मूल्यों के अभाव में ही तो समाज का यह विकृत रूप बनता जा रहा है।

मानवीय मूल्यों के विकास के लिए संवेदनाएं सचमुच महत्वपूर्ण भूमिका का निर्वाह करती है। आइए, मानवीय मूल्य पुनः जीवित करें, अपनी संवेदनाओं को जागृत करें। एक स्वस्थ एवं संवेदनशील समाज के विकास में सक्रिय भागीदारी निभाएं।

वाणी अपव्यय

जब कभी युवा वर्ग को आपस में वार्तालाप करते हुए सुनें, तो उनकी भाषा पर गौर करें। आपको बड़ा आश्चर्य होगा कि अधिकांश युवाओं की बोलचाल की भाषा में गाली-गलौज, अभद्रता एवं अजीबोगरीब शब्दों की भरमार होती है। ये युवा वर्ग की सामान्य बोलचाल की भाषा है, वह इसे अन्यथा भी नहीं लेते। नेताओं की भाषा को देखें। विशेषत: चुनाव के दिनों में। अपने सार्वजनिक भाषणों में वे अमर्यादित भाषा का उपयोग करते हैं। अशिष्ट भाषा का उपयोग कर वे गौरवान्वित होते हैं।

टी.वी. चैनलों के धारावाहिकों व हंसी मजाक के कार्यक्रमों में भद्दे मजाक व घटिया मनोरंजन परोसा जा रहा हैं। फिल्मों में भी गाली देना आम बात हैं। प्रिंट मीडिया भी इससे अछूता नहीं हैं। हाँ, सभी ऐसे नहीं है किंतु अधिकांश में अशिष्ट भाषा का प्रयोग होता देखा गया है। कार्यालयों में व सार्वजनिक स्थानों पर भी अमर्यादित भाषा सर्वव्याप्त है।

क्या हो गया है हमारी भाषा को, हमारी संस्कृति को? क्यों हम अच्छे शब्दों का उपयोग करना भूल गए हैं? इससे कई बार रिश्तो में भी दरार आ जाती है। मजाक में कहे गए कुछ शब्द भी अन्य व्यक्ति को असहनीय हो जाते हैं।

आज की तो मूल्य प्रणाली इतनी विकृत हो चुकी है कि हमारा सामान्य शिष्टाचार ही गायब हो चुका है। हमने इसी विकृत संस्कृति को सहज स्वीकार भी कर लिया है। कितने आश्चर्य की बात है?

क्यों हम इसके खिलाफ आवाज नहीं उठाते? क्यों अशिष्ट वाणी को अस्वीकार नहीं करते? ये सभी प्रश्न विचारणीय है।

वर्तमान युग में व्यक्ति वाणी के बाण चलाने में पारंगत हो चला है। राजनीतिज्ञ की तो एक-दूसरे पर वाणी के बाणों की वर्षा करते ही रहते हैं। यह समाज के लिए अनिष्टकारी है।

वस्तुतः आज वचन पर किसी का अंकुश नहीं रहा है। जिव्हा पर हमारा नियंत्रण खत्म हो रहा है। इतिहास साक्षी है कि अनियंत्रित, बेलगाम जिव्हा के कारण महाभारत का युद्ध हुआ। जिव्हा कलह का मुख्य कारण रही है।

सभी कालों में वाणी ही हमारी अभिव्यक्ति का सबसे सशक्त माध्यम रहा है। वाणी हमारे चरित्र को परिभाषित करती है। हम कुलीन है या नहीं, बुद्धिमान है अथवा नहीं, शिष्टाचारी है या नहीं, इसका नियामक हमारी वाणी है। हमारे होंठ खुलते ही हमारा व्यक्तित्व प्रकाशित हो जाता है।

ज्ञानी जन कहते हैं कि व्यक्ति 'प्रियभाषी' हो। वाणी की साधना आवश्यक है। शब्दों में अमोघ शक्ति होती है। शब्द जोड़ने व तोड़ने दोनों ही कार्य करते हैं। अब यह व्यक्ति पर निर्भर करता है कि वो कौनसे शब्दों का प्रयोग करता है। हमारे जीवन में वाणी का संयम बहुत महत्वपूर्ण स्थान रखता है। वस्तुतः यदि हम वाणी को साध लें तो अन्य व्रत या गुण स्वत: ही सध जाते हैं। अतः हम वाणी संयम को एक महाव्रत की संज्ञा दें तो कोई अतिशयोक्ति नहीं होगी।

वाणी ऐसी बोलनी चाहिए जो हम स्वयं के लिए चाहते हो या स्वयं के लिए भी पसंद हो। यदि हम तनाव रहित रहना चाहते हैं तो वाणी पर कंट्रोल पहली आवश्यकता है। जो भी बोलें उससे पूर्व विचार कर

लेना चाहिए। प्रभु ने कहा है कि जो व्यक्ति विचार करके बोलता है वही सच्चा निर्ग्रन्थ होता है।

हमारी संस्कृति में वाणी संयम पर बहुत बल दिया है। कहा गया है कि चार कारणों - मायाचार, असत्य भाषण, धूर्तता एवं धोखा देने से मनुष्य तिर्यंच गति को प्राप्त करता है। स्पष्ट है कि इन चार कारणों में एक असत्य भाषण है। भगवान ने कहा है कि आवश्यकता से अधिक नहीं बोलना चाहिए। वाचालता सदा दुखदाई होती है और यह असत्य वचन करवाती है।

सात प्रकार के वचन दंड बताए गए हैं झूठ बोलना, वचन से किसी के ज्ञान का घात करना, चुगली करना, कठोर वचन बोलना, स्वप्रशंसा, परनिंदा करना, संताप पैदा करने वाला वचन कहना और हिंसाकारी वाणी का प्रयोग करना।

लेकिन आज के कतिपय युवा आई एम द बेस्ट अर्थात् मैं सर्वश्रेष्ठ हूं की मनोदशा में स्वप्रशंसा करने से नहीं चूकते। उन्हें वाणी संयम का बोध ही नहीं है। प्रभु ने कहा कि झूठ बोलना अत्यंत दुखदाई है, पर व्यक्ति राग-द्वेष, क्रोधवश, अभिमानवश, छल-कपट या लालचवश झूठ बोलता है। अपनी कही गई बात से मुकर जाना तो आम बात हो गई है।

धार्मिक ग्रन्थों में 18 पाप स्थान बताए गए हैं। उनमें मृषावाद, कलह, अभ्याख्यान (दूसरों की निंदा करना), माया-मृषावाद (कुटिलतापूर्वक झूठ बोलना) वाणी से जुड़े हुए हैं। यह वाणी संबंधी पापों की सूची इस बात की ओर इंगित करती है कि किसी साधक के जीवन में वाणी कितना महत्वपूर्ण स्थान रखती है!

सही वाणी का उपयोग करना भी एक कला है। ज्ञानीजन कहते हैं- कम बोलो, धीरे बोलो, मधुर बोलो। कटु वचन जहर की भांति होता है

व मधुर वचन दवा का कार्य करती है। कई व्यक्ति सत्य तो बोलते हैं किंतु अप्रिय बोलते हैं। अप्रिय वचनों को बोलने से भी बचना चाहिए। महापुरुषों की वाणी कितनी मधुर व सत्य है। इसीलिए तो यह सर्वप्रिय है। प्रभु ने काणे को काणा व अंधे को अंधा नहीं कहने की आज्ञा फरमाई है। उसे प्रज्ञाचक्षु आदि नाम से पुकारा जाना चाहिए।

ज्ञानीजन कहते हैं कि व्यक्ति केवल आवश्यकता पड़ने पर ही बोले, अनावश्यक बोलकर अपनी शक्ति का ह्रास न करें। मौन साधने से मन में शक्ति का संचार होता है। मौन रहना बुद्धिमानी की निशानी भी माना जाता है। अतः अनर्गल, अप्रासंगिक भाषा बोलकर अपनी उर्जा को व्यर्थ न गवाएं। वाणी तो लक्ष्मी जैसी होती है, अतः अनावश्यक इसका अपव्यय न करें। बहुत संभालकर खर्च करें।

अहंकारयुक्त गर्वयुक्त वाणी का प्रयोग भी ज्ञानीजनों ने अहितकर बताया है। अभिमान व घमंड ने सबको गर्त में ही धकेला है। अतः अहंकारी वचनों का प्रयोग न करें।

वाणी धर्मनिष्ठ व सत्यनिष्ठ हो। पवित्र वाणी, सत्य धर्म से परिपूर्ण वाणी सबको आकर्षित करती है। व्यक्ति वाणी विन्यास में निष्णात होना चाहिए। चातुर्य से परिपूर्ण वाणी बोलकर व्यक्ति अपनी बात दूसरों तक पहुंचाए तो वाणी की सार्थकता बनाए रखी जा सकती है। कम शब्दों में अपनी बात को अभिव्यक्त करें। प्रभु ने तो समय-समय पर श्रावक को चेताया है कि वह अल्पभाषी हो।

किसी विद्वान ने कितना सही कहा है कि वाणी को सदैव पहले तौलें फिर बोलें। बुद्धिमान व्यक्ति बोलने से पहले सोचता है व मूर्ख बोलने के बाद में।

उपरोक्त तथ्यों से स्पष्ट है कि वाणी में बहुत ताकत होती है। वाणी का अपना मोल होता है। मधुर वचन वशीकरण के मंत्र के समान

प्रभावशाली होते हैं। यही वाणी का सदुपयोग है। असत्य वाणी, कठोर वाणी आदि वाणी का दुरुपयोग है, अपव्यय है। संकल्प लेना होगा कि हम इस अमूल्य वाणी का अपव्यय नहीं करेंगे, इसे बहुत संभालकर उपयोग करेंगे।

सार स्वरूप यही कहा जा सकता है कि अपने 'स्व' के कल्याण के लिए मधुरवाणी बोलने का, वाणी का अपव्यय न करने का संकल्प लें।

वर्तमान युग में संस्कार निर्माण : एक चुनौती

वर्तमान युग कंप्यूटर, इंटरनेट, मोबाइल फोन, टेलीविजन एवं फेसबुक का है। आज का बालक इन माध्यमों के द्‌वारा समूचे विश्व से जुड़ा हुआ है। इन माध्यमों से बालक को हर प्रकार की सूचना उपलब्ध होती है।

पुराने जमाने में बालक अधिकांश समय अपने परिवार एवं विद्‌यालय के संपर्क में ही रहता था। अतः घर परिवार अभिभावक एवं गुरुजी के द्‌वारा बालकों में संस्कार निर्माण सहज ही हो जाता था। अतिरिक्त प्रयत्न नहीं करने पड़ते थे।

पिछले कुछ दशकों में समाज में द्रुतगति से परिवर्तन हुए हैं। जाहिर है कि विद्‌यालयों, परिवारों का स्वरूप भी तेजी से बदला है। बालको एवं अभिभावकों की आर्थिक, सामाजिक व मानसिक स्थिति में भी निश्चित रूप से बदलाव आ गया है।

आज की शिक्षण व्यवस्था अधिक से अधिक पुस्तकीय ज्ञान एवं सूचनाओं का संकलन मात्र तक सीमित हो गई है। बालकों को वे अधिक से अधिक ज्ञान निश्चित रूप से दे रहे हैं। परीक्षाओं की गलाकाट प्रतियोगिताओं के लिए उन्हें तैयार कर रहे हैं। ऐसे में विद्‌यालय बालक के सर्वांगीण विकास की ओर समुचित ध्यान नहीं दे पा रहे हैं, बालक को नैतिक व आध्यात्मिक ज्ञान देने का दायित्व नहीं निभा पा रहे हैं।

आज के अभिभावक की लाइफ स्टाइल भी बदल गई है। आपाधापी भरी जिंदगी, दोनों कामकाजी, अर्थोपार्जन करने में अत्यंत व्यस्त।

ऐसे में उन्हें अपना भी ज्यादा ध्यान रखने की फुर्सत नहीं है तो वह बालकों के संस्कार निर्माण के प्रति सजग होंगे, यह सोचना बेमानी होगा। बालक स्वयं भी इंटरनेट मोबाइल आदि इलेक्ट्रॉनिक उपकरणों में एवं पढ़ाई में इतना व्यस्त है कि उसे अपने नैतिक व आध्यात्मिक विकास से कोई सरोकार नहीं होता है।

इस प्रकार के वातावरण में बालक कैसा नागरिक बनेगा? यह एक विचारणीय बिंदु है। ऐसे में संस्कार निर्माण एक चुनौतीपूर्ण कार्य है।

अभिभावक केवल बालकों की आर्थिक आवश्यकताओं की पूर्ति कर अपने दायित्व की इतिश्री समझते हैं जो अत्यंत घातक है। माता-पिता स्वयं भी बालक को टी.वी. का रिमोट हाथ में पकड़वा कर बैठा देते हैं, क्योंकि उनके पास ही बालक से बात करने की फुर्सत नहीं होती है। बालक की बात को सुनने, समझने व उनकी समस्याओं को हल करने के न तो भाव है उनके मन में, न हीं समय। ऐसे में बालक अपनी भावनाओं की अभिव्यक्ति के लिए कोई और माध्यमों की तलाश करता है। कभी-कभी सही माध्यम न मिलने पर वह कुंठित भी हो सकता है व भटक भी सकता है।

माता-पिता, दादा-दादी, नाना-नानी का स्थान कंप्यूटर, इंटरनेट, मोबाइल, टी.वी. या फेसबुक कदापि नहीं ले सकते हैं। यह सब साधन जड़ है। जड़ कभी भी जीवंत रिश्तो की जगह नहीं ले सकता है। संवेदना शून्य साधनों से केवल सूचनाएं एकत्रित की जा सकती है, भावनाएं विकसित नहीं की जा सकती।

बालक को स्नेह, प्यार, सुरक्षा, महत्व व अपनेपन की आवश्यकता होती है, जो वह अपने अभिभावकों में खोजता है। यदि माता-पिता दोनों कामकाजी हों तो शिशु क्रेच के हवाले। रसोई बाई के भरोसे। अधिकांश समय उदरपूर्ति जंक्कड़ फूड के कर ली जाती है। एकल

परिवार होने के कारण बालक दादा-दादी, नाना-नानी के वात्सल्य दुलार, लाड़ एवं ठंडी छांव से वंचित है।

आधुनिक माता-पिता आधुनिकता के हिमायती होते हैं। वे बालक को भी अल्ट्रा मॉडर्न बनाना चाहते हैं। भारतीय संस्कारों में उन्हें दकियानूसी की बू आती है। वे स्वयं भी शानोशौकत भरी जिंदगी जीते हैं व बालक को भी हर तरह की स्वतंत्रता देते हैं। इसलिए समाज में आज स्त्री पुरुष शादी के पूर्व भी साथ रहने में जरा भी नहीं हिचकिचाते। बालक जो समाज में देखता है। वही वह आगे जाकर अपनाता है। समाज में पूर्व जो कार्य अनैतिक कहे जाते थे, वह आज समाज के स्वीकृत व मान्य कृत्य है। इन सबके परिणाम कितने घातक हो सकते हैं इसका अंदाजा लगाना कठिन कार्य है।

ऐसी परिस्थिति में संस्कार निर्माण का बीड़ा कौन उठाए? निश्चित रूप से वह बीड़ा घर परिवार, अभिभावक, विद्यालय, समाज, धार्मिक संस्थाएं एवं साधु-संतों को संयुक्त रूप से उठाना होगा।

भारत में तो प्राचीन काल से ही बालकों को सुसंस्कृत करने की परंपरा थी। बालक के गर्भ में आते ही माँ उसके संस्कारों के प्रति सजग हो उठती थी। माँ के गर्भावस्था के दौरान आचार विचार शुद्ध, सात्विक, शांत, प्रसन्न रहने चाहिए, ऐसा जैन दर्शन ने कहा है। भावी संतान पर इसका प्रभाव पड़ता है।

माता ही संतान की पहली गुरु होती है यह बात आज की अति आधुनिक माताओं को ध्यान में रखनी चाहिए। बालक को वे क्या संस्कार दे रही हैं, इस बात पर गौर करें। कितना समय उनके लिए निकाल पा रही हैं ध्यान दें। एक माँ का प्रभाव बालक पर सर्वाधिक पड़ता है यह एक सर्वमान्य तथ्य है। अत: हर जननी की यह जिम्मेदारी है कि जिस बालक को उसने जन्म दिया है उसको वह अच्छा इंसान बनाने के प्रति सजग जागरुक एवं प्रयत्नशील रहे।

बालक को परिवार में भी अच्छे संस्कार मिलने चाहिए। आज के बालक को हम बाह्य वातावरण (टी.वी., कंप्यूटर आदि) के संपर्क में आने से रोक तो नहीं सकते किंतु उसे अच्छे, बुरे की समझ अवश्य देनी चाहिए ताकि वह भटके नहीं।

समाज में भी अनैतिकता को पनपते देख बालक के मन में गलत धारणाएं घर कर जाती है वह उनका अनुसरण करने लगता है। अतः भ्रष्टाचार, अनैतिकता, चारित्रिक पतन, चोरी, झूठ फरेब, धोखा, ठगी आदि बुराइयों को समाज द्वारा नकारा जाना चाहिए।

बालकों में यदि धार्मिक संस्कार जगाने का प्रयास किया जाए, तो बालकों में अच्छे गुणों का पनपना सहज हो जायेगा। इसके लिए घर परिवार, समाज आदि को बालकों के बालकों के समक्ष उदाहरण प्रस्तुत करने होंगे। अभिभावक स्वयं धार्मिक भावनाओं से ओतप्रोत होंगे, धर्म उनके आचरण में होगा, तो बालक सहज ही उसका अनुसरण करेगा।

वर्तमान सामाजिक, पारिवारिक व आर्थिक परिस्थितियों को संतुलित करने का सबसे उत्तम उपाय है कि बालकों में धर्म के संस्कार डाले जाये, यथा अहिंसा अपनाओ, सत्य बोलो, चोरी ना करो, लालच को त्याग दो, विनयवान बनो, सेवभावी बनो, अहं को त्यागो, कषायों पर नियंत्रण करो, शाकाहारी बनो, ब्रह्मचर्य का पालन करो, सहिष्णु बनो, संयमित जीवन जियो, आत्म विश्वासी बनो, जियो और जीने दो, शरीर से मोह त्यागो, आत्मा अमर है, मधुर वचन बोलो, भ्रष्ट कभी ना बनो, सद्चरित्र बनो, राष्ट्रप्रेमी बनो, प्रामाणिक बनो आदि आदि।

जो व्यक्ति स्वयं उक्त संस्कारों से युक्त है वही व्यक्ति अन्य को संस्कारित बनाने की क्षमता रखता है। यदि हम दृढ़ संकल्प कर लें तो विकट परिस्थिति में भी हम बालकों में संस्कार निर्माण कर सकते हैं।

अवसाद को टेका न दें

दैनिक समाचार पत्रों में प्रायः समाचार प्रकाशित होते रहते हैं कि अमुक अखिल भारतीय प्रौद्योगिकी प्रबंध संस्थान का छात्र अपने हॉस्टल के कमरे में पंखे पर लटक गया या माध्यमिक शिक्षा बोर्ड में असफल होने पर छात्र नदी में कूद गया। यह भी देखा गया है अखिल भारतीय संस्थानों में प्रवेश न मिलने के कारण विद्यार्थी इतनी घोर निराशा का शिकार हो जाते हैं कि वे मृत्यु को गले लगा लेते हैं। बलात्कार की पीड़ित युवती अवसाद में चली जाती है वह आत्मघात करती है। कई बार घरेलू कारणों से, आर्थिक तंगी से, लंबी असाध्य बीमारी के कारण, पति-पत्नी के बीच तनाव के कारण, प्रेम संबंधों में विफलता, अनैतिक संबंधों एवं घोर व्यावसायिक प्रतिस्पर्धा के चलते व्यक्ति आत्मघात कर लेते हैं।

जब हम इन समाचारों को पढ़ते हैं तो मन में बहुत दु:ख होता है। मन में प्रश्न उठते हैं कि क्या इन समस्याओं, उलझनों का कोई हल या उपाय नहीं हो सकता? क्या आत्मघात करना ही अंतिम उपाय रह गया था?

इन अप्राकृतिक व असामायिक मृत्यु पर अभिभावकों व रिश्तेदारों पर क्या बीतती है, इसे शब्दों में व्यक्त नहीं किया जा सकता।

वे क्या कारण होते हैं जो युवा वर्ग को अवसाद की ओर धकेलते हैं? क्यों नहीं वे इन तनावों व अवसादों से जूझ पाते? क्यों नहीं वे इन समस्याओं का समाधान ढूंढ पाते? विद्यार्थियों में इन परिस्थितियों का सामना करने की हिम्मत क्यों नहीं होती? युवाओं में वे जीवन

कौशल जो इन तनावों, समस्याओं का सामना करने का माद्दा दें, क्यों नहीं विकसित हो पाते?

क्या हमारी शिक्षा प्रणाली विद्यार्थियों को मानसिक रूप से सुदृढ़ बनाने में विफल रही है? या हमारी पारिवारिक, सामाजिक, आर्थिक व्यवस्थाएं वह भावात्मक सुरक्षा प्रदान नहीं कर पाई जिसका छात्र हकदार है।

कई बार देखने में आता है कि माता-पिता अपनी संतानों से अत्यधिक आस लगा लेते हैं, बहुत अपेक्षाएं होती है उनकी। जब संतान उन अपेक्षाओं पर खरा नहीं उतर पाता तो वह अपराध बोध से घिर जाता है, विशाद ग्रस्त हो जाता है। कई माता-पिता अपनी दबी कुचली इच्छाओं को अपने पुत्र पुत्रियों को पर थोप देते हैं, कहते हैं, "मैं तो आई.ए.एस. बनना चाहता था, मैं तो नहीं बन सका लेकिन मैं अपने पुत्र को अवश्य आई.ए.एस. बनाऊंगा।" यदि वह बालक आई.ए.एस. नहीं बन पाता है तो वो निराशा से घिर जाता है। अपेक्षा रखना या महत्वाकांक्षा रखना गलत नहीं है किंतु बालक की क्षमताओं को देखते हुए, भांपते हुए ही कोई निर्णय लेना चाहिए।

यह एक सर्वमान्य तथ्य है कि तनाव का भाव शरीर व मन दोनों के लिए घातक है। तनाव ग्रस्त व्यक्ति में से से किसी भी सृजनात्मक कार्य की अपेक्षा नहीं की जा सकती।

क्रोध, तृष्णा, माया, कपट, छल का परिणाम तनाव है अहंकार की परिणति है तनाव। तनाव चतुराई को भी कम कर देती है। कहावत भी है **'चिंता चिता समान'।**

तनाव यदि सकारात्मक या फंक्शनल हो तो ठीक अन्यथा तनाव को दूर किया जाना अतिआवश्यक है। अवसाद को टेका न दें, अन्यथा यह सदैव के लिए मन में डेरा डाल देगा। समय रहते अवसाद को,

नैराश्य को, तनाव को दूर छिटक देना चाहिए। कोशिश तो यह होनी चाहिए कि नैराश्य का भाव कभी भी मन में आए ही नहीं।

तनाव या अवसाद से जूझने के लिए उसे दूर करने के लिए निम्नांकित बिंदुओं पर विचार कर सकते हैं -

- बचपन से ही आत्मविश्वास के बीज बोएं।
- मानसिक रूप से दृढ़ बनें।
- समाज में स्थापित करने की योग्यता विकसित करें।
- निर्भय बने।
- अहंकार से दूर रहें।
- वर्तमान में जीने की आदत डालें। भूत और भविष्य के लिए अत्यधिक चिंतित होना ठीक नहीं।
- प्रकृति के नियमों का पालन करें।
- स्वअनुशासन विकसित करें।
- स्वयं के प्रति उच्च भावना रखें। निराशा की भावना को हावी न होने दें।
- अपने स्वाभिमान को बनाए रखें।
- अपनी क्षमताओं को पहचाने व उसी अनुरूप कार्य करें।
- प्रतिक्रिया देने से बचें।
- शांति से जीवन जीने का लक्ष्य बनाएं।
- अभिभावक संतानों पर किसी प्रकार का दबाव न डालें।
- प्रोएक्टिव बने।
- सहजता अपनावें। जटिल न बनें।
- जीवन के प्रति सकारात्मक दृष्टिकोण रखें।
- आशावादी बनें।
- भीड़ से अलग होकर कभी अपने स्वयं के साथ भी समय बिताएं।

- ➢ स्वास्थ्य के प्रति जागरूक रहे। प्रातःकालीन घूमना, प्राणायाम, योग करें।
- ➢ आहार नियंत्रण पर ध्यान दें।
- ➢ प्रभु की प्रार्थना अवश्य करें।
- ➢ हमेशा सब जगह एडजस्ट होने का प्रयास करें।
- ➢ क्रोध, लोभ, तृष्णा, माया, कपट, अहंकार को त्यागकर संतोष, सहजता, धैर्य आदि गुणों को अपनावें।
- ➢ दूसरों में सदैव गुण देखने का प्रयास करें। ईर्ष्या व परनिंदा से बचें।

जीवन में तनाव से बड़ा कोई शत्रु नहीं। मनुष्य जीवन अत्यंत दुर्लभ है। छोटा सा जीवन है, इन अमूल्य क्षणों को तनाव में न बितावें। हमें तनाव मुक्त जीवन जीना है, अपने लक्ष्य को प्राप्त करना है। हर तनाव या समस्या का हल अवश्य होता है। समाधान ढूंढने का प्रयत्न करें। आशावादी बनें। आइए, तनाव मुक्त जीवन की ओर कदम बढ़ाएं।

अतिक्रमण को कहे 'ना'

अतिक्रमण शब्द नकारात्मक है। अतिक्रमण का अर्थ है किसी क्षेत्र की सीमा को लांघकर किया गया कार्य। अति+क्रमण किसी कार्य की अति या मर्यादा के बाहर किया गया कार्य। जो कार्य निर्धारित सीमा को तोड़कर किया जाए वह अतिक्रमण है। दहलीज को पारकर कार्य किया जाए वह अतिक्रमण है। सामाजिक व्यवस्थाओं, कानूनों, यूनिवर्सल-लॉ को, पारिवारिक मर्यादाओं, नैतिक मापदंडों, प्राकृतिक नियमों को दरकिनार कर किया गया कार्य अतिक्रमण की श्रेणी में आता है।

अतिक्रमण सर्व व्याप्त है। यह सदैव नकारात्मक परिणाम ही देता है। नकारात्मक कार्य का फल भी तो नकारात्मक ही होगा ना? अतिक्रमण एक ऐसा कृत्य हैं जिसकी सर्वत्र आलोचना होती है; लेकिन अतिक्रमण करते सभी हैं। समाज के ऊंचे लोगों से लेकर नीचे के तबके के लोग डंके की चोट पर अतिक्रमण करते हैं।

विश्व, राष्ट्र, प्रदेश, जिले, गांव एवं घर सभी में अतिक्रमण हो रहे हैं। ऐसा कोई भी क्षेत्र नहीं है जो अतिक्रमण से अछूता हो। राष्ट्रों की सीमाएं हो, आकाश हो, पाताल हो, भूमि हो, पर्यावरण हो, भवन निर्माण हो, आर्थिक क्षेत्र हो, सामाजिक दायरें हो, पारिवारिक संवेदनाएं हो, रिश्तो की सीमाएं हो, धार्मिक पक्ष हो या भावनाएं हो अतिक्रमण ने सभी क्षेत्रों में अपने पैर पसार रखे हैं। ये पैर भी ऐसे वैसे नहीं हैं, अंगद के पैर की तरह मजबूत है जो किसी नियम कानून से भी हिलाए नहीं जा सकते हैं। अतिक्रमण के खिलाफ आवाज उठाने का साहस भी बड़े वीर ही कर पाते हैं।

अतिक्रमण शब्द प्रायः भूमि एवं भवन निर्माण के संबंध में ही उपयोग किया जाता है। यदि किसी व्यक्ति ने अपने अधिकार क्षेत्र की भूमि से अधिक पर अपना आधिपत्य जमा रखा हो या किसी ने भवन निर्माण में कानून के दायरे से आगे बढ़कर निर्माण करवाया हो तो वह अतिक्रमण की श्रेणी में आते हैं। प्रभावशाली व्यक्तियों के लिए अतिक्रमण करना बहुत आसान होता है, उसे तोड़ने का साहस भी कोई नहीं करता, लेकिन गरीब की अनाधिकृत बनी हुई झुग्गी-झोपड़ियों पर बुलडोजर आसानी से चलाया जा सकता है।

हमारे समाज को सुचारू रूप से, व्यवस्थित रूप से चलाए जाने के लिए सामाजिक व्यवस्थाएं, परंपराएं बनी हुई है; जिन्हें निभाया जाना अपेक्षित होता है। सामाजिक व्यवस्थाओं में अपने हित को साधने के लिए अनाधिकृत रूप से किए गए कार्यों को सामाजिक व्यवस्थाओं का अतिक्रमण ही तो कहा जाएगा। चोरी, डकैती, भ्रष्टाचार, हिंसा आदि अनैतिक कार्य सामाजिक व्यवस्थाओं का अतिक्रमण है। यदि हम खोजें तो हम ऐसे अनेक उदाहरणों से रू-ब-रू हो सकते हैं।

इसी प्रकार, रिश्तो में भी कुछ मर्यादाएं, सीमाएं निर्धारित कर रखी हैं हमारी भारतीय संस्कृति ने। यदि इन सीमाओं को तोड़ते हैं तो वो रिश्तो का अतिक्रमण ही तो कहलाएगा। परिवार में, रिश्तेदारों में कई ऐसी घटनाएं घटित हो जाती है जो समाज व संस्कृति के दायरे में नहीं आती, वह अतिक्रमण है। मर्यादाओं, सीमाओं को तोड़कर बनाए गए संबंध, जोर-जबरदस्ती से जोड़े गए संबंध, डराकर-धमकाकर बहलाकर-फुसलाकर नाता जोड़ना, ये हमारे अधिकारों का अतिक्रमण नहीं है तो और क्या है?

भावनाओं का अतिरेक, बलात्कार, जोर-जबरदस्ती, छेड़छाड़, बाल-विवाह, लड़कियों के प्रति नकारात्मक दृष्टिकोण, विकलांगों के प्रति

तिरस्कार का भाव, आदि ऐसे उदाहरण है जो व्यवहार के नियमों का, मर्यादाओं का, सीमाओं का उल्लंघन करते हैं, ये अतिक्रमण की श्रेणी में ही आते हैं।

पर्यावरणीय अतिक्रमण के परिणाम तो गत वर्षों में समस्त विश्व ने देखे हैं। बाढ़, अतिवर्षा, तूफान, भूकंप आदि प्रकृति के अत्यधिक दोहन के परिणाम ही थे, जिनके कितने अनर्थकारी परिणाम हुए? प्रकृति के स्वयं के भी नियम हैं, लेकिन जब मनुष्य उनका उल्लंघन करता है, तब प्रकृति अपना न्याय करती है।

सामाजिक व्यवस्थाएं, आर्थिक व्यवस्थाएं, पर्यावरणीय व्यवस्थाएं, पारिवारिक व्यवस्थाएं, सांस्कृतिक मूल्यों आदि की जब कभी भी सीमा टूटी है तो उसके घोर अनर्थकारी परिणाम ही सामने आए हैं।

अपने स्वार्थ की पूर्ति के लिए व्यक्ति किसी भी हद तक जा सकता है। वह कहीं भी मर्यादा को, सीमाओं को लांघने में संकोच नहीं करता। अपने स्वार्थ की पूर्ति के लिए किसी भी व्यक्ति की बलि वह दे सकता है। अपने अधिकारों का वह अतिक्रमण कर समाज में असमानताएं फैलाता है।

हम हमारे शरीर के साथ भी ज्यादती करते हैं। ज्यादा खा लेते हैं तो अपच, ज्यादा श्रम करते हैं तो थकान, नशा करते हैं तो बीमारियां, नैतिकता का पालन न कर अनियंत्रित जीवनशैली अपनाते हैं तो विभिन्न रोगों से घिर जाते हैं। यह इसलिए होता है, क्योंकि हम शरीर की सामान्य क्रियाओं के साथ छेड़छाड़ करते हैं, सामान्य रूल्स का अतिक्रमण करते हैं तो शरीर नकारात्मक परिणाम देना शुरू कर देता है।

पशु पक्षियों का सामान्य जीवन भी अब खतरे में पड़ता दिखाई देता है। प्रकृति ने तो इन पशु-पक्षियों के लिए सभी व्यवस्थाएं की

थीं। लेकिन मनुष्य ने इन व्यवस्थाओं के साथ अपनी मनमानी की, परिणाम यह हुआ कि पशु-पक्षियों का जीवन दूभर हो गया। कई पशु पक्षी तो लुप्तप्रायः होने लगे हैं।

प्रकृति ने बहुत सुंदर व्यवस्था कर रखी है इस संसार को सुचारू रूप से चलाने की। यदि इन व्यवस्थाओं के अनुरूप हम चले होते तो आज हमें विश्व का यह वीभत्स रूप नहीं दिखाई देता। प्रकृति ने तो हर क्षेत्र के नियम बनाए थे, हर क्षेत्र की मर्यादा रखी थी, किंतु हमने हर बाउंड्रीवॉल को तोड़ दिया है, हर क्षेत्र में अतिक्रमण ने अपना झंडा गाड़ दिया है।

प्रकृति ने तो प्राणी मात्र की सुरक्षा, निवास, आवास, हवा, पानी आदि की सुंदर व्यवस्था अपने पर्यावरण में की है। इस पर्यावरण में हर प्राणी अपना सहज व सुरक्षित जीवन जी सकता है। हर प्राणी को संरक्षण प्राप्त होता, यदि हम प्राकृतिक नियमों का पालन करते, उनका उल्लंघन नहीं करते। असीमित उपयोग ने पर्यावरण को असंतुलित कर दिया है। अपनी स्वार्थ की पूर्ति के लिए मनुष्य अंधाधुंध प्रकृति का दोहन करता है, अतिक्रमण करता है।

हर क्षेत्र में चाहे वे रिश्ते, परिवार, समाज, आर्थिक या पर्यावरणीय हैं, यदि मानव ने अपनी इच्छाओं, आकांक्षाओं पर थोड़ा अंकुश लगाया होता तो बेहतर होता। रिश्तो में तो हम कोई मर्यादा रख हीं नही पा रहे हैं। भारतीय संस्कृति का मूल रूप क्या था व आज हम कहां आकर खड़े हो गए हैं? रिश्तो की परिभाषा ही बदल गई है। लिव इन रिलेशनशिप को मान्यता मिल गई है। माता-पिताओं के लिए वृद्धाश्रम को स्वीकार कर लिया गया है। संस्कृति तो पूरी तरह अतिक्रमण के चंगुल में है।

वाणी पर भी हमारा कोई कंट्रोल नहीं रह गया है, चाहे जो बोल लेते हैं। सच्ची, झूठी, कटु, मीठी, तीखी, कर्कश, मधुर सभी वाणियों का

प्रयोग हम बखूबी कर लेते हैं। वाणी का संयम नहीं रखते। वाणी के व्यवहार का अतिक्रमण सर्वत्र दिखाई-सुनाई देता है।

भावनाओं के वेग पर भी हम कोई नियंत्रण नहीं रख पाते, परिणामस्वरुप बलात्कार, वेश्यागमन, परस्त्रीगमन, नशा, महिलाओं पर एसिड छिड़कना, भ्रूण हत्या, पशु-हत्या, महिलाओं व बालकों पर अत्याचार आदि घटनाएं हो जाती हैं। ये अधिकारों का उल्लंघन है, अतिक्रमण है। जब मन व इंद्रियों हमारे वश में होंगी तब ही हम मर्यादित जीवन जी पाएंगे।

व्यक्ति अतिक्रमण करके कभी खुश नहीं रह सकता, उसको तनाव अवश्य हो ही जाता है, क्योंकि वह अतिक्रमण के घातक परिणामों से अनभिज्ञ नहीं है।

अतिक्रमण सदैव असामान्य परिस्थितियों को जन्म देता है। सुख हमें सामान्य परिस्थितियाँ ही दे सकती है। किसी भी चीज की अति या कमी दोनों ही दुखदाई होती है। मनुष्य के शरीर का यदि टेम्प्रेचर ऊपर हो जाए तो वह बुखार कहलाता है, शरीर अस्वस्थ हो जाता है। नॉरमल टेम्प्रेचर मैं ही शरीर स्वस्थ रह सकता है। यही तथ्य सभी क्षेत्रों में, सर्वत्र लागू होता है। अतः हर क्षेत्र में ना तो अति चाहिए ना ही कमी। नॉरमल कंडीशन्स ही हमें सुकून दे सकती हैं यही प्रकृति का भी नियम है। यहां भी अति वर्जित है अति वर्षा-बाढ़ हर स्थिति में नार्मल से हटकर होती है जो निश्चय ही दुखदाई होती है। अतः नॉर्मेलिटी ही सर्वत्र अपेक्षित है। जरा भी प्राकृतिक स्वरूप से इधर-उधर हुए, अतिक्रमण हुआ तो वो हमें घाव ही देकर जाएगा।

नॉर्मेलिटी में रहना कोई आसान काम नहीं है। विरले पुरुष ही ऐसा कर पाते हैं। इसके लिए साहस, संतोष व उदारता की आवश्यकता होती है। संतोष की प्राप्ति हमें व्रतों से मर्यादाओं के पालन से, सीमाओं के बंधने से, धर्म के 'कोड ऑफ कंडक्ट' के अनुसार आचरण

करने से ही प्राप्त हो सकती है। स्वयं को नियंत्रित करने के लिए हमें अपार असीमित इच्छाओं पर अंकुश लगाना होगा। आवश्यकताओं की सीमाएं निर्धारित करनी होंगी। टूटी हुई पालों को फिर से बांधना होगा। सच मानिए, मर्यादाओं से बंधना, व्रतों का पालन करना, धर्म के अनुरूप आचरण करने का अपना सुकून है, आत्म-संतुष्टि है, आनंद है।

अतिक्रमण को रोकने के भी ये अचूक साधन है। जीवन के लक्ष्य को प्राप्त करने के लिए, सुखी जीवन के लिए सर्वजन कल्याण के लिए, प्रकृति को अक्षुण्ण बनाए रखने के लिए, सुंदर स्वस्थ समाज के निर्माण के लिए, आर्थिक असमानताओं को दूर करने के लिए मर्यादाओं, सीमाओं का निर्धारण करना समीचीन होगा, पाल का बांधना श्रेयस्कर होगा। बेलगाम घोड़ा भटक भी सकता है; अतः लगाम कसिए और अतिक्रमण को कहिए 'ना'। अतिक्रमण सर्वत्र त्याज्य है।

हिंसक भाव है परनिन्दा

परनिन्दा आजकल एक फैशन सा बन गया है। टीवी चैनलों पर राजनीतिक पार्टियां एक दूसरे की निंदा करती नजर आती है। एक दूसरे पर सच्चे झूठे दोषारोपण करती है मानो उन्हें स्वयं में कोई दोष ही न हो। यदि एक ने दूसरे पर आरोप लगाया तो दूसरा व्यक्ति मिनटों में उसका खंडन करता है व सामने वाले पर आरोप दागने लगता है। यह हाल हर क्षेत्र का है। दूसरों के दोष देखने का नशा हो गया है जैसे। ट्विटर पर भी हम देखते हैं कि व्यक्ति अपने आप को महान साबित करने में लगा रहता है। वह आत्ममुग्ध सा हो गया है। निंदा करने में जो रस आता है व्यक्ति को, वह दूसरों की प्रशंसा करने में कब आता है? यूं भी किसी की प्रशंसा करना कोई सहज कार्य नहीं होता, उसके लिए बहुत विशाल ह्रदय की आवश्यकता होती है।

ये मानव का स्वभाव सा बन गया है कि वो दूसरों को अधिक देखता है स्वयं को नहीं। स्वयं के विषय में वो एकदम बेखबर है। स्वयं के क्या गुण दोष हैं कभी ध्यान नहीं देता लेकिन अगर दूसरों के बारे में पूछे तो वह उसका सारा कच्चा चिट्ठा खोल कर रख देता है। कैसी विडंबना है कि स्वयं का घर पता नहीं, दूसरों के घर का पता पूछ रहे हैं।

व्यक्ति दूसरों की निंदा कब करता है? जब उसे अहंकार आता है तब। अहंकारवश व्यक्ति दूसरों को नीचा दिखाने की कोशिश करता है। हमारी बुद्धि सदैव हमारे दोषों को छिपाने का कार्य करती है दूसरों के दोषों को उजागर करने का कार्य करती है।

दुनिया में ऐसा कोई व्यक्ति नहीं है जिसमें कोई दोष न हो। दूसरों के दोष देखने का अधिकार सिर्फ उसे होना चाहिए जिसके स्वयं के सब दोष समाप्त हो गए हों। अतः सर्वप्रथम हम निर्दोष हो तब ही परदोषों पर ध्यान देने की बात सोचें।

हम इतना जान लें कि दूसरों को हमारी निंदा करने का अधिकार है किंतु हमें किसी की नहीं। पर निंदा करना एक प्रकार का अपराध है या गुनाह है। परनिंदा से हमारा सबसे अधिक नुकसान होता है सामने वाले का कुछ नहीं बिगड़ता। तो हम अपना अहित करने की मूर्खता क्यों करें? क्यों हमारे समय व शक्ति को व्यर्थ में गवाएं? दूसरों की निंदा करके हम सबका दोष या मैल तो धो देते हैं किंतु निंदा करने से हमारे अंदर जो मैल या दोष लग गया है उसे कौन व कब धोएगा? क्यों हम परनिंदा कर हमारे स्वयं के पैर पर कुल्हाड़ी मार देते हैं।

ज्ञानियों ने कहा कि यदि आपको मार खानी हो तो किसी को मारो। यदि आपको निंद्य (निंदा का पात्र) बनना हो तो किसी की निंदा करें।

धर्म ग्रंथों में 18 पाप स्थान बताएं हैं उनमें 14वां पैशुन्य (दूसरों की चुगली करना, दोष प्रकट करना) एवं 15वां परपरिवाद (दूसरों की निंदा करना) है। स्वत: स्पष्ट हो जाता है कि परनिंदा करना घोर पाप है।

दरअसल सज्जन वह होता है जो दूसरों के गुण और अपने दोष ढूंढता है। महापुरुष कहते हैं कि किसी की व्यर्थ मैं निंदा न करें। किसी का दोष प्रतीत होता हो तो उसको प्रेम पूर्वक समझाकर दोष दूर करने का प्रयत्न करें उसकी पीठ पीछे दोष प्रकट न करें।

धार्मिक ग्रंथों में चेताया है कि निंदा करने से धर्म की विराधना होती है, ज्ञान पर आवरण आ जाता है। प्रभु ने कहा कि किसी के भी प्रति एक शब्द भी उल्टा बोले तो वह अवर्णवाद की श्रेणी में आता है। प्रभु

ने परनिंदा न करने का तो संदेश दिया ही वरन् किसी की परनिंदा सुनने को भी पाप बताया है। जहां पर निंदा हो रही हो तो वहां बैठना नहीं चाहिए वहां से उठकर चले जाना चाहिए।

हमने कभी यह महसूस किया है कि निंदा करके हम तनाव में आ जाते हैं? जिसकी निंदा कर रहे हैं, वह हम पर पलटवार अवश्य करेगा। हमें पता है क्या कि जो भी वाणी हम प्रसारित कर रहे हैं, जिसकी भी निंदा कर रहे हैं, वह उस तक अवश्य पहुंचेगी? क्योंकि इस वातावरण में सभी जगह परमाणु भरे हुए हैं।

हम हमारे जीवन को वरदान बनाएं या अभिशाप यह हमारे ऊपर निर्भर करता है। सुख शांति का आधार हमारा मन ही है। निंदा करने वाला कभी शांति से नहीं रह सकता।

यदि हम भारत के जिम्मेदार नागरिक हैं तो हमें एक शब्द भी अनर्गल नहीं बोलना चाहिए। अगर बोलना ही है तो अच्छा बोलिए ना। गुणगान कीजिए ना? युवा वर्ग इस परनिंदा नामक नशे से दूर है वह परनिंदा में विश्वास नहीं करता।

युवा वर्ग टीका (निंदा) करने की अपेक्षा किसी को टेका (सहारा) देना अधिक श्रेयस्कर समझता है।

जहां धर्म है वहां टोका टिप्पणी नहीं हो सकती क्योंकि यह समकित प्राप्त करने में बाधक होती है वीतराग की राह में रोड़ा होती है।

किसी की अपकीर्ति करके हमें कीर्ति मिल जाएगी, यह हमारा भ्रम है। किसी भी समाज में निंदा करने वालों को अच्छी निगाह से नहीं देखा जाता। जो एक की निंदा कर सकता है तो वह सबकी निंदा कर सकता है यह बात ध्यान में रखी जानी चाहिए।

प्रत्येक व्यक्ति वही करता है जो उसे सही लगता है, हरेक का अपना अपना दृष्टिकोण होता है, अतः किसी की निंदा करने जैसा नहीं है।

स्वयं को सही साबित कर अन्य को गलत साबित करना भी परनिंदा ही कहलाती है। सही को सही जानो व गलत को गलत लेकिन गलत को गलत जानते समय द्वेष ना रखें। व सही को सही जानते हुए राग न रखें।

अतः प्रत्येक परिस्थिति में समभाव में ही रहना चाहिए। रागद्वेष के भाव में भी निंदा ही होती है। किसी को कटु वचन बोलना भी निंदा ही कहलाती है। निंदा का भाव हिंसक भाव है। और यह 'जंग' हर व्यक्ति पर लग जाता है। प्रभु ने तो यह भी कहा कि किसी का भी नाम लेकर व्यक्तिगत बात करना भी निंदा का ही रूप है। निंदा हमें अधोगति में ले जाती है। अतः कभी भी किसी की निंदा करने के पाप में न पड़ो। कभी भूलवश निंदा हो भी जाए तो तुरंत प्रायश्चित कर उस पाप को धो देना चाहिए।

ज्ञानी जन कहते हैं कि चार संग से सदा बचना चाहिए - नास्तिक, अन्याय, जवान स्त्री और दूसरों की बुराई। स्पष्ट है कि परनिंदा को कितना पापमय कार्य बताया गया है। अधिकांशत: हम देखते हैं कि जो दूसरों की निंदा करने में रस लेते हैं वे अपने मित्रों से दूर हो जाते हैं।

प्रभु ने हमें निर्देश दिए हैं कि हम परनिंदा पर तो पूर्ण विराम लगा दें एवं आत्मनिंदा की ओर अग्रसर हो। सामान्यतः आत्म निंदा तुलनात्मक दृष्टि से अछूता पहलू ही रहता है व्यक्ति के व्यक्तित्व में। उसका ध्यान आत्मनिंदा की तरफ जाता ही नहीं है वह तो परनिंदा में इतना मशगूल रहता है कि आत्मनिंदा की और उदासीन ही रह जाता है।

गणधर गौतम ने प्रभु से पूछा - 'हे भगवान! स्वनिंदा करने से जीव को क्या लाभ होता है? प्रभु ने उत्तर दिया, 'आत्म निंदा करने से पश्चाताप होता है। पश्चाताप से कर्मों की महान निर्जरा होती है। आत्मनिंदा करना ज्ञानी पुरुषों का कार्य है।

ज्ञानीजन कहते हैं कि कोई भी व्यक्ति ऐसा नहीं है जिसने कभी कोई अपराध या गलती न की हो। अतएव हमें उस गलती की आत्मनिंदा कर पश्चाताप कर लेना चाहिए। आत्मनिंदा करना कठिन अवश्य लग सकता है किंतु पुरुष तत्काल गलती की आत्मनिंदा, प्रायश्चित कर हल्के हो जाते हैं।

अपने अवगुणों की निंदा करने वाला सरल, मृदु एवं साहसी होता है। वह अपनी गलतियों का पश्चाताप करता है व पुनः उस गलती को न दोहरने का दृढ़ संकल्प लेता है।

इस प्रकार व्यक्ति अपनी गलतियों का पश्चाताप करता है वही मोक्षगामी हो सकता है, जो परनिंदा में लीन रहता है वह अधोगति को ही प्राप्त होता है।

तो परनिंदा से यदि वर्तमान जीवन एवं भविष्य की गति भी बिगड़ रही हो तो समझदार व्यक्ति कभी भी परनिंदा जैसा आत्मघाती कदम नहीं उठा सकता। अतः सदैव सकारात्मक बने रहें, अच्छाइयां देखने की आदत बनाएं, दूसरों के जीवन में दखल न दें, अच्छाइयों में भी बुराइयां देखने से बचे परदोष न देखकर स्वदोष देखें, दूसरों की बुराइयों का प्रचार प्रसार न करें। फिर देखें अपना जीवन कैसे खुशनुमा बनता हुआ वीतराग की तरफ मुड़ता है।

वाणी का मोल समझें

वर्तमान समय में मानव को अभिव्यक्ति के अनेक अवसर एवं मंच उपलब्ध है। लोकतंत्र में किसी भी व्यक्ति को अपनी भावनाएं व्यक्त करने का अधिकार प्राप्त है, फिर चाहे वो अभिव्यक्ति सकारात्मक हो अथवा नकारात्मक। पूर्व में केवल पत्र ही साधन था अपनी बात दूसरों तक पहुंचाने के लिए। यह पत्र बहुत ही शालीन व प्रेरणास्पद होते थे। आज का बच्चा यह पूछ सकता है कि यह पत्र क्या चीज होती है, तो हमें चकित होने की आवश्यकता नहीं है।

संचार क्रांति ने तो संवाद के सारे मायने ही पलट कर रख दिए हैं। मैसेज, फेसबुक, ट्वीटर, व्हाट्सएप, ब्लॉग, इंटरनेट, टी.वी. और न जाने कितने माध्यम से अपने विचार भावनाएं, संवेदनाएं, विरोध, कटाक्ष, प्रशंसा, बधाई संदेश, शोक आदि शेयर करते हैं। इन अभिव्यक्तियों का यदि विश्लेषण करें तो पाएंगे कि निःसंदेह कुछ संदेश तो बहुत प्रेरणास्पद होते हैं, सभ्य भाषा का प्रयोग भी किया जाता है किंतु अधिकांश ब्लॉगस आदि में अपने प्रतिद्वंदियों, कलीग्स की टांग खिंचाई ही की जाती है, कटाक्ष किए जाते हैं, एक दूसरे को नीचा दिखाने की होड़ लगी रहती है। इन संदेशों में भाषा व रिश्तों की गरिमा कहीं नजर नहीं आती।

टी.वी. के समाचार चैनलों पर किसी एक विषय को लेकर गरमागरम बहस होती हम सब देखते हैं। शब्दों की मर्यादा व शालीनता का अभाव स्पष्ट होता है। कभी-कभी तो बहस होते-होते जब शब्द अपना प्रभाव छोड़ देते हैं तो हाथापाई भी होते देखी गई है।

घटिया व फूहड़ कॉमेडी शोज ने तो सारी मर्यादा को तार-तार कर के रख दिया है। अशोभनीय व्यवहार, असभ्य शब्द व्यक्तिगत कटाक्ष महिलाओं पर अभद्र टिप्पणियों से भरे होते हैं यह कॉमेडी शो। ऐसे भोंडे कॉमेडी शो को टीवी पर प्रसारित होते देख कर बड़ी शर्म आती है, खीज होती है, बड़ी कोफ्त होती है ना?

कोई राजनेता अपने प्रतिद्वंदियों की कमजोरियों को अवांछित शब्दों में प्रस्तुत कर रहा होता है जो कोई नेता दूसरी पार्टियों को सांप नाथ, नागनाथ जैसे शब्दों से प्रस्तुत कर रहे होते हैं। विरोध करना बुरी बात नहीं है, लेकिन वो विरोध शालीन होना चाहिए।

अभिनेता, अभिनेत्रियां, बुद्धिजीवी आदि भी अपनी उल्टी-सीधी भावाभिव्यक्ति करने में आगे रहते हैं। फिर चाहे वो स्टेटमेंट किसी पर क्या प्रभाव डालें, उनकी बला से। आश्चर्य तो तब होता है, जब किसी बलात्कारी की तुलना देश के महापुरुषों से कर दी जाती है? क्या चुक गई है हमारी शब्दावली? क्या मानसिक रूप से बौखला गए हैं हम?

महिलाओं को देखकर उन पर भद्दी टिप्पणी करना कहां तक सही है? क्या यह हमारी मानसिक विकृति का घोतक नहीं है?

मोबाइल पर मैसेज लेना व देना आम बात है। लेकिन जब रिश्ते खराब हो रहे होते हैं तो कटु मैसेज का लेनदेन कभी कभी किसी को आत्महत्या तक करने को मजबूर कर देता है।

लोकतंत्र में सभी बयान देने के लिए स्वतंत्र है। इसका अर्थ यह नहीं है कि आप अनर्गल प्रलाप करें। उस विषय पर भी बयानबाजी कर बैठते हैं, जिस पर उनकी पकड़ नहीं होती? जब ऐसी बयानबाजी का विरोध होता है तो वह बहाने बनाते फिरते हैं कि मेरे स्टेटमेंट को तोड़-मरोड़ कर पेश किया गया है, या मेरे स्टेटमेंट को सही परिपेक्ष्य

में नहीं समझा गया है, या फिर थक हार कर अंत में क्षमा मांग लेते हैं।

प्रश्न यह उठता है कि व्यक्ति ऐसे उलटे सीधे बयान देता ही क्यों है? क्या लाइम-लाइट में रहने के लिए? कहीं अपने अहंकार की पुष्टि के लिए? कहीं यह उसका ईगो तो नहीं? कहीं अपने आप को सुपीरियर सिद्ध करने के लिए तो नहीं? कहीं ईर्ष्या के कारण तो नहीं? टटोलकर तो देखें, हम अपने अंतःकरण को ईमानदारी से?

वाणी अमूल्य है। इसकी कीमत समझें।

एड्स से बचाव का उपाय : स्वपत्नी संतोष व्रत

आज भारत की अधिसंख्य जनसंख्या युवा वर्ग की है। आज युवाओं की समस्याओं में सबसे घातक समस्या एच.आई.वी. एड्स का तेजी से फैलना है। सारे विश्व में यह एक गंभीर समस्या का रूप ले चुकी हैं। भारत में सबसे पहले 1986 में एड्स के रोगी के होने का पता चला था। भारत के समस्त राज्यों एवं संघशासित राज्य में इसका संक्रमण फैल रहा है।

एड्स मुख्यतः युवाओं की समस्या है। 50% एड्स के रोगी 15-24 वर्ष की आयु वर्ग वाले युवा हैं। यह बीमारी महामारी को का रूप ले चुकी है। इस बीमारी का कोई इलाज नहीं है, केवल बचाव ही इसका उपाय है। एच.आई.वी. (HIV) का पूरा नाम ह्यूमन इम्यूनो वायरस (Human Immuno Virus) है। यह एक प्रकार का वायरस है, जिसके शरीर में प्रविष्ट होने के उपरांत शरीर की रोग प्रतिरोधक प्रणाली धीरे-धीरे कमजोर होती जाती है।

जो व्यक्ति एच.आई.वी. से संक्रमित होता है वह HIV+Ve कहलाता है। यह व्यक्ति वर्षों तक स्वस्थ दिखाई दे सकता है, उसे स्वयं भी पता नहीं होता कि वह HIV Positive है, लेकिन वह इस वायरस का वाहक होता है व दूसरे व्यक्तियों तक पहुंचाने की क्षमता रखता है। एड्स एच.आई.वी. पॉजिटिव संक्रमण की अंतिम अवस्था को कहते हैं जब इस रोग के लक्षण प्रकट होने लगते हैं। एड्स एक व्यक्ति से दूसरे व्यक्ति तक फैलता है क्योंकि यह एक संक्रामक रोग है।

एड्स का पूरा नाम वार्ड एक्वायर्ड इम्यूनो डेफिशिएंसी सिंड्रोम (Acquired Immuno Deficiency Syndrome) है, अर्थात रोग प्रतिरोधक क्षमता का अभाव उत्पन्न करने वाली अवस्था। जैसा की नाम से ज्ञात होता है कि यह बीमारी अर्जित (Acquired) अर्थात किसी व्यक्ति से प्राप्त होती है जिससे शरीर की प्रतिरक्षा प्रणाली कमजोर (Immuno Deficiency) होती है। यह एक रोगों का समूह (Syndrome) होती है।

आइए अब जानते हैं कि यह घातक बीमारी फैलती कैसे हैं? एच.आई. वी. मनुष्य के खून, वीर्य या योनि स्राव में पाया जाता है। जब कोई व्यक्ति HIV positive व्यक्ति के खून, वीर्य या योनि स्राव के संपर्क में आता है तब वह व्यक्ति इसके चपेट में आ जाता है। यह वायरस मनुष्य के शरीर में निम्नांकित माध्यम से शरीर में प्रविष्ट हो सकता है -

1. संक्रमित व्यक्ति के साथ असुरक्षित यौन संबंध स्थापित करने से।
2. संक्रमित रक्त चढ़ाने से।
3. संक्रमित सूई का उपयोग करने से।
4. संक्रमित मां से शिशु को।

एड्स फैलने का सबसे मुख्य कारण संक्रमित व्यक्ति के साथ असुरक्षित यौन संबंध होना है। जो व्यक्ति एक से अधिक के साथ यौन संबंध रखता है अथवा अनजान या पेशेवर व्यक्तियों (वेश्यावृत्ति करने वाले) से यौन संबंध स्थापित करता है, उस व्यक्ति को एड्स हो सकता है। भारत में एड्स फैलने का कारण (लगभग 80%) असुरक्षित यौन संबंधों का होना है।

आज युवाओं में यौन संचारित रोगों, एड्स व असुरक्षित यौन क्रियाओं के विषय में जानकारी का अभाव है इसलिए वे इन खतरों से अनभिज्ञ

संस्कार विहीन जीवन शैली अपनाकर अपना बहुमूल्य जीवन गंवा रहे हैं। श्रमणों के लिए पांच महाव्रत निर्धारित किए गए हैं अहिंसा, सत्य, अस्तेय, ब्रह्मचर्य एवं अपरिग्रह। भगवान महावीर ने श्रावकों अर्थात गृहस्थों के लिए भी 12 व्रतों का निर्धारण किया, जिसमें स्वदार संतोष (पुरुष के लिए) एवं स्वपति संतोष (स्त्री के लिए) अत्यंत महत्वपूर्ण स्थान रखता है। इस व्रत से तात्पर्य है कि पुरुष केवल अपनी पत्नी एवं स्त्री केवल अपने पति से ही यौन संपर्क स्थापित करें। अन्य पुरुष/स्त्रियों से यौनसंपर्क वर्जित है। यह व्रत स्वत: ही अमर्यादित यौन संबंधों पर प्रतिबंध स्थापित कर देता है।

धर्म के सिद्धांत के अनुसार मानव जीवन की रीढ़ ही 'ब्रम्हचर्य' है। जीवन में इसका बहुत महत्व है। श्रावक अपने जीवन में मर्यादित यौन संबंध स्थापित करें वह भी केवल अपनी पत्नी के साथ अथवा पति के साथ। भगवान महावीर ने कहा कि श्रावक पूर्णत: संयमित जीवन जीए। अपनी पत्नी/पति के साथ पूर्णत: वफादार रहें। समस्त विश्व की अन्य किसी स्त्री/पुरुष से कभी यौन संपर्क स्थापित न करने का व्रत ले। वह स्वपत्नी संतोष अर्थात स्वदार संतोष व्रत स्वीकार करें एवं अपनी पत्नी के साथ भी अमर्यादित यौन संबंधों का परित्याग करें एवं संयमित जीवन जीएं।

वैदिक धर्म में भी कहा गया है कि पति पत्नी में आपसी विश्वास एवं निष्ठा का विकास हो, वे संयमित जीवन अंगीकार करें एवं सिर्फ संतानोत्पत्ति के लिए ही सहवास करें, शेष समय में ब्रह्मचर्य के लक्ष्य को लेकर चलें।

भगवान ऋषभदेव ने अपने 98 पुत्रों को कहा कि इस मनुष्य देह का उपयोग भोग विलास के लिए नहीं अपितु दिव्य तप के लिए करो। धर्म कहता है कि मनुष्य भव देवताओं के लिए भी दुर्लभ है, यह जीवन समस्त प्राणियों में उत्तम है। मानव भव में ही तप,

धर्म कर सकते हैं। तपो में तप ब्रह्मचर्य तप है। अतः मानव जीवन की सार्थकता विषय भोग में न होकर मर्यादित जीवन जीने में है, ब्रह्मचर्य का पालन करने में है।

भगवान ऋषभदेव ने विवाह प्रथा का प्रारंभ इसी उद्देश्य से किया था कि अमर्यादित वासना को मर्यादित किया जा सके। विवाहित व्यक्ति केवल स्व पत्नी/पति के साथ ही संबंध रखें, वह भी मर्यादित हो। इस प्रकार भगवान ऋषभदेव ने आंशिक ब्रह्मचर्य का व्रत श्रावकों के लिए निर्धारित किया। विवाह प्रथा मानवों के स्वच्छंद यौनाचार पर विराम की दृष्टि से प्रारंभ किया गया था। धर्म के अनुसार यदि कोई व्यक्ति अविवाहित रहता है तो वह पूर्णतः ब्रह्मचर्य का पालन करें। विवाहित के लिए दुराचार व स्वतंत्र यौन संबंधों पर पूर्णतः प्रतिबंध लगा रहे। कितनी दूरदर्शितापूर्ण व वैज्ञानिक दृष्टिकोण को ध्यान में रखते हुए व्रतों का निर्धारण किया गया है। तीर्थंकरों की संपूर्ण मानव जाति को यह अप्रतिम देन है। ये व्रत आज प्रासंगिक दृष्टिगोचर होते हैं। आज सभी तरफ और नैतिकता, दुराचार एवं भ्रष्टाचार का वातावरण बना हुआ है। परस्त्रीगमन, वेश्यागमन या आधुनिक कॉलगर्लगमन सामान्य कृत्य सा मान लिया गया है, जो अत्यंत विस्फोटक एवं घातक साबित हो रहा है।

जैन सिद्धांत के अनुरूप स्वदार संतोष व्रत धारण करने वाले श्रावक अनेक पापों से बच जाते हैं। उनका स्वास्थ्य भी अनुकूल रहता है। वह समाज में विश्वसनीयता, प्रमाणिकता व आदर का पात्र होता है। परिवार में खुशहाली आती है व भावी संतान भी संस्कारी होती है।

यदि आज का युवा जैन श्रावक के इस एक व्रत 'स्वदार संतोष' को अपना ले तो सीधे-सीधे वाक्यों में कहें तो वह एड्स जैसी घातक बीमारी से तो अपना बचाव कर ही लेता है। इस व्रत से व्यक्ति आध्यात्मिक विकास के साथ-साथ महावीर के दिखाए पथ पर भी

अग्रसर होगा। एड्स जैसी घातक बीमारी से सदैव के लिए दूरी बना लेगा। अब्रम्हचर्य से होने वाली हिंसा से भी वह बच पाएगा।

जैसा कि ऊपर कहा गया कि 80% एड्स रोग असुरक्षित यौन संबंधों के कारण होता है। एड्स होने पर उसका इलाज नहीं हो सकता। एड्स से बचाव ही एकमात्र उपाय है। तो क्यों नहीं हम इस स्वर्णिम 'स्वदार संतोष' व्रत को अंगीकार कर लें। घातक यौन जनित रोगों से तो बचाव होगा ही साथ ही आध्यात्मिक यात्रा के पथ पर भी पहला कदम बढ़ा सकते हैं।

अनियंत्रित खाना पीना : गिरता सेहतनामा

किशोर हो या युवा या अधेड़ आजकल एक परिपाटी ही बन चली है कि चलो! होटल में खाना खाते हैं, घर का खाना खाते-खाते बोर हो गए हैं। यह उच्च मध्यमवर्गीय व मध्यमवर्गीय परिवार का चलन है। निम्न वर्गीय परिवार भी पीछे नहीं है वे थैले वाले, खोमचे वालों के पास जाकर चाट पकौड़ी, दाबेली, पावभाजी, चाऊमीन आदि प्रतिदिन खाते हैं, मन को संतुष्टि तभी मिलती है। यह होटलों व रेस्त्रां का चटपटा, ग्रेवी वाला, प्याज लहसुन की सुगंध वाला खाना युवा वर्ग को बहुत भाता है।

प्रायः यह भी देखने में आता है कि कभी-कभी किशोर केवल सब्जी ही होटल से पैक करवा कर घर लाते हैं वह चपाती घर की खाते हैं। केवल युवा वर्ग ही नहीं वरन् कतिपय ग्रहणियाँ भी शाम को खाना घर पर नहीं बनाना चाहती, अतः पतिदेव उनको या तो होटल में खाना खिला लाते हैं या ऑफिस से आते वक्त होटल से खाना पैक करवा कर घर ले आते हैं। जो वृद्ध घर का ही खाना पसंद करते हैं उन्हें युवा वर्ग दकियानूसी या बेकवर्ड की संज्ञा देते हैं।

उच्च वर्ग के हालात कुछ अलग है। वे जिम जाते हैं, वर्कआउट करते हैं। अधिकांश वे व्यक्ति जो मनोरंजन की दुनिया से जुड़े हुए हैं वे सूक्ष्म आहार लेते हैं, वे भी अपना स्वास्थ्य चौपट ही कर रहे होते हैं। मनोरंजन दुनिया से जुड़ी युवतियां जीरो फिगर के चक्कर में अपने आप को भूखी रखती हैं इससे भी उनका स्वास्थ्य आगे चलकर चौपट हो जाता है।

अनियंत्रित अति आहार एवं अति सूक्ष्म आहार दोनों ही स्थितियां शरीर में रोग को आमंत्रित करती है। हर चीज का संतुलन होना आवश्यक है। अति हर हाल में घातक होती है। आज की लाइफ स्टाइल में सेहत बहुत पीछे छूट गई है। भागमभाग एवं आपाधापी भरी जिंदगी में स्वास्थ्य पर ध्यान देने के लिए समय ही कहां रह गया है? चाहे विद्यार्थी हो या कामकाजी के पास? यह वर्ग केवल अपने अकादमिक या बिजनेस के लक्ष्य पर अपना ध्यान केंद्रित रखता है, वो वास्तव में अच्छा है किंतु स्वास्थ्य की कीमत पर नहीं। अपने स्वास्थ्य के प्रति उदासीन रहना, होटलों में खाना खाना, जंक फूड, फास्ट फूड खाना, व्यायाम व योग नहीं करना, बहुत समय तक लगातार बैठे रहना ये सभी कारण रोगों को बुलावा दे रहे हैं।

शरीर में रोग निम्नांकित कारणों से पैदा होते हैं - अत्यधिक भोजन करने से और निरंतर बैठे रहने से, अहितकर भोजन एवं अहितकर आसन करने से, अतिनिद्रा या अधिक देर तक सोने से, कम निद्रा लेने से, मल मूत्र रोकने से, अधिक यात्राएं करने से, प्रतिकूल या बेमौसम का भोजन करने से और गरिष्ठ व चटपटा भोजन करने से।

महापुरुषों ने कहा कि अधिक भोजन मत करो, पूर्व भोजन पचने से पहले दुबारा भोजन मत करो। स्वस्थ रहने के लिए आवश्यक है कि जब भूख लगे तब ही भोजन ग्रहण किया जाए। आज हम बहुधा देखते हैं कि जब भी किसी के सामने खाद्य सामग्री रखें तो वह खाना चालू कर देता है चाहे भूख हो या नहीं। दावतों में व स्नेह भोजों में भी अक्सर देखने में आता है कि व्यक्ति इतना ठूंस ठूंस कर खाता है मानो उसे दुबारा भोजन मिलने वाला ही नहीं है। यह प्रवृत्ति स्वास्थ्य की शत्रु है। जितनी भूख हो उससे कुछ कम ही खाएं, ज्यादा नहीं। स्वाद लोलुपता से बचने का प्रयास करें। कृपया अपने पेट पर रहम करें, उसे थोड़ा विश्राम दें।

इंद्रिय संयम का बहुत महत्व होता है। आहार का, खानपान का इंद्रिय संयम से गहरा संबंध है। जो व्यक्ति संयमित आहार नहीं लेता है तामसिक आहार लेता है, उसका इंद्रिय संयम करना कठिन होता है, उसे इंद्रिय विषय में रमना अच्छा लगता है।

स्वास्थ्य का आधार आहार संयम ही है। आहार संयम का महत्व बहुत है। चूंकि हम शरीर के माध्यम से ही अपनी आत्मा को भवपार कर सकते हैं, अतः शरीर को स्वस्थ रखना आवश्यक है। यह शरीर ही हमारी साधना का हेतु बनता है। विश्व स्वास्थ्य संगठन ने स्वास्थ्य की व्यापक परिभाषा देते हुए कहा 'स्वास्थ्य का अर्थ केवल रोग अपंगता का होना ही नहीं है बल्कि वह व्यक्ति के शारीरिक, मानसिक व सामाजिक सामंजस्य की पूर्णता का प्रतीक है।' जो व्यक्ति सामाजिक, मानसिक एवं शारीरिक संतुलन बैठा सकता है, वही व्यक्ति सही मायने में स्वस्थ है। स्वस्थ व्यक्ति ही राष्ट्र के चहुंमुखी विकास में अपना सकारात्मक योगदान दे सकता है।

जो व्यक्ति स्वस्थ होता है वह सदैव एक्टिव, प्रसन्न, चिंता रहित होता है, वह शक्तिवान, ऊर्जावान, स्फूर्तिवान, रोग मुक्त होता है, साथ ही वह सामाजिक भी होता है। महापुरुष कहते हैं कि यदि आप जीवन भर स्वस्थ रहना चाहते हैं तो युवावस्था से ही भोजन एक बार करें। प्रभु ने यह भी चेताया कि यदि रोग आ जावे तो उपवास करो।

भोजन करते समय केवल भोजन पर ध्यान हो अन्य विषयों में मन न भटकावें। बहुत जल्दी जल्दी भोजन न करें, चबा चबाकर भोजन करें। भोजन करते समय अधिक बातचीत भी न करें, संभव हो तो मौन रखें। भोजन करते समय चित्त एकदम शांत होना चाहिए कषायों से दूर रहें। रसेंद्रियों के नियंत्रण पर भी बहुत बल दिया जाना चाहिए। घी, तेल, दूध, दही एवं मिठाई की भी मर्यादा करनी चाहिए।

जो व्यक्ति राग को जीतना चाहता है उसे एकांत में रहना चाहिए, कम खाना चाहिए व अपनी इंद्रियों को वश में करना चाहिए। अतः स्पष्ट है कि स्वास्थ्य एवं आध्यात्मिक प्रगति के लिए अल्प आहार की महत्ता है। भोजन केवल जीवन निर्वाह के लिए ही हो। आज की पीढ़ी अब यह प्रश्न कर सकती है कि आजकल की लाइफ स्टाइल में क्या यह सब संभव है? क्योंकि आज की संस्कृति में हम कैसा भोजन कर रहे हैं? कब कर रहे हैं? कैसे कर रहे हैं? यह सब प्रश्न गौण हो चुके हैं। कैसा, कैसे व कब का कोई औचित्य ही नहीं रह गया है? अधिकांश युवा सप्ताह में दो-तीन बार तो होटलों में, रेस्तरां में खाना खाने अवश्य ही जाते हैं। वे जंक फूड व फास्ट फूड से भला परहेज कैसे कर सकते हैं?

लेकिन हर समस्या का यदि हम दिल से समाधान ढूंढ तो वह हमें मिल ही जाता है। होटलों में आजकल अपेक्षाकृत साफ सफाई से खाना पकाया जाता है, यह सही है। होटलों में खाने का आर्डर देते समय वसायुक्त भोजन को एवॉइड कर सकते हैं। दावतों में भी ठूंस-ठूंस कर खाने के बजाय अपनी आवश्यकतानुरूप ही भोजन लें। मीठा, वसायुक्त गरिष्ठ भोजन से बचें। सलाद खाएं, फाइबर युक्त भोजन ग्रहण करें। मौसमी फलों पर जोर दें। अच्छे तेल में पका हुआ भोजन ले। जितनी कैलोरी की आवश्यकता है उतना ही लें। हो सके तो खाना खाने के स्थान पर तक पैदल ही जाएं। आचार, चटपटे खाद्‌य पदार्थों को अनदेखा करें। ताजा खाना ही खाएं, बासी खाने से दूर रहें।

स्वास्थ्य, मन व भोजन दोनों पर निर्भर करता है। आहार शरीर व मन दोनों को साधता है। अतः सात्विक आहार ही हमें साधना के पथ पर ले जा सकता है। याद रखें, 'हेल्थ इज वेल्थ' अपने जीवन के लक्ष्यों को तब ही प्राप्त कर सकते हैं जब हम मानसिक एवं शारीरिक रूप से स्वस्थ होंगे। स्वस्थ रहने के लिए आहार संयम की आवश्यकता को नकारा नहीं जा सकता।

जो 'स्व' में स्थित है वही स्वस्थ कहलाता है। 'स्व' में स्थित होने के लिए साधना की आवश्यकता होती है व साधना करने के लिए एकाग्र चित्त की अपेक्षा है जो सात्विक आहार ग्रहण कर प्राप्त की जा सकती है। युवा वर्ग अपनी जीवनशैली में थोड़ा परिवर्तन करें। तनाव को कम करें, नियमित व व्यवस्थित जीवनचर्या को अपनावें, सकारात्मक विचारों को पनपने दें, वर्तमान में जीएं, भूत व भविष्य की चिंता में वर्तमान को नष्ट न करें, खाने पीने में विवेक रखें, प्रसन्न रहें, पर्याप्त नींद लें, उत्तेजना से बचें, क्रोध, ईर्ष्या, द्वेष, क्लेश से दूर रहें, दिमाग को ठंडा रखें। यदि युवा वर्ग चाहे तो वो स्वास्थ्य को अपनी स्थाई पूंजी बना सकते हैं। आइए, आहार नियमों की पालना करें एवं स्वस्थ रहें।

बालकों की सुरक्षा : दायित्व हम सबका

आए दिन बच्चों के साथ हिंसा की सुन, पढ़ देखकर समाज में चिंता की लहर दौड़ना स्वाभाविक ही है। देश में आज बच्चा जितना असुरक्षित है, संभवतः पूर्व में कभी नहीं रहा। राष्ट्रीय अपराध रिकॉर्ड ब्यूरो के अनुसार प्रतिवर्ष बालकों के खिलाफ हिंसा के आंकड़ों में वृद्धि हो रही है।

बालकों के विरुद्ध हिंसा कई रूपों में हो रही है जैसे तस्करी, अपहरण, हत्या, बलात्कार, यौन शोषण, अमानवीय व्यवहार आदि। चाहे गांव हो, कस्बा हो, शहर हो या महानगर हो, कहीं भी हमारे बच्चे सुरक्षित नहीं हैं। घर, स्कूल, सार्वजनिक स्थल, ट्रेन, बस, हवाई जहाज, टैक्सी सब जगहों पर हमारे बच्चे महफूज नहीं हैं। बच्चों की अपनी दरिंदगी व हैवानियत के शिकार बनाने वाले हर जगह मिल जाते हैं।

छोटी-छोटी बच्चियों के बलात्कार अधिकांश उनके रिश्तेदारों, पड़ोसियों, जान पहचान वालों, बस ड्राइवरों, कंडक्टरों, अध्यापकों, शारीरिक शिक्षकों आदि के द्वारा किए जाते रहे हैं। यह कटु सत्य है। अभिभावक, सामाजिक प्रतिष्ठा का हवाला देकर शिकायत भी दर्ज नहीं करवाते हैं, इससे दरिंदे बेखौफ होकर अपराध को अंजाम देते हैं।

विद्यालयों में बच्चों के साथ अमानवीय व्यवहार, मारपीट, सजा, व्यक्तिगत कार्य करवाने की अध्यापकों द्वारा की जा रही ज़्यादतियां की खबरें छपती ही रहती है।

विद्यालयों में बालकों की हिफाजत ना हो पाना गंभीर चिंता का विषय है। वस्तुतः विद्यालय एक ऐसी महफूज जगह मानी जाती है

जहां अभिभावक अपने बच्चों को निश्चिंत होकर भेजते रहे हैं। किंतु अब हालात बदलते जा रहे हैं। खोफजदा अभिभावक बच्चा विद्यालय से वापस सुरक्षित आ जावे, यही प्रार्थना करते रहते हैं।

प्रश्न जहन में यह भी उठ रहा है कि किशोर वय के बालक भी हिंसा व आपराधिक प्रवृत्तियों में लिप्त हो रहे हैं। एक स्कूल का हत्या का आरोपी उसी विद्यालय का 15-16 वर्ष का किशोर है। नोएडा में 15 वर्षीय किशोर ने अपनी ही मां व बहन का कत्ल कर सनसनी फैला दी। यही नहीं कई बार विद्यार्थी अपने ही मित्र को अगवा कर लेते हैं और फिरौती मांगते हैं। कई किशोर चोरी में भी लिप्त पाए जाते हैं। अपनी इच्छाओं, महत्वाकांक्षाओं की पूर्ति के लिए ये किशोर अपहरण, चोरी, डकैती, दुष्कर्म जैसे अपराधों को अंजाम देने में जरा भी नहीं हिचकते हैं।

अच्छे-अच्छे घरों के युवा, पढ़े-लिखे युवाओं का यह नवीन चेहरा है जो अपराधों को अंजाम देता है। बिल्कुल बेखौफ होकर। ये युवक तुरत फुरत में सब कुछ पा लेने की लालसा में बहुत आक्रामक हो उठते हैं। यदि अपनी इच्छित वस्तु प्राप्त न हो तो ये हिंसक होने से भी परहेज नहीं करते। सारी मर्यादा तोड़ने पर आमादा है, ये युवक ऐसे हिंसक युवकों के कारण ही समाज का ताना-बाना छिन्न भिन्न होता नजर आता है।

हालांकि ऐसे किशोरों, और युवाओं की संख्या कम ही है। किंतु फिर भी है तो जरूर यह किशोर भी किसी ना किसी अभिभावक की संतान है, किसी न किसी विद्यालय, महाविद्यालय में पढ़े हैं। ऐसे में अभिभावकों की परवरिश पर उंगली उठना लाजमी है। हमारे विद्यालयों, महाविद्यालयों की शिक्षा व्यवस्था पर भी प्रश्न चिन्ह लगना स्वाभाविक है।

इन दिनों विद्यालयों में बालकों की सुरक्षा को लेकर जबरदस्त बहस छिड़ी हुई है कि कौन जिम्मेदार है बालकों की सुरक्षा के

लिए। निश्चित रूप से विद्यालयों में बालकों की सुरक्षा का संपूर्ण दायित्व विद्यालय प्रशासन का ही होता है। यदि विद्यालय में कोई अनहोनी घटना घटित होती है तो जिम्मेदारी विद्यालय की ही होती है विद्यालय जिम्मेदारी से पल्ला नहीं झटक सकते। बड़ा विस्मय व दुख होता है जब विद्यालय किसी भी प्रकार की जिम्मेदारी लेने से मुकर जाते हैं।

प्राइवेट विद्यालय प्रवेश के समय मोटी मोटी फीस वसूलते हैं, न जाने किन किन नामों की फीसें लेकर अभिभावकों को लूटते हैं। लेकिन आश्चर्य होता है जब यदि किसी बच्चे के साथ विद्यालय की बस में कोई हादसा हो जाता है तो वे झट से पल्ला झाड़ कर कह देते हैं कि 'जी! हमने तो ट्रांसपोर्ट व्यवस्था ठेके पर दे रखी है, इसलिए इसमें हमारी कोई जिम्मेदारी नहीं है।' ऐसे उदाहरण मिल जाएंगे जब बालक विद्यालय परिसर में किसी हादसे का शिकार होता है तो यह विद्यालय अपनी जवाबदेही से बचते नजर आते हैं। मोटी फीसें देकर अपने बच्चों को हादसों का शिकार होते देख अभिभावक ठगे से नजर आते हैं।

विद्यालय परिसर से बाहर भी विद्यालय गतिविधियां यथा पिकनिक, कैंप, गेम्स, टूर्नामेंट, सांस्कृतिक कार्यक्रम आदि में भी विद्यार्थियों की सुरक्षा की सारी जिम्मेदारी विद्यालय की ही होती है, वे इससे मुकर नहीं सकते। प्रशासनिक एवं कानूनी तौर पर भी विद्यालय को ही बालकों की रक्षा का दायित्व सौंपा गया है।

केंद्र सरकार व राज्य सरकारों ने भी अब तो विद्यालयों में बालकों की सुरक्षा की दृष्टि से निर्देश जारी किए हैं, जिन्हें प्रत्येक विद्यालय को मानना अनिवार्य होगा।

विद्यालयों की जवाबदेही सुनिश्चित की गई है। विद्यालय प्रशासन, प्राचार्य, स्टाफ एवं कर्मचारियों के लिए नोर्म्स बनाए गए हैं जिनको

फॉलो करना अनिवार्य होगा। बालक के घर से निकलने के बाद बस में, विद्यालय परिसर में, प्रार्थना सभा में, कक्षा कक्ष में, टॉयलेट में, रेसिस में, गेम्स व व्यायाम में आदि सर्वत्र स्थानों पर बालकों की सुरक्षा सुनिश्चित करना विद्यालय का दायित्व होगा। खेलकूद, सांस्कृतिक गतिविधियों, प्रायोगिक कक्षाएं आदि में शिक्षकों की जवाबदेही तय की गई है। बालक के विद्यालय में समस्त क्रियाकलापों पर, मोबाइल, मित्र मंडली आदि पर भी पैनी दृष्टि रखने हेतु विद्यालय को पाबंद किया गया है। विद्यालय विकास समितियों में अभिभावकों की सक्रिय भागीदारी को भी बल दिया गया है।

विद्यालय की बिल्डिंग भी सुरक्षा की दृष्टि से सुदृढ़ हो। बाउंड्री वॉल, गेट, टॉयलेट आदि का होना अनिवार्य किया गया है। साथ ही स्टाफ को नौकरी देने से पूर्व उनकी शैक्षिक स्थिति के आंकलन के साथ-साथ उनका मानसिक, भावनात्मक एवं संवेगात्मक स्थिति का भी आंकलन कर लेना चाहिए ताकि यह ज्ञात हो सके कि वो कहीं हिंसक, कामुक या अपराधिक गतिविधियों में लिप्त तो नहीं है, उसकी प्रवृत्ति तो नहीं है ऐसी?

अभिभावकों का भी दायित्व बनता है कि वे अपनी संतान को विद्यालय में प्रवेश दिलाने से पूर्व विद्यालय के संबंध में संपूर्ण जानकारी हासिल कर ले। विद्यालय के विकास में सक्रिय भागीदारी निभाएं। विद्यालय मीटिंग में बुलाने पर अवश्य भाग ले व सकारात्मक सुझाव देवे। यदि विद्यालय से कोई शिकायत है तब भी नि:संकोच बतावे। बच्चों की स्कूल बस में कौन ड्राइवर है, कौन कंडक्टर है, कौन सहायिका है, बस का नंबर आदि की पूर्ण जानकारी रखें, संबंधित के फोन नंबर भी ले लेवे। बच्चे की क्लास टीचर से सतत् संपर्क बनाए रखें व बालक की गतिविधियों, शैक्षिक स्तर व प्रोग्रेस की जानकारी लेते रहे। बच्चों की संगत पर भी पूरा ध्यान रखें।

अभिभावक अपने बच्चों को पूरा समय देवें। उनके साथ संवाद बनाए रखें, भावात्मक सुरक्षा प्रदान करें, उन्हें महत्वपूर्ण होने का एहसास करावे। अच्छे संस्कार डालें। उन्हें कभी कमतर महसूस न करावे। वो अवसाद का शिकार न बन जाए। इस पर निगाह रखें। बच्चा मोबाइल, इंटरनेट आदि पर क्या देख रहा है? क्या खेल रहा है? पैनी निगाह रखें।

केवल जैविक अभिभावक बनना ही पर्याप्त नहीं है। वरन् बालक को पर्याप्त स्नेह, सतत मार्गदर्शन, सुरक्षा प्रदान करें। उसकी जिम्मेदारी स्वयं उठावे अन्य के भरोसे न छोड़े। उसकी प्रत्येक बात को, समस्या को ध्यान से सुने व समाधान देवे। अपनी संतान को योग्य संस्कारी, जिम्मेदार बनाने का दायित्व अभिभावकों को उठाना ही चाहिए। ब्लू व्हेल जैसे गेम से दूर रखें व उसके दुष्परिणामों से अवगत करावे।

बालकों के व्यवहार पर भी ध्यान केंद्रित करने की अपेक्षा है। कहीं बच्चा क्रोधी, आक्रामक, हिंसक तो नहीं बन रहा है, कहीं उसकी चोरी, डकैती की गंदी आदतें तो नहीं विकसित हो रही है, इन पर भी माता-पिता ध्यान देवें।

अभिभावक स्वयं संयत व्यवहार रखें, स्वयं वायलेंट न हो, बच्चों को नेगलेक्ट न करें, पूरा स्नेह ममता उड़ेलें, उन्हें अपनी जिम्मेदारी समझें। मां का रोल अहम होता है क्योंकि वह ही बालक की प्रथम गुरु जो होती है।

यह सच है कि सारे सिस्टम में परिवर्तन की आवश्यकता है। हमारे जीवन मूल्य बहुत डाइल्यूट हो गए हैं। सामाजिक ताना-बाना, घर परिवार का बदलता स्वरूप, विद्यालयों में गला काट शिक्षा व्यवस्था, दादी-नानी की लुप्तप्राय: कहानियां आदि पर पुनः विचार की आवश्यकता है।

बालक के विकास में विद्यालय का अहम रोल होता है किंतु आज के विद्यालय गला काट प्रतियोगिता की दुकानें मात्र रह गई है। बालक का सर्वांगीण विकास, संस्कार, नैतिक मूल्य, जीवन मूल्य आदि तो कब के ताक पर रख दिए गए हैं।

कैसी व्यवहारिकता सिखा रहे हैं यह विद्यालय? केवल ईर्ष्या, द्वेष, अपराध भाव ही पनपते नजर आ रहे हैं। विनय, करुणा, इमानदारी, धैर्य, सहनशीलता, सत्यनिष्ठा बीते जमाने की बातें हो चली है।

हमारा बच्चा सुरक्षित रहे, किशोर हिंसक न हो, इसके लिए हम सब का एकजुट होकर प्रयास करना आवश्यक है। अभिभावक, विद्यालय, समाज व राष्ट्र सभी अपनी जिम्मेदारी संजीदगी से निभाएं। शिक्षा प्रणाली में आमूलचूल परिवर्तन की दरकार है।

पानी सर के ऊपर से निकले, उससे उसके पूर्व ही हम ईमानदारी से प्रयत्न करें। परिस्थितियों को बदलने की, बालक को सामाजिक व राष्ट्रीय धरोहर के रूप में विकसित करने की। ताकि कोई बच्चा अब विद्यालय में असुरक्षित न रहे कोई किशोर हत्या जैसे जघन्य अपराध करने से बचें।

क्रोध को आहार न दें

क्रोध आत्मा का अंतरंग शत्रु है। अब तक हमने अपने बाह्य शत्रुओं को खूब पहचान रखा है। उनसे झगड़ने, जीतने एवं प्रतिशोध लेने की हम कई योजनाएं बनाते हैं। कोर्ट-कचहरी तक पहुंच जाते हैं। विरोधियों, शत्रुओं एवं बैरियों को देखते ही मन में क्रोध की अग्नि भाग उठती है। ये सब हमारे बाह्य शत्रु हैं।

क्या हमने कभी अपनी आत्मा के शत्रुओं के संबंध में विचार किया है? क्या हम आत्मा के शत्रुओं को पहचानते हैं, जानते हैं? क्या हमने कभी इनको टटोलने का प्रयास किया है? कदाचित नहीं। हम अपने आंतरिक शत्रुओं की तरफ से आंख मूंदे रहते हैं।

क्रोध हमारा सबसे खतरनाक आंतरिक शत्रु है। हमें हमारी आत्मा के पतन की ओर ले जाने वाला घोर बैरी है। क्या हमने कभी इससे निपटने के लिए कोई चिंतन किया है? कोई कार्य-प्रणाली विकसित की है क्या? शायद नहीं; क्योंकि अभी तक हमने हमारे आंतरिक शत्रुओं की ओर गौर ही नहीं किया है। बाह्य शत्रुओं से निपटने में ही हम सारा समय गंवा देते हैं। ये बाह्य शत्रु तो हमें इस जीवन में ही हानि पहुंचा सकते हैं, लेकिन आंतरिक शत्रु हमें जन्म-जन्म तक भटका सकते हैं।

क्रोध, मान, माया, लोभ इन चार कषायों में सबसे घातक क्रोध को माना गया है। क्रोध अत्यंत अहिंसा करने वाला आत्मा का दुश्मन माना जाता है। क्रोध वह भयानक अग्नि है जो स्वयं तो को तो जलाती ही है किंतु साथ ही दूसरों को भी जलाकर राख कर देती है।

क्रोध का परिणाम पश्चाताप व आत्मग्लानि ही होता है। क्रोध में व्यक्ति अंधा हो जाता है। उसे हित-अहित का भी मान नहीं रहता है। क्रोध विष है, आत्मा को अधोगति में ले जाने वाला होता है।

ज्ञानी कहते है - कषायों पर विजय पाएं, कषायों के कारण ही कर्मबंध होता है, कर्मबंध के कारण जीव दुख प्राप्त करते हैं। क्रोधी व्यक्ति मर कर भी जहरीले, हिंसक प्राणी बनते हैं। क्रोध व्यक्ति को निर्बल बना देता है। सर्वमान्य तथ्य है कि क्रोध से मानव शरीर को बहुत बीमारियां घेर लेती है। शरीर की रोग-प्रतिरोधक क्षमता का भी ह्रास हो जाता है। क्रोध व्यक्ति को शारीरिक कमजोर ही नहीं बनाता वरन् वह मानसिक रूप से भी कमजोर हो जाता है। ऐसे व्यक्ति जीवन में कभी भी सफलता अर्जित नहीं करते। क्रोधी व्यक्ति लोकप्रिय नहीं होता, उससे कोई संबंध नहीं रखना चाहता।

आपने क्रोध में तमतमाता चेहरा कभी आईने में देखा है? जरूर देखिए। आपको ज्ञात होगा कि क्रोध में चेहरा कितना विकृत व विकराल दिखाई देता है। यह हमारा स्वाभाविक रूप नहीं है।

आत्मा का स्वाभाविक गुण है शांति। आत्मा का स्वरूप अनंत शक्तिशाली, शांत एवं पवित्र है। क्रोध आत्मा का गुण नहीं है। बाह्य निमित्त के कारण क्रोध पैदा होता है जो कुछ समय रहता है। जीव अधिकांश अपने स्वाभाविक गुण अर्थात् शांति में रहता है। क्रोध अस्वाभाविक होने के कारण अधिक समय नहीं टिक सकता।

क्रोध नकारात्मक विचारों एवं भावों के कारण उत्पन्न होता है। अहं भाव, इच्छापूर्ति न होना, इच्छा के विरुद्ध कार्य, असफलता, दुर्बलता, तामसिक भोजन, निर्धनता आदि कारणों से क्रोध की उत्पत्ति होती है। असहिष्णुता व हिंसक प्रवृत्ति का द्योतक है क्रोध। क्रोधी व्यक्ति सदैव पराजित होता है। क्रोध के परिणाम भी घातक होते हैं। आत्महत्या, हत्या, तनाव, असफलताएं क्रोध की परिणति होती है।

क्रोध व्यक्ति के सद्गुणों को लूटकर दरिद्र बना उसे जन्म-जन्मांतर तक चतुर्गति में ले जाता है।

क्रोध के कारण हमारी आत्मा का पतन निश्चित है। अतः क्रोध का दमन करना, इससे बचना आवश्यक है। क्रोध को मौन रहकर क्षमा रुपी शीतल जल से ठंडा करना चाहिए। समता भाव को भी क्रोध को दूर करने का कारगर उपाय बताया है। सहिष्णुता, करुणा के भाव को मन में स्थापित करने का प्रयास करना चाहिए। तामसिक भोजन का त्याग, साधु संतों का सत्संग आदि भी इस दिशा में कारगर सिद्ध होते हैं। क्रोध को टालना, उसमें विलंब करना क्रोध से बचने का सार्थक प्रयास हो सकता है।

हमारे अंतर्मन में क्रोध की बार-बार उत्पत्ति क्यों हो जाती है? क्योंकि हम ही हमारे क्रोध को आहार देते रहते हैं और यह फलता फूलता रहता है। यदि इन कषायों का आहार बंद कर दिया जाए तो यह भूखे रहेंगे वह एक दिन खत्म हो जाएंगे।

क्या हम सदैव हमारे क्रोध को सही नहीं ठहराते? ये नहीं कहते कि उस परिस्थिति में मेरा गुस्सा करना स्वाभाविक था, आवश्यक था? क्या यह नहीं कहते कि बिना गुस्सा किए कोई काम होता ही नहीं है? क्या हमारा गुस्सा करने का कारण दूसरे व्यक्तियों को नहीं ठहराते? उसी ने मुझे गुस्सा दिलाया था, यह नहीं कहते? गुस्सा करने से सामने वाला मुझसे डर जाएगा या वह मेरे नियंत्रण में आ जाएगा? गुस्सा करने से बच्चा सुधर जाएगा ये नहीं कहते?

उपरोक्त सभी वाक्यों में हमने हमारे गुस्से को जस्टिफाई किया है, उसे जायज ठहराया है। बस यही गुस्से का आहार है। इन्हीं सब भावों व बातों से गुस्से का भाव पुष्ट होता है। इसी प्रकार के विचारों से गुस्से को दाना-पानी मिलता रहता है। और वह हमारे अंदर फलता फूलता रहता है।

क्रोध को भूखा रखें, उसका आहार बंद कर दें। क्रोध रूपी वृक्ष को खाद-पानी देना बंद कर दें तो यह वृक्ष स्वत: ही सूख जाएगा। क्रोध का वृक्ष समाप्त होते ही शांति, सद्भाव, संयम, सहिष्णुता के बीज पनपने लगेंगे जो हमारी आत्मा के उद्धारक सिद्ध होंगे।

केवल आत्मा को छोड़कर प्रत्येक कषाय किसी न किसी आहार के दम पर जिंदा है। यह कषाय जिंदा है तो हमारे अज्ञान के कारण। ज्ञानी व्यक्ति 'स्व' में प्रतिष्ठित हो जाता है तो इन कषायों से स्वत: ही छुटकारा मिल जाता है।

महापुरुषों को कभी गुस्सा नहीं आता, क्योंकि वे 'स्व' में स्थित होते हैं। वे अपने जीवन काल में कभी क्रोध नहीं करते।

कोई हमें गुस्सा दिलाए और हम क्रोध में आ जाएं क्या यह संगत है? क्या हमारे आवेग दूसरों पर निर्भर है? क्या हमारे संवेगों पर हमारा नियंत्रण नहीं है? क्या आपने क्रोध की चाबी, खुशी की चाबी या रिमोट दूसरे व्यक्ति के हाथ में दे रखी है? यदि नहीं तो कोई व्यक्ति हमें क्रोधित नहीं कर सकता, कोई व्यक्ति हमें हर्ट नहीं कर सकता, कोई व्यक्ति हमें दुखी नहीं कर सकता। हम सदैव अपने आप के प्रति स्वयं उत्तरदाई रहें। स्वयं पर अपना नियंत्रण करना सीखें। कोई व्यक्ति हमें सुख-दु:ख नहीं दे सकता। जब तक कि हम स्वयं उसे लेना नहीं चाहें। हम स्वयं अपने नियंत्रक बनें, जो हम वास्तव में हैं ही। अतः क्रोध को नियंत्रित करना भी हमारे अपने बस में ही है। आवश्यकता है, क्रोध का आहार-पानी बंद कर इसे भूखा रखकर शांत करने की।

संप्रेषण कौशल : आज की आवश्यकता

संप्रेषण कौशल आज अधिक महत्वपूर्ण एवं आवश्यक हो गया है। ट्विटर, ब्लॉग्स, फेसबुक, व्हाट्सएप, सोशल मीडिया, प्रिंट मीडिया, टीवी, सोशल मीडिया पर हर कोई अपनी अभिव्यक्ति गाहे-बगाहे करता रहता है। संप्रेषण मानवीय एकता को बताने वाला एवं जाति भेद, धर्म, रंग भेद, लिंग भेद एवं छुआछूत को न अभिव्यक्त करने वाला होना चाहिए। कई बार बिना सोचे समझे किए गए संप्रेषण व्यक्ति को मुसीबत में डाल सकते हैं।

पिछले कुछ महीनों में कई ट्विटर विवाद अखबारों में व टीवी पर खासे छाए रहे। एक संगीतकार दिगंबर मुनि पर ट्वीट कर फंसे, तो एक गायक अजान पर अभिव्यक्ति देकर चर्चा में आए, एक अन्य गायक ने तो ट्विटर पर इतनी आपत्तिजनक टिप्पणी कर डाली कि उनका ट्विटर अकाउंट ही बंद कर देना पड़ा। एक राष्ट्रीय स्तर के धर्मगुरु ने आलोचना को आतंकवाद का ही पर्याय बता दिया, उन्हें भी सोशल मीडिया पर बहुत खरी-खोटी सुननी पड़ी।

कई बार नेताओं का संप्रेषण कौशल भी गड़बड़ा जाता है, जुबान फिसल जाती है। महिलाओं को तो एक नेता जी ने मिठाई का डब्बा तक कह दिया था। लिंगभेद, जातिभेद, मानवीय एकता के विरुद्ध भी टिप्पणी करने से बाज नहीं आते।

सरकारी अधिकारियों का भी संप्रेषण कौशल जवाब देने लगता है। अब देखिए ना, पिछले दिनों एक प्रशासनिक अधिकारी ने ऐसा कह दिया कि विद्यार्थी खूब पढ़े एवं बड़े-बड़े प्रशासनिक अधिकारी बन

नेताओं की वाट लगा दें। ये तो कुछ ही उदाहरण है, प्रतिदिन ऐसे कई उदाहरण देखने में आते हैं।

संप्रेषण के जितने माध्यम इस युग में हैं उतने किसी अन्य युग में नहीं रहे होंगे। अभिव्यक्ति सबका अधिकार है लेकिन इस अभिव्यक्ति को कैसे संप्रेषित किया जा रहा है यह महत्वपूर्ण है।

बचपन में हम सभी ने एक खेल खेला था। बच्चों को गोले में बैठाया जाता है। मास्टर जी एक बच्चे के कान में एक संदेश देते थे। ये संदेश एक बच्चे के कान से दूसरे बच्चे के कान में, तीसरे चौथे व इस तरह सारे बच्चों के कान में संदेश प्रसारित करना होता था। अंतिम बच्चे को जब वह संदेश बताने को कहा जाता था तो उस संदेश का अर्थ ही बदल चुका होता था। याद है ना आपको? वस्तुतः वो खेल संप्रेषण कौशल को विकसित करने के लिए ही खिलाया जाता था।

बचपन की ही एक कथा स्मरण हो आई है। एक राजा था। राजा ने रात को स्वप्न देखा। स्वप्न में एक पेड़ पत्ति विहीन था, केवल एक पत्ति ही बची हुई थी। ज्योतिषी को बुलाया गया। स्वप्न का अर्थ पूछा गया। ज्योतिषी ने सपाट शब्दों में कह दिया कि राजा आपके समक्ष ही आपके परिवार के सारे सदस्य मर जाएंगे। राजा यह सुनकर बहुत क्रोधित हुआ व उसे फांसी की सजा सुना दी। राजा ने दूसरे ज्योतिषी को बुलाया, उसने स्वप्न का फल बताते हुए कहा कि राजन! आपके परिवार में सबसे लंबी आयु आपकी होगी। राजा प्रसन्न हो गया व ज्योतिषी को इनाम देना चाहा। ज्योतिषी ने कहा कि राजन! पूर्व के ज्योतिषी की जान बख्श दीजिए। स्वप्न का अर्थ तो उसे उसने भी सही ही बताया था लेकिन कहने का लहजा जरा ठीक नहीं था।

यही है संप्रेषण कौशल। सही समय पर सही बात को प्रभावी तरीके से प्रस्तुत करना ही कुशल संप्रेषण होता है।

संप्रेषण केवल शाब्दिक हीं नहीं वरन् शरीर के हलन चलन से, चित्रों के माध्यम से, संकेतों-प्रतीकों के माध्यम से भी किया जा सकता है।

बच्चों में भी संप्रेषण कौशल होता है। वो अपने हाव-भाव, शारीरिक हलन-चलन, रोने-हंसने में अपनी अभिव्यक्ति करते हैं। बड़े होने के साथ साथ ये कौशल विकसित होता चला जाता है। संप्रेषण के माध्यम से ही हमारे अर्न्तवैयक्ति रिश्ते, समाज से रिश्ते मजबूत बनते हैं। यदि संप्रेषण नकारात्मक हो जाए तो रिश्ते टूटते भी देर नहीं लगती। संप्रेषण में केवल हमें स्वयं को ही अभिव्यक्त नहीं करना होता है वरन् सामने वाले की अभिव्यक्ति को भी महत्व देना होता है।

अणुव्रत की चौथी आचार संहिता, 'मैं मानवीय एकता में विश्वास करूंगा। जाति, रंग, लिंग आदि के आधार पर किसी को उच्च/निम्न नहीं मानूंगा। अस्पृय नहीं मानूंगा, की क्रियान्विति प्रायः अभिव्यक्ति के माध्यम से ही होती है। संप्रेषण के माध्यम से ही होती है। यदि जागरूक होकर संप्रेषण किया जाय तो हम नेगेटिव संप्रेषण से बच सकेंगे वह सकारात्मक मजबूत प्रभावी संप्रेषण को प्रसारित कर सकेंगे।

कई बार किसी बात का हमें पूरा ज्ञान नहीं होता फिर भी हम उस पर टिप्पणी कर बैठते हैं। जब तक हमें वस्तुस्थिति का पूरा ज्ञान नहीं हो हमें टिप्पणी करने से बचना चाहिए।

देश के कई नेताओं का संप्रेषण कौशल उत्तम है। तब ही तो अपनी बात सीधे श्रोताओं के मन में उतार सकते हैं। इसके पीछे हैं उनका भाषा ज्ञान, देश का ज्ञान, सामान्य ज्ञान व ब्रोडर आउट लुक। उनकी सफलता में संप्रेषण कौशल का भी योगदान नकारा नहीं जा सकता। दूसरी तरफ कुछ नेता ऐसे भी हैं जिन्हें न तो भाषा का ज्ञान होता है, न ही देश का, व सामान्य ज्ञान तो शून्य के बराबर ही होता है, उनका संप्रेषण प्रभावहीन होता है।

कई बड़ी कंपनियों में अच्छे पद पर कार्य के लिए कैंडिडेट में अन्य सभी योग्यताओं को देखने के साथ-साथ यह भी देखा जाता है कि उसका कम्युनिकेशन स्किल कितना प्रभावी है? ये प्रमाण है इस बात का कि संप्रेषण की कला को नजर अंदाज नहीं किया जा सकता।

जो सदा अहितकारी भाषा बोले, दूसरों की चुगली खाए, अहंकार में भाषा बोले, कठोर वचन बोले, पापकारी या अर्थहीन भाषा का प्रयोग करे, भड़काऊ भाषा का प्रयोग करें, अमानवीय भाषा का प्रयोग करे, ऐसे लोगों का संप्रेषण न तो प्रभावशाली होता है न ही दूरगामी परिणाम देने वाला।

संप्रेषण सदा सत्यता पर, मानवता पर आधारित हो। लिंगभेद, जातिभेद, रंगभेद के कटाक्षों से कोसों दूर हो। मीठी, कोमल व प्रिय भाषा में संप्रेषण सबको अच्छा लगता है। ये हमारा संप्रेषण कौशल ही है जो हमें सुखद व शांति प्रदान कर सकता है, नेगेटिव संप्रेषण न तो सुनने वाले को अच्छा लगता है न ही बोलने वाले को शांति प्रदान करता है।

यदि कोई बात हमारे गले नहीं भी उतर रही हो तो भी विवेकशील संप्रेषण के माध्यम से विरोध दर्ज करवाना चाहिए। सदैव पॉजिटिव थिंकिंग व पॉजिटिव स्पीकिंग का फंडा ही कारगर सिद्ध होगा प्रभावी संप्रेषण के लिए।

संप्रेषण की प्रक्रिया में समप्रेषक, उसके विचार एवं संप्रेषण को ग्रहण करने वाले होने चाहिए। अच्छे कम्युनिकेटर को अच्छा श्रोता भी होना चाहिए। वो दूसरों के विचारों को भी शांति से, एकाग्रचित्त होकर सुनने व उसे बोलने का भी अवसर दे।

संप्रेषण श्रोता की आयु, स्तर देखकर ही किया जाना चाहिए। अनावश्यक क्रोध, उतावलापन, अनावश्यक जोश, अनावश्यक प्रसन्नता, अनपेक्षित बैर, चुगल खोरी आदि से संप्रेषण बेजान हो जाता है।

जो भी बात हमें कहनी हो उसे दृढ़तापूर्वक, आत्मविश्वास के साथ, बिना किसी पूर्वाग्रह के विषयानुसार, एकाग्रचित्त होकर श्रोताओं से भावात्मक तादात्मय स्थापित कर अपना संप्रेषण करना चाहिए। शब्दों की अपार शक्ति को पहचानते हुए कम शब्दों में अपनी बात रखें।

वाणी ही हमारे व्यक्तित्व का आईना है। हम कितने मानवीय है, लिंग समानता में कितना विश्वास करते हैं, रंगभेद जातिभेद से, छुआछूत से हम कितने दूर हैं यह सब हमारी बॉडी लैंग्वेज, भाषा व संप्रेषण ही तय कर देता है।

आइये, हम भी इस अतिआधुनिक संचार तंत्र का हिस्सा बने। मानवीय एकता के लिए आगे आए। लिंगभेद, रंगभेद, जाति भेद मिटाने में सहभागी बने। प्रभावी संप्रेषण कौशल को इसका माध्यम बना क्रांति लाएं।

निजी विद्यालय उद्योग

प्रतिवर्ष मार्च अप्रैल के माह अभिभावकों के लिए चुनौतियों से भरे होते हैं। संतानों का निजी विद्यालयों में प्रवेश कराने की जद्दोजहद से दो-दो हाथ करने होते हैं। इन विद्यालयों में प्रवेश किसी भयावह ख्वाब को पूरा करने से कम नहीं जान पड़ता है।

यदि अभिभावक अपनी संतानों को निजी विद्यालय में प्रवेश दिलाना चाहते हैं तो बेहतर होगा कि वह पहले अपनी जेब व बैंक बैलेंस को टटोल ले। मोटी रकम इस कार्य के लिए खर्च करनी होगी।

प्राइवेट स्कूल में प्रवेश दिलाना पूरा एक प्रोजेक्ट है। अभिभावकों का इंटरव्यू, फिर बालकों का। यदि प्रवेश मिल गया तो फिर पेरेंट्स का काउंसलिंग सेशन। इस सेशन में विद्यालय प्रशासन सारी व्यवस्थाओं की जानकारी दे देता है जिसमें केवल उनकी मनमानी का ही बखान होता है व अभिभावक को मजबूरन उसी को फॉलो करने को बाध्य होना होता है।

यदि आप भाग्यशाली हैं तो प्रवेश बिना डोनेशन (दान) के और यदि नहीं तो डोनेशन के रूप में मोटी रकम देनी होती है।

प्राइवेट स्कूल्स की फीसों का चार्ट देखकर किसी भी अभिभावक को चक्कर आ सकते हैं और वह गश खाकर गिर भी सकता है। एडमिशन फीस, ट्यूशन फीस, कन्वेंस फीस, डेवलपमेंट फीस, एक्टिविटी फीस, मैगजीन फीस, मेडिकल फीस, ऑपरेशन फीस, वेबसाइट फीस, घुड़सवारी फीस, राइफल फीस, गेम्स फीस, फोरेन ट्यूर फीस और न जाने क्या क्या?

ये फीसें इतनी अधिक होती है कि कोई भी अभिभावक उससे सहमत नहीं हो सकता। प्रवेश शुल्क, वाहन शुल्क भी मनमाना वसूला जाता है। है ना ज्यादती अभिभावकों पर? और हां, विद्यालय वाहन का ही उपयोग करना आवश्यक रखा जाता है।

कई निजी विद्यालयों में तो नर्सरी कक्षा का प्रवेश शुल्क आई.आई. टी. में प्रवेश शुल्क से भी अधिक है? कई बार जो सुविधाएं विद्यालय में उपलब्ध नहीं है उसकी फीसें भी जबरन वसूल की जाती है। इसमें इन्हें जरा भी संकोच नहीं है।

मोटी फीसें प्राप्त करने के बाद भी विद्यालय यही नहीं रुकते। विद्यालय से ही बैग, शूज, बुक्स, कॉपी, समस्त स्टेशनरी खरीदने हेतु पेरेंट्स को बाध्य किया जाता है। यह समस्त सामग्री बाजार से दुगने भाव से बेची जाती है। यदि एक अभिभावक के दो बच्चे नौवीं व दसवीं कक्षा में पढ़ते हैं, तो जो बच्चा नौवीं से दसवीं में आया है तो अपने भाई की किताबे काम में नहीं ले सकता जबकि कोर्स सारा वही होता है। उसे नई किताबें खरीदने के लिए बाध्य किया जाता है। क्या औचित्य हो सकता है इसका सिवाय पैसा बनाने के? कभी-कभी मन में विचार आता है कि ये शिक्षा के मंदिर है या दुकानें? हर चीज ब्रांडेड, हाई क्वालिटी की ही बेची जाती है अभिभावकों को। अभिभावक ठगा सा लुटता चला जाता है। विद्या के पवित्र स्थान जबरन वसूली स्थल में तब्दील हो गए हैं?

ऊपर से तुर्रा यह है कि अभिभावकों को विरोध नहीं करने दिया जाता। बड़े शहरों के निजी विद्यालय की ऊंची फीसें देखकर अभिभावक विरोध दर्ज भी कराते हैं। नतीजा यह होता है कि अगुवा विरोधी अभिभावकों के नामों के साथ उनके बच्चों के नाम लिखकर समस्त अन्य अभिभावकों व प्रेस को बताया जाता है। प्रधानाचार्य भी अभिभावकों के साथ बच्चों के नाम उजागर कर उनके साथ इमोशनल

अत्याचार करते देखे गए हैं। साथ ही बच्चों को विद्यालय से निकाल दिया जाता है। कुछ अभिभावकों को प्रधानाचार्य से यह कहते भी सुना जा सकता है कि मैंने कोई मंदिर या चैरिटेबल संस्था नहीं खोल रखी है, मैं पैसा कमाने के लिए आया हूं। केवल धन कमाना ही हमारा ध्येय है। ऐसे विद्यालय प्रधानाचार्य व स्टाफ से कैसे अपेक्षा की जा सकती है कि वो बालकों में अच्छे संस्कार डाल सकेंगे, जबकि वह स्वयं मानवीय मूल्यों व संवेदना से कोसों दूर है?

प्रतिवर्ष अखबारों में, टीवी चैनल्स पर इन इस संबंध में बहस होती देखी जा सकती है। मंत्रीजी के बयान आते हैं कि हम निजी विद्यालयों पर नियंत्रण करेंगे, नकेल डालेंगे। लेकिन वही ढाक के तीन पात। प्रतिवर्ष निजी विद्यालय बेखौफ 25 से 30% फीस की बढ़ोतरी करते हैं। पूछने पर कई स्मार्ट बहाने होते हैं। इनके पास यथा- हमारी बिल्डिंग बहुत अच्छी है, नया फर्नीचर बनवाया है, पर्याप्त मात्रा में स्टाफ की नियुक्ति की है, कई नई फैसिलिटीज है, गेम्स है, मैदान हैं आर.ओ. का पानी पिलाते हैं, बच्चों को, बस फैसिलिटीज है आदि। प्रतिवर्ष फीस की बेहिसाब बढ़ोतरी होती है। बेलगाम ये विद्यालय किसी की सुनते नहीं इन पर किसी का अंकुश नहीं।

आश्चर्य की बात यह है कि अभिभावक फीसों के खौफ से अब एक ही संतान पैदा करना चाहते हैं, दो बच्चे वो एफोर्ड नहीं कर सकते।

निजी विद्यालय स्वयं सब कुछ प्रोवाइड करवाता है बालकों को, सिवाय शिक्षा की गुणवत्ता के? यदि वह गुणवत्ता बनाए रखते हैं तो क्या बच्चों को कोचिंग के लिए बाहर जाना पड़ता? इतनी मोटी फीसें देने के बाद भी बच्चे को गेम्स, क्राफ्ट, ड्राइंग, म्यूजिक, डांस आदि के लिए अभिभावक अपने लेवल पर अन्य सेंटर्स पर भेजने को मजबूर है। इन सभी के अलग से फीस बीयर करनी होती है अभिभावकों को। दोहरी मार से अभिभावक ठगा सा महसूस कर रहा है। एक मम्मी तो

यहां तक कहते सुनी गई कि इतनी फीसें देने के बाद हम खाना नहीं खा सकते। 40% अपनी सैलरी का अभिभावक इन प्राइवेट विद्यालयों को न्यौछावर कर रहे हैं। आप ही बताइए ऐसे निजी विद्यालयों को क्या संज्ञा दी जानी चाहिए?

एक प्राइवेट विद्यालय को कक्षा 1 का दृश्य। कक्षा में 30 बच्चे। 6 घंटे का विद्यालय समय। बच्चे केवल कक्षा कक्ष में ही 6 घंटे बिताते हैं। एक ही शिक्षिका 6 घंटे बच्चों को पढ़ाती है। दो ब्रेक होते हैं एक बड़ा (15 मिनट का) जिसमें बच्चे खाना खाते हैं व एक छोटा (5 मिनट का) जिसमें बच्चे स्नैक्स या फल खाते हैं। जो वो अपने-अपने घरों से साथ लाते हैं। ये सारे कार्य बालक उसी टेबल कुर्सी पर उसी कक्षा कक्ष में करता है। नो गेम्स, नो अदर एक्टिविटी, कोई को-करिकुलर एक्टिविटी नहीं। बालक के लिए कितना बोरिंग, उबाऊ व दम घोटू होता होगा? बहुत सारी एक्टिविटीज के लिए फीसे ली जाती है उनका क्या होता है, अनुसंधान का विषय है।

केंद्र सरकार, राज्य सरकारों ने इन विद्यालयों के लिए नोर्म्स बना रखे हैं, लेकिन इनको कौन फॉलो करता है? केवल कागजों में ही गरीब छात्रों को नि:शुल्क शिक्षा व अन्य मानकों का अच्छे से पालन किया जाता है। वास्तविकता में नहीं। क्यों? वजह साफ है कई नामी-गिरामी राजनीतिज्ञ, ब्यूरोक्रेट्स, सेलिब्रिटीज आदि इनसे जुड़े होते हैं। सैंया भए कोतवाल तो डर काहे का। वास्तव में निजी विद्यालय करोड़ों के वारे न्यारे करते हैं। कई करोड़ का टर्नओवर है इनका सालाना।

दुखद पहलू है कि गत वर्ष एक बालिका ने आत्महत्या कर ली क्योंकि वो इन विद्यालयों की फीस नहीं जमा करवा पाई। अप्रैल 2017 के द्वितीय सप्ताह में एक विद्यालय के एल.के.जी. के छात्र को बंधक बना लिया क्योंकि वो विद्यालय की फीस नहीं जमा करवा पाया

था। सुखद है कि बालक के अभिभावकों ने प्रधानाचार्य व शिक्षक के खिलाफ पुलिस में रिपोर्ट लिखवाई है।

वास्तव में अब पानी सर के ऊपर से निकल चुका है। अब इन पर लगाम कसनी ही चाहिए। कई राज्यों में अभिभावकों के घोर विरोध के बाद राज्य सरकार चेती है व इन पर अंकुश लगाने की तैयारी की जा रही है। आशा है कि ये राज्य सरकारें अपनी इच्छाशक्ति को सुदृढ़ करते हुए निजी विद्यालयों के मानक पर चलने को बाध्य करने में सफल होगी। शिक्षा धन पोषित न रहे इस बात पर निर्णय लेने ही होंगे।

शिक्षा जीवन का सर्वश्रेष्ठ पृष्ठ है। इसे हम खरीद नहीं सकते। गुरु शिष्य का आपसी विश्वास बालकों का संस्कार निर्माण, सर्वांगीण विकास, देश प्रेम का जज्बा, संवेदनाएं पैसे से नहीं पाई जा सकती। संस्कार विहीन संतान क्या देश को, समाज को परिवार को या स्वयं को ही कुछ दे पाएगा? यदि पैसे से ही हम यह सब खरीद पाते तो आज कोई भी व्यक्ति आतंकवादी, बलात्कारी, भ्रष्टाचारी, हत्यारा नहीं बनता?

ये हाई टाइम है जब इन विद्यालयों पर नकेल कस ली जाए। समय रहते सरकार, समाज व परिवार चेते व अपनी संतानों को विद्यालयों में सभी भौतिक सुविधाएं, गुणवत्ता वाली शिक्षा, उचित दाम पर उपलब्ध कराने हेतु एकजुट होकर आवाज उठाएं। एकता में शक्ति है। आइए हाथ से हाथ मिलाएं, आगे बढ़े, लक्ष्य को पाएं, संतानों का सुनहरा भविष्य बनाएं।

माइंड पोल्यूशन

पूर्व राष्ट्रपति डॉ. ए.पी.जे. अब्दुल कलाम सा. का निधन 27 जुलाई 2015 को हो गया। वे देश के यशस्वी राष्ट्रपति होने के साथ ही साथ ग्रेट साइंटिस्ट भी थे। लेकिन विरले वह थे क्यों कि वे उच्च कोटि के विचारक थे। अच्छे, उच्च विचारों से ही निर्मित हुआ था ये उनका विराट व्यक्तित्व। इसीलिए तो सोशल मीडिया में उन्हें 24 घंटे से ज्यादा ट्रेंड किया गया। जो यह दर्शाता है कि वे आमजन में बेहद लोकप्रिय थे। दिल्ली एयरपोर्ट पर उनके पार्थिव देह को श्रद्धांजलि देने का वास्ता हो या रामेश्वरम में अंतिम संस्कार का, हर छोटा-बड़ा नागरिक उन्हें आखरी सलाम करने को लालायित दिखा। ये करिश्मा उनके सुविचारों, सद्भावों एवं चारित्रिक दृढ़ता के कारण ही होता दिखाई दिया। उनके इन विचारों की खुशबू सदियों तक युवा वर्ग के लिए प्रेरणा के स्रोत बनी रहेगी।

ऐसी होती है विचारों की शक्ति। महापुरुषों के ब्लॉग्स में उनके उच्च विचार झलकते हैं जो उनकी वैचारिक स्पष्टता और निर्मलता के द्योतक होते हैं। उनका मन पवित्र, निर्मल, सरल व उच्चता के भाव लिए हुए होता है। इसलिए उनके विचार भी उच्च, सहज, सकारात्मक एवं अनुकरणीय होते हैं।

किंतु अधिकांश मामलों में स्थितियां उलट नजर आती है। आज ट्विटर, फेसबुक, ब्लॉग्स का जमाना है। कुछ भी विचार मन में आया झट से उस विचार को ट्विटर पर डाल कर सारी दुनिया को बता दिया। कभी ये नहीं सोचते कि आवेश में आकर अपनी भावनाओं

पर नियंत्रण खोकर लिखे गए ब्लॉग्स व ट्विटर के परिणाम घातक हो सकते हैं?

सही, गलत विचारों की समीक्षा किए बगैर बेखौफ होकर हम अपने विचारों को दुनिया पर थोपते हैं। पहले अपने विचारों को परखें, जांचे, समीक्षा करें, विचारों की उपयोगिता को सुनिश्चित कर लें, फिर उन्हें दूसरों के साथ शेयर करें तो अधिक अच्छा हो। आवश्यक तो यह है कि स्वयं पहले अपने मन में चल रहे विचारों को बेलगाम होने से रोके, नकारात्मक विचारों, अनुपयोगी विचारों का प्रदूषण अपने मन में न फैलने दें।

जगत परिवर्तनशील तो है ही साथ ही गतिशील भी होता है। विचार भी परिवर्तित होते रहते हैं, सतत् आते रहते हैं। क्या हमने कभी ध्यान दिया कि कौनसे विचार मन में आ रहे हैं। विचारों के प्रति हम जागरूक हैं क्या? क्या इन विचारों पर हमारा नियंत्रण है क्या? कहीं ये विचार बेकाबू होकर दौड़ तो नहीं लगा रहे हैं?

विचार मन में उठते हैं। ज्ञानी कहते हैं कि इस जगत को वश में करना सरल है किंतु मन को अपने अधीन करना कठिन कार्य है। मन का स्वभाव है विचार पैदा करना। मन चंचल होता है व सदैव उछल कूद करता रहता है इसलिए तो मन को बंदर की संज्ञा दी गई है। मन की गति विद्‌युत की गति से भी तीव्र होती है।

वैज्ञानिकों के शोध के आधार पर प्रमाणित हो चुका है कि मनुष्य का मन एक दिन में कई हजार विचार पैदा कर सकता है। क्या हमने कभी इन विचारों की उथल-पुथल पर गौर किया है? कौन से विचार आ रहे हैं, नकारात्मक है या सकारात्मक, उच्च कोटि के हैं या निम्न स्तर के, बेकार के हैं या काम के, वर्तमान से संबंधित है या भूत भविष्य से? हम इस ओर से सर्वथा अनभिज्ञ ही रहते हैं। विचारों के आने-जाने को एक स्वाभाविक प्रक्रिया समझकर उस पर

पकड़ नहीं रखी? कभी इन विचारों को नियंत्रित करने का प्रयास नहीं किया?

बेकार के, नकारात्मक, घातक, घृणा, क्रोध, प्रतिशोध, कपट, काम, मान, माया लोभ आदि विकारों से उत्पन्न विचार हमारे मन को प्रदूषित कर देते हैं। इसका सीधा सीधा असर हमारे स्वास्थ्य पर पड़ता है और जाहिर है वह प्रतिकूल ही होता है। अन्य प्रदूषणों यथा वायुप्रदूषण, जलप्रदूषण हो तो अन्य एजेंसियों द्वारा नियंत्रित किया जा सकता है किंतु माइंड पोल्यूशन को तो केवल स्वयं ही खत्म कर सकते हैं अन्य कोई नहीं।

हमारे विचार ही हमारी भावना बनती है ये भावना हमारी प्रवृत्ति। इस प्रवृत्ति से हम क्रिया करते हैं। क्रियाएं हमारी आदतों का निर्माण करती है। स्पष्ट है कि हमारे व्यक्तित्व के निर्माण के मूल में विचार ही तो है।

अतः हम अपने विचारों को देखने, परखने, समीक्षा करने व जागरूक रहने के लिए निम्नांकित तथ्यों को रेखांकित कर सकते हैं -

- अपने मन को अपने कंट्रोल में लेने का प्रयास करना।
- अपने मन में आते जाते विचारों के प्रति जागरूक रहना।
- नकारात्मक विचारों को स्थान नहीं देना।
- सकारात्मक विचारों को संबल देना।
- अपनी मूलभूत धारणाओं को जांचना, परखना एवं सही धारणाओं को ही अपनाना, गलत को निकाल फेंकना।
- लोभ की, मन की, कपट की, क्रोध की गाठों को समाप्त करने का प्रयास करना। इन गाठों में स्पंदन न पैदा होने दें।
- अन्य व्यक्तियों से किसी प्रकार की अपेक्षा ना रखने के भाव रखना।

- आत्मा की प्रकृति शांति की है, इसे याद रखना।
- धारणाएं ही हमारे विचारों का आधार हैं अतः बदलती धारणाओं पर पहरा देना व इन्हें सही रखना।
- अपने विचार के चयन करने की हमें स्वतंत्रता है, इस बात का ध्यान रखना।
- हमारे अच्छे बुरे विचारों का प्रभाव केवल हम तक ही नहीं होता वरन दूसरे भी इससे प्रभावित होते हैं।
- दूसरों में दोष देखने के विचारों पर अंकुश लगाना।
- हम स्वयं ही हमारे लिए उत्तरदायी हैं हर परिस्थिति के लिए अन्यों पर आरोप लगाने के विचार मन से निकाल दें।
- जिस प्रकार एक मां अपने बच्चे का ध्यान रखती है वैसे ही हम स्वयं अपना ख्याल रखें। स्वयं प्रसन्न रहेंगे तो दूसरों को भी प्रसन्नता की अनुभूति करा सकेंगे।
- जो हम दूसरों को देते हैं वही हम तक पुनः लौटकर आता है, अतः हर एक को प्रेम देने के विचार रखें।
- भगवान महावीर के अनेकांतवाद में विश्वास हो। किसी के प्रति जजमेंटल नहीं होना।
- खुशी बाहर नहीं मिलती, मुझ में ही छिपी है यह विचार पोषित करें।
- दूसरों को बदलने की या, नियंत्रण में लेने की प्रवृत्ति से बचना, दूसरों को वैसे ही स्वीकार करना जैसे वे हैं। यह विचार मन को शांति प्रदान करने वाले होते हैं।
- सिर्फ मेरा अपने मन पर ही कंट्रोल है अन्य किसी पर नहीं।
- विचारों की भूल भुलैया में नहीं भटकना है। अशुभ, स्वार्थ परक, अनिष्टकारी, अपराधी प्रवृत्तियों के विचार पर विचारों पर अंकुश लगाना एवं ऐसे विचारों के लिए मन के दरवाजे सदा के लिए बंद करना।

- अनावश्यक विचारों पर प्रतिबंध लगाना, यह मानसिक अशांति, अनिद्रा उन विचारों पर ब्रेक लगाना जो अहितकर, अनिष्टकारी व अमंगल हो।
- मंगल भावों का विकास, अमंगल भावों का विनाश करना।
- हमारे मन में शुभ व अशुभ दोनों ही प्रकार के विचारों का जमावड़ा होता है। अब हमें ही दूध का दूध और पानी का पानी करना है।
- मन को अधीन करने के लिए निरंतर अभ्यास एवं वैराग्य की आवश्यकता है।
- बगिया का मालिक खरपतवार को उखाड़ फेंका है व अच्छे बीजों को रोपता है, हम भी मन के माली बनें।
- हमें शक्तिशाली बनना है तो पहली आवश्यकता मन को नियंत्रण में रखने की है।
- नकारात्मक विचार शरीर को अस्वस्थ करते हैं, चेहरे को मुरझा देते हैं, याद रखना।
- सफलता प्राप्ति सकारात्मक व विधेयात्मक विचारों का ही परिणाम होती है।
- मनुष्य में सकारात्मक गुण यथा आशावादी होना, अपने पर विश्वास होना, सबसे प्रेम करना आदि होंगे तब ही व्यक्ति विधेयात्मक चिंतन की ओर बढ़ सकता है।
- निषेधात्मक चिंतन घृणा, द्वेष, ईर्ष्या, कपट, लालच, असहिष्णु होने का ही परिणाम है।
- पूर्वाग्रहों को जीवन में स्थान नहीं देना है। समग्रता से ही सोच विकसित करनी है।
- मैं केवल आत्मा ही अजर अमर हूं, बाकी सब विनाशकारी है ये विचारें।
- सुख दुख में समभाव रखते हुए ही विचारों को पनपने दें।

- विपरीत परिस्थिति में विचलित न हो एवं स्थिर रहने के भाव को पनपने दें।
- मेरी समस्त परिस्थितियों के लिए केवल मैं ही उत्तरदायी हूं ये सोचना है।

माइंड पोल्यूशन को रोकना सिर्फ और सिर्फ हमारे हाथ में है मन के विचारों को अपने नियंत्रण में ले लें। बुरा कभी न सोचें, सोचें तो सिर्फ अच्छा। फिर देखिए हम कितने ऊर्जावान, स्वस्थ होंगे, अपनी आत्मा के करीब होंगे। आइए, मन को प्रदूषण से मुक्त करने की नींव आज ही डाल दें।

श्रोता की पहचान

जो तथ्य हम कान द्वारा सुनते हैं उस प्रक्रिया को श्रवण कहते हैं, और जो श्रवण करने वाला होता है वह श्रोता कहलाता है। यदि हम केवल कहते हैं, सुनते नहीं, तो सफलता हमसे कोसों दूर भागती है। सुनना अति महत्वपूर्ण होता है। सुनना भी एक कला है। लिस्निंग स्किल्स को अपने व्यक्तित्व में विकसित करनी चाहिए। श्रवण आपसी संवाद का आवश्यक एवं महत्वपूर्ण अंग है।

हम क्यों श्रवण करें, क्या श्रवण करें, कैसे श्रवण करें, क्या हमने कभी इस पर विचार किया है? उचित ज्ञान का श्रवण सही तरीके से कर उसे जीवन में उतारने की कला एक अच्छे श्रोता को ही आती है। अच्छा श्रोता कौन होता है, उसकी क्या पहचान है? आईए पर दृष्टिपात करते हैं-

- अच्छा श्रोता वार्ता स्थल पर सकारात्मक भावनाओं से ओतप्रोत होकर श्रवण क्रियाओं को करने की अपेक्षा से जाता है।
- श्रोता वार्ता/व्याख्यान सुनने में रुचि रखने व व्याख्यान सुनने के अवसर तलाशता रहे।
- श्रोता अंधानुकरण करने वाला न हो। वह स्वयं सुनिश्चित करें कि उसे क्या सुनना है और क्या नहीं। ठोक बजाकर परीक्षा करें क्योंकि ये उसके जीवन की दिशा तय करने वाले होते हैं। परखे, तोलें, निष्पक्ष मूल्यांकन करें। भेड़ चाल से बचें।
- श्रोता कुशाग्र बुद्धि, चतुर, शार्प व दूर दृष्टि रखने वाला हो।

- श्रोता में समुचित विचार शक्ति का होना भी अपेक्षित है। जो कुछ भी सुने उसे ग्रहण कर उस पर सोचे, विचारे, मनन व चिंतन करें। अग्रहणीय विचार को ना अपनाएं।
- सुश्रोता को ज्ञात होना चाहिए कि उसके लिए कौन सी बात ग्रहण करने योग्य है, किस विचार को छोड़ देना है। वक्ता की कौन सी बात हेय है, उपादेय है, ज्ञेय है, श्रोता को इसका ज्ञान हो।
- श्रोता नम्र, विनयवान हो। श्रोता नम्रता से अपनी शंकाओं का समाधान वक्ता से प्राप्त करें। अहंकारी व्यक्ति ज्ञान नहीं पचा पाते।
- श्रोता को श्रद्धालु होना चाहिए। श्रद्धा के साथ ही आत्म कल्याण की ओर अपने कदम बढ़ा सकता है।
- प्रवचन, वार्ता सुनने से, मनन करने से श्रोता लाभान्वित होता है, ऐसा मन में विश्वास रखें।
- श्रोता पाप से डरने वाला हो, तब ही वह धर्मोपदेश, सद्उपदेश को हृदयंगम कर सकेगा।
- सुश्रोता प्रवचन के, वार्ता के मध्य अपने विचारों, अपनी मान्यताओं को व्यक्त न करें। ध्यान से पहले वार्ता/प्रवचन सुने।
- निश्चित रूप से श्रोता धैर्यवान तो होना ही चाहिए।
- प्रवचनकर्ता/वार्ताकार को श्रोता अपनी बात पूरी करने का अवसर दें, बीच में व्यवधान न डालें, न टोकें।
- सुश्रोता अपने पूर्वाग्रहों से मुक्त होकर वक्ता की बात सुनें।
- वक्ता के विचारों व उसकी भावनाओं को समझने का प्रयत्न करता है श्रोता। श्रोता को चुप रहने की कला भी आती हो।
- वक्ता को पूरी तन्मयता से सुनें। उसमें आई कांटेक्ट रखें, हावभाव से जाहिर करें कि श्रोता उसकी बात को ध्यान से

श्रवण कर रहा है। बात पूर्ण होने से पूर्व ही अपनी प्रतिक्रिया व्यक्त न करें।

- श्रोता मे ज्ञान प्राप्त करने की, सुनने की व मनन करने की उत्कंठा होनी चाहिए, भूख होनी चाहिए।
- श्रवण की गई विषय वस्तु को जीवन में उतारने की कला श्रोता में अपेक्षित है।
- श्रवण किए गए उपदेशों, दिशा निर्देशों को विस्मृत न होने दें, उन्हें दोहराते रहें।
- श्रोता वक्ता के गुणों को देखें, उसके अवगुणों पर दृष्टि ना डालें।
- श्रोता को चाहिए कि श्रवण की गई विषय सामग्री को स्वयं तक ही सीमित न रखें वरन् समाज के व्यक्तियों से, रिश्तेदारों, दोस्तों से साझा करें, प्रकाशित करें। उन्हें भी प्रवचन सुनने के लिए प्रेरित करें।
- वक्ता श्रोता को ज्ञान की ज्योति प्रदान करता है, दिशा निर्देश देता है तो श्रोता का भी कर्तव्य बनता है कि वो भी अपनी यथायोग्य उनकी सेवा करें।
- श्रोता केवल अपमानित करने या खिल्ली उड़ाने या वक्ता की परीक्षा लेने के मकसद से प्रश्न न करें।
- प्राप्त ज्ञान को श्रोता अपने आत्म कल्याण के लिए समर्पित करें। भौतिक इच्छाओं की पूर्ति के लिए नहीं।
- श्रोता केवल मोक्ष की अभिलाषा से ही प्रवचन श्रवण करें।
- सुश्रोता अपने जीवन में की गई गलतियों का सुधार श्रवण किये गए उपदेशों के आधार पर करता है।
- श्रवण की गई प्रत्येक उपयोगी ज्ञान को जीवन में उतारें।
- सुश्रोता वक्ता के उपदेशों, विषय वस्तु आदि को अपनी पुरानी जानकारी से जोड़कर कोई निष्कर्ष निकालता है।

अतः श्रेष्ठ श्रोता हंस की तरह होता है जो कंकरो को छोड़कर मोती चुगता है। श्रोता श्रेष्ठ बातों को ग्रहण करता है, संयमी होकर श्रवण करता है। देश, काल, समय को देखकर शंकाओं का समाधान करता है। मन में दृढ़ इच्छाशक्ति का संचरण करें कि श्रेष्ठ श्रोता शास्त्रों का श्रवण ध्यान से करें, मनन, चिंतन हृदयगंम, धर्मानुसार आचरण करें।

विकृत मन की विकृत भाषा

मौन संप्रेषण का सशक्त माध्यम है किंतु समाज में रहकर सदैव मौन रहना संभव नहीं होता है। व्यर्थ बोलने से अच्छा मौन रहना होता ही है और यही वाणी विज्ञान का प्रथम सोपान हो सकता है। झूठ बोलना अधर्म है अतः सत्य वचन बोलना वाणी विज्ञान का द्वितीय सोपान माना जा सकता है। कटु बोलना व सुनना किसी को रास नहीं आता, अतः सदैव प्रियकारी वचन बोलने का संकल्प लेना वाणी विज्ञान का तीसरा महत्वपूर्ण पड़ाव माना जा सकता है। अधर्म की, अनीति की भाषा बोलना विनाशकारी होता है अतः मनुष्य को धर्मसंगत वाणी को अपनाना चाहिए, इसे वाणी के विज्ञान का चौथा पाया कह सकते हैं। वस्तुतः वाणी की चारों ही विशेषताएं एक दूसरे की पूरक व उत्तम है।

हमारे जीवन में वाणी, भाषा, वचन, शब्द, वाक्यों का अत्यंत महत्व है। मानव के लिए भाषा का होना उतना ही आवश्यक है जितना प्राणवायु का होना। भाषा या वाणी मानव के व्यवहार का महत्वपूर्ण साधन है। वाणी से मनुष्य के चरित्र को भांपा जा सकता है। कहा भी गया है कि भाषा व्यक्ति के व्यक्तित्व का आईना होती है। अतः व्यक्ति को चाहिए कि वो भाषा का प्रयोग सावधानी पूर्वक करें।

वर्तमान काल में तो संप्रेषण के व संवाद के माध्यम बहुत से हैं टीवी, रेडियो, मोबाइल, मोबाइल में सैकड़ों एप्स, प्रिंट मीडिया पर अपने विचारों की अभिव्यक्ति की पूर्ण स्वतंत्रता है, व्यक्ति को। अभिव्यक्ति की स्वतंत्रता लोकतांत्रिक देश में अपेक्षित भी है।

लेकिन गत कुछ वर्षों से तो देश का भाषाई सिनेरियो कुछ और ही कहानी बयां कर रहा है और वाणी का जमकर दुरुपयोग हो रहा है। देश में उच्च पदों पर आसीन व्यक्तियों से देश बहुत अपेक्षाएं रखता है किंतु खेद है कि वे लोग भी अपनी भाषा का विवेक खो चुके हैं। समय-समय पर उनके द्वारा की गई आपत्तिजनक टिप्पणियों से शर्मिंदगी महसूस होती है। यदि हम चुनावी रैलियों में दिए गए भाषणों का विश्लेषण करें तो उनमें व्यक्तिगत दोषारोपण, भद्दी टीका टिप्पणी, अशिष्ट उपमाएं आदि आपत्तिजनक कटाक्षों की भरमार होती है वाणी पर नियंत्रण खोते ऐसे व्यक्ति स्त्रियों की गरिमा पर भी चोट करते नजर आते हैं। यह वह लोग हैं जिन पर देश को, समाज को, सद्आचरण, सद्व्यवहार, शिष्ट भाषा का उदाहरण देने का दायित्व है। ऐसे व्यक्तियों की बद्ज़ुबानी विनाशकारी सिद्ध हो सकती है।

जिस समाज में युवा, वृद्ध, बालकों की भाषा ही विकृत हो गई हो, उस समाज का उत्थान कैसे संभव है? विकृत मन से ही विकृत भाषा का प्रवाह संभव है।

आम बोलचाल की भाषा से लेकर टीवी पर दिखाए जाने वाले फूहड़ कॉमेडी शो में, विभिन्न मुद्दों पर होने वाली डिबेटों में, चुनावी भाषणों में, प्रिंट मीडिया में, मोबाइल आदि में द्विअर्थी संवादों की, वाक्यों की भरमार होती है। अश्लील छींटाकशी, महिलाओं पर आपत्तिजनक संदेश, अवांछित शब्दों का प्रयोग, गाली गलौज हर वर्ग के कतिपय व्यक्ति धड़ल्ले से करता है बिना किसी रोक टोक, बिना किसी संकोच व शर्म के? क्या भाषा की गरिमा बीते दिनों की बात हो गई है?

पूर्व में संसद, विधानसभा में शालीनता से राष्ट्रीय व राज्य के मुद्दों पर पक्ष विपक्ष में बहस होती थी, जनता के प्रति जवाबदेह पर जनप्रतिनिधि शालीन व्यवहार व गरिमामय भाषा का प्रयोग करते थे।

लेकिन खेद है अब इनका स्थान उत्तेजना, हंगामों, हाथापाई, हुल्लड़ व गालीगलौच ने ले लिया है। तर्कशक्ति चुक गई है।

शिष्टता पूर्ण संवाद तिरोहित हो चुका है। असत्य भाषा का बोलबाला है। सच्ची प्रशंसा का स्थान झूठी खुशामद ने, एक दूसरे की टांग खिंचाई ने परनिंदा करने में ले लिया है। अहंकारी बोलों ने समाज में अपना घर बना लिया है। ऐसा भाषायी पतन, बद्ज़ुबानी पूर्व में कभी सुनने में नहीं आई थी।

भारत की संस्कृति में भाषा विवेक व मौन का बहुत ऊंचा स्थान है। देश के कई महापुरुषों ने, संत, कवियों ने भाषा या वाणी कैसी होनी चाहिए, बताया है। महापुरुषों ने भी वाणी या भाषा के स्वरूप पर वृहद् प्रकाश डाला है। शब्दों को पहले तोलो फिर बोलो। असत्य वचन, तिरस्कारमय वचन का निषेध किया गया है। कठोर, कर्कश वचन बोलना धर्म विरुद्ध है। कम बोलना, सत्य बोलना, मीठा बोलना, धीरे बोलना, विचार कर बोलना समीचीन है। हितकर, प्रियकर वचन बोलने वाला प्रशंसनीय होता है।

किसी की चुगली खाना, निंदा करने, शिकायत करने से बचना चाहिए। दो व्यक्ति बात कर रहे हो तो बीच में टीका टिप्पणी ना करें। क्लेश, कलह उत्पन्न करने वाली भाषा भी सभ्य व्यक्ति के लिए निषेध मानी गई है। हम अल्प भाषी होने के हिमायती है। मौन व्रत धारण करने का भी अभ्यास करना चाहिए। आवेश में आकर, चीख चीख कर अपनी बात दूसरों पर थोपना भी प्रतिबंधित होना चाहिए। सभी धर्मों का सटीक भाषा विधान है। यदि इस पर अमल किया जा सके तो यह समाज फिर से गरिमामय, सम्मानजनक भाषा के उपयोग का हिमायती व पक्षधर बन सकेगा।

वस्तुतः हमारे सामाजिक, पारिवारिक संबंध, रिश्ते नाते भाषा पर ही तो टिके हुए हैं ना? तो क्यों न हम उचित, संवेदनशील, सम्मानजनक,

गरिमामय संवादों से इन्हें सुदृढ़ बनावे? हम कैसे शब्दों का प्रयोग करते हैं, कितना जोर से बोलते हैं आदि बातों को देखते हुए ही तो हमारी छवि बनती है कि हम धर्मनिष्ठ, सद्चरित्र व्यक्ति हैं अथवा नहीं। हमारे बोल ही हमारे व्यक्तित्व का मापदंड होता है।

हम स्वयं भाषा के गिरते स्तर को फिर से गरिमामय बनाने का कठोर व दृढ़ संकल्प लें। स्वयं भाषा विवेकशील बनें, मौन रखें, आवश्यकता पड़ने पर ही बोले, अल्पभाषीयी बनें। व्यक्ति से समाज व समाज से देश बनता है। अतः भाषा की गरिमा पुनः स्थापित करने के लिए सबसे पहले हम स्वयं पहल करें। मन को स्वस्थ बनाए भाषा भी तद्नुरूप ही निकलेगी।

21वीं सदी का नशा : गैजेट्स

21वीं सदी का नया नशा है गैजेट्स। क्या बच्चे, क्या किशोर, क्या युवा व क्या बूढ़े? सब पर गैजेट्स का नशा सिर चढ़कर बोल रहा है। शराब, अफीम, गांजा, बीड़ी, सिगरेट के नशे से सभी वाकिफ है। इनसे होने वाली बीमारियों से भी परिचित है। लेकिन गैजेट्स का नशा? ये ऐसा मीठा नशा है, जिसे हर कोई एंजॉय कर रहा है। यह लत सिर पर सवार हो गई है। इसके दुष्परिणामों से बेखबर हम टीवी, मोबाइल, स्मार्टफोन, स्मार्ट वॉचेस का उपयोग बेखौफ होकर कर रहे हैं।

यदि हमें कहा जाए कि केवल सप्ताह में एक दिन संडे को गैजेट्स का उपयोग न करें? "संडे? बिना गैजेट्स के? ओह नो, नो वे?" यही जवाब होगा ना, हम सभी का? हो भी क्यों न? हमारी जरूरत जो बन गए हैं गैजेट्स। बिना इसके जीने की कल्पना करना ही मुश्किल लगता है न? वस्तुतः हमारा जीवन ही ऑनलाइन जो हो चला है?

माना कि युग विज्ञान का है। वैज्ञानिक आविष्कारों ने मानव जीवन को बहुत सरल, आरामदेह बना दिया है, इस बात से इंकार नहीं किया जा सकता। गैजेट्स भी महत्वपूर्ण देन हैं तब तक, जब तक इसका सीमित उपयोग किया जाए। अति हर चीज की बुरी होती है। गैजेट्स प्रयोग का भी यही हाल है। शुरू-शुरू में तो ये बहुत उपयोगी व कारगर लग रहे थे, किंतु इनके अति प्रयोग ने मनुष्य को प्रकृति से, अपने लोगों से, यहां तक कि स्वयं से भी दूर कर दिया है। अब यह फायदे के स्थान पर नुकसान अधिक करते दिखाई दे रहे हैं।

हालात कुछ ऐसे हो गए हैं कि उठते, बैठते, सोते-जागते, सफर करते, ऑफिस में, यहां तक की टॉयलेट, बाथरूम में भी हम मोबाइल अपने से चिपकाए रखते हैं। न तो खाने-पीने की सुध, न रिश्ते-नाते निभाने का भान, ड्राइविंग करते समय भी कन्सेन्ट्रेशन नहीं, स्वास्थ्य पर भी ध्यान नहीं, सुध बुध भुला बैठा है व्यक्ति, इन स्मार्टफोन के उपयोग करते करते। रात को सोते समय भी स्मार्टफोन का साया हम पर मंडराता रहता है, हम चैन की नींद तक नहीं ले पा रहे हैं।

गैजेट्स सभी क्षेत्रों में अत्यंत उपयोगी होते हैं, बशर्ते कि इनका उपयोग निश्चित उद्देश्य को लेकर किया जाए, नेक इरादों के साथ किया जाए, आवश्यक कार्य हेतु एवं अपेक्षित जानकारी हासिल करने हेतु किया जाए।

लेकिन गैजेट्स का उपयोग बहुत व्यापक हो गया है। अब इनसे वांछित अवांछित जानकारी, मैसेज, डाउनलोड, अपलोड्स, फोटो, वीडियो गेम्स का लेन-देन प्रचुर मात्रा में हो रहा है। कभी-कभी ट्विटर, फेसबुक, अवांछित मैसेज, लाइक्स, डिसलाइक्स से भी मन की शांति भंग होती देखी गई है। हद तो जब हो जाती है जब अतिसंवेदनशील विषयों पर वीडियो आदि वायरल हो जाती है, जिससे दंगा, फसाद तक हो जाते हैं और सबसे ऊपर ये कि हम इन पर अपना कितना कीमती समय जाया कर रहे हैं?

क्या हमने कभी ध्यान दिया है कि एक दिन में हम कितनी बार मोबाइल पर बातचीत, व्हाट्सएप, फेसबुक, लाइक्स-डिसलाइक्स के कमेंट देखते हैं? सर्वे बताते हैं कि एक दिन में अधिकांश भारतीय करीब 70-80 बार अपना समार्ट फोन देखते हैं। वही कुछ लोग तो दिन में 100 बार तक अपना स्मार्टफोन टटोलते हैं। व्यवसाय या नौकरी स्थल पर भी स्मार्टफोन का अत्यधिक अनुपयोगी प्रयोग कर प्रोडक्टिविटी को कम करते हैं।

वस्तुत: स्मार्टफोन, गैजेट्स हमारी आवश्यकता नहीं वरन लत बन चुकी है। तेजी से पांव पसारती ये लत हमारा कितना कीमती वक्त खराब कर रही है, इस बात का एहसास है क्या हमको? औसतन एक व्यक्ति रोज 3-4 घंटे इन गैजेट्स पर लगाता है? कई युवा इस बात को स्वीकार करते हैं कि वह स्मार्टफोन बिना जीने की कल्पना भी नहीं कर सकते। यदि मोबाइल साथ ना हो तो वे असामान्य सा व्यवहार करने लगते हैं, चिड़चिड़े, क्रोधी, व असुरक्षित हो जाते हैं।

आपको क्या लगता है कि ये गैजेट्स हमें सामाजिक दुनिया से जोड़ते हैं? रिश्ते निभाने में मदद करते हैं? जी नहीं, बिल्कुल नहीं। ये गैजेट्स कई बार रिश्ते खराब भी करते हैं। 24 घंटे हम फोन पर जुड़े रहें, ये अपेक्षा रहती है। हर बात का जवाब सामने वाले से नहीं मिलता तो रिश्तो में खटास आने में देर नहीं लगती, गलतफहमियां पनपने लगती हैं और हां! ये हमारी प्राइवेसी को पूर्णत: चौपट कर डालती है। निजता सार्वजनिक बनती जा रही है।

ये दुनिया रंगीन अवश्य लगती है लेकिन यह बहुत ही सतही होती है, इसमें गहराई नहीं। ऐसा नहीं है कि हम सोशल मीडिया को नकार रहे हैं, इसके अपने फायदे हैं, मेरिट्स हैं। बस इसका उपयोग बहुत समझदारी एवं विवेक से करना है हमें। हम इसके मालिक हैं कहीं ये हमारा मालिक न बन बैठे, इस पर पैनी दृष्टि हमें रखनी ही होगी।

मोबाइल पर, सड़कों पर, सार्वजनिक स्थलों पर बात करते-करते एक्सीडेंट होते हैं, वाहनों पर बात करते कितनी दुर्घटनाएं घटती है, सेल्फी लेते समय भी हादसों का आंकड़ा ऊंचा है। क्या जान पर खेलकर इनका उपयोग करना जरूरी है? थोड़ी सी सावधानी क्यों नहीं रख सकते हम? थोड़ा संयम क्यों नहीं बरत सकते हम?

छोटे-छोटे बच्चों के हाथों में स्मार्टफोन थमा दिए हैं पेरेंट्स ने। वीडियो गेम्स खेलने में मशगूल ये बच्चे क्या सीख रहे होंगे, हम कयास लगा

ही सकते हैं। स्कूलों में छात्र-छात्राएं एक दूसरे को मैसेज के लेन-देन के चलते कक्षाओं में क्या सीख रहे होंगे, विचार करना है। कई बार अध्यापकों के टोकने पर विद्‌यार्थी द्‌वारा आत्महत्या करने तक के मामले उजागर हुए हैं। अपनी आत्महत्या या दूसरों की हत्या करने तक के वीडियो बनाने जैसा दुस्साहस कर लेते हैं लोग?

स्मार्टफोन के अत्यधिक उपयोग से कई शारीरिक, मानसिक बीमारियां हो रही है सो अलग। हाथ, गर्दन की हड्‌डियों की ऐंठन व जकड़न हो जाती है। जब व्यक्ति गर्दन को एक और झुका कर लगातार बात करता है, स्टिफ नेक हो जाता है। इसी प्रकार अंगूठे द्‌वारा बार-बार दबाने पर नर्वस सिस्टम में स्ट्रेस हो जाता है जो ब्लैक बेरी थम्ब कहलाता है। मोबाइल या कंप्यूटर पर अत्यधिक काम करने से आंखों पर भी प्रतिकूल असर पड़ता है, जैसे दोनों आंखों से एक साथ किसी दिशा में नहीं देख पाता, उसे स्ट्राबिस्मस कहते हैं। अत्यधिक उपयोग की लत अब नशे का रूप ले चुकी है। साइकोलोजिस्ट ने कहा कि जब मोबाइल पास न हो तो व्यक्ति असुरक्षित महसूस करता है। इस डर को नोमोफोबिया नाम दिया जाता है। मोबाइल की घंटी सदैव बजती सुनाई दे, हर समय मैसेज तो नहीं किया किसी ने, ये फीलिंग होती है जबकि वास्तव में ऐसा हो नहीं रहा होता। मोबाइल सदैव साथ रखना भी किसी फोबिया को ही दर्शाता है।

युवाओं में अत्यधिक स्मार्टफोन का उपयोग कई बार अवसाद का कारण भी बनता है। लाइक्स का आंकड़ा भी मनोवैज्ञानिक दबाव व तनाव देने वाला होता है। याद करना तो हम भूल ही चुके है ना, किसी भी चीज को? क्योंकि गूगल जो है। हम उसी पर पूर्णतः निर्भर हो गए है। जाहिर है याददाश्त कमजोर पड़ती जा रही है। मोबाइल टॉवर से निकलने वाले रेडिएशन से कैंसर, अंधापन, पैरेलेसिस, इनडायजेशन जैसी परेशानियां शरीर में घर कर जाती है।

स्टेटस सिंबल तो बन ही गए हैं तरह-तरह के महंगे स्मार्टफोन। ऑनलाइन खरीदारी का चलन भी बहुत बढ़ गया है, आर्थिक बोझ आम आदमी पर बढ़ गया है। सबसे अधिक नुकसान हमारी भारतीय संस्कृति को हो रहा है, ये अब पीछे छूट चुकी है। एक नवीन संस्कृति व संस्कारों को युवा वर्ग अपना रहा है।

परिवार में भी दूरियां बढ़ रही है। हर व्यक्ति अपने मोबाइल पर व्यस्त नजर आता है, बातचीत, संप्रेषण की अधिकता नहीं रह गई है। मोबाइल, टीवी, कंप्यूटर चल रहे हो और यदि ऐसे में कोई मेहमान आ जाता है तो उसका आना अच्छा नहीं लगता है, हम डिस्टर्ब हो उठते हैं। मीटिंगों में भी मोबाइल का बजना मीटिंग को बाधित करता है।

अपराधों में भी वृद्धि देखी जा रही है। कई मामलों में किशोरों ने टीवी पर देखें हिंसक दृश्यों के आधार पर वास्तविक जीवन में अपराध किए हैं। कई चोरियों का कारण महंगे फोन रखने का शौक पूरा करना रहा है। माना कि शिक्षा में ये गैजेट्स बहुत सहायक होते हैं। किंतु किशोरों को अवांछित, घटिया वीडियोज पिक्चर्स देखने से रोकने का कार्य कौन कर सकता है? लाभ के साथ-साथ कई हानियों परेशानियों का सबब बन रहे हैं गैजेट्स। माना कि हमारी लाइफ स्टाइल का अभिन्न हिस्सा बन गए हैं ये, इनके बिना जीना कल्पनातीत लगता है। आधुनिक उद्योगपतियों ने इंटरनेट डाटा को आज का 'न्यू ऑयल' करार दे दिया है। इन सबके बावजूद इनके उपयोग पर लगाम कसने का समय आ ही गया है। अब भी यदि हम इनके उपयोग की सीमा निर्धारण नहीं करेंगे तो हमारा पारिवारिक, सामाजिक ढांचा चरमरा जाएगा व हम एकाकी रह जाएंगे।

याद कीजिए ना वे दिन जब हम बिना मोबाइल के जीते थे, मस्ती से जीते थे। अच्छा खाते पीते थे, अच्छे स्वास्थ्य के मालिक थे। रोज

नहीं, तो कम से कम सप्ताह में एक दिन तो हम बिना मोबाइल के बिता ही सकते हैं अब भी? क्यों न वो दिन संडे निर्धारित कर लें, या कोई अन्य दिवस, अपनी सुविधानुसार। वो दिन केवल आपके स्वयं के लिए, परिवार के लिए व बच्चों के लिए हो।

इस दिन परिवार का कोई व्यक्ति गैजेट्स का प्रयोग न करें। माता-पिता, बच्चे, दादा-दादी सभी साथ-साथ सुबह घूमने जाएं, साथ-साथ नाश्ता बनाएं, खाएं। लंच में स्पेशल डिश बनाएं। डाइनिंग टेबल पर सारा परिवार एक साथ लंच लें, गपशप करें, जरूरी बातें करें। बच्चों के स्कूल बैग चैक करें, उन्हें साफ करें। कहीं घूमने चले जाएं। बच्चों के साथ इनडोर, आउटडोर गेम्स खेलें। घर की सफाई, वाहनों की सफाई कर सकते हैं।

खाली समय में बच्चों के साथ फलों के नाम की, फूलों के नाम की, आदि तरह-तरह की अंताक्षरी भी खेलें। रिश्तेदारों को घर बुलाएं, उनके घर जाएं। भूल गए वो दिन जब चाचाओं, बुआओं के बच्चों के साथ दिनभर धमाचौकड़ी मचाते थे, खेलते-कूदते, पेड़ों पर चढ़ते, मंदिर जाते, सितोलिया, गुल्ली डंडे खेलते, कच्चे आम तोड़ते, उसका छुन्दा बनाते। मां को साप्ताहिक कार्यों में मदद कराते। दादी सबको एक साथ बैठकर खाना खिलाती, हंसी ठिठोली चलती। सर्दियों में धूप में बैठकर मक्की की गरम-गरम घाट खाते, गन्ने चूसते। गन्ने के खेतों पर जाते, साइकिल चलाते, पतंग उड़ाते। और भी न जाने क्या-क्या करते थे ना संडे को?

कितने सुनहरे संडे होते थे वो, घर परिवार को जोड़ने वाले, दुख- सुख की बातें करने वाले। आज भी यदि हम चाहे तो वो सुखद, खुशनुमा पलों का संडे फिर ला सकते हैं। सप्ताह में एक दिन बिना गैजेट्स के बिताकर। क्या लगता है हमें कि दुखों के पलों में मित्र को एक मैसेज व्हाट्सएप पर करके हमने दोस्ती निभा ली? व्यक्तिगत रूप

से मित्र से मिलकर दुख की घड़ी में साथ देना बिल्कुल ही अलग एहसास देता है, मन को सुकून देता है।

संडे को बिना गैजेट्स के जी कर देखें। लत व नशे को कम करते जाएं। सप्ताह में एक दिन इस लत से दूर रहने का प्रयास करके तो देख ही सकते हैं ना? सबके साथ जीएं इस दिन, एकाकीपन को छोड़कर सामाजिक बनें। स्वयं देखेंगे, कितना सुकून मिलता है, उल्लास से भर जाएंगे, नई ऊर्जा का संचार होगा जीवन में।

एक दिन गैजेट्स यूज नहीं करेंगे तो कोई पहाड़ नहीं टूटने वाला है। फिर धीरे-धीरे रोजमर्रा की जिंदगी में भी आवश्यकता पड़ने पर ही इनके प्रयोग का संकल्प ले सकते हैं। इसलिए आइए सप्ताह में एक दिन गैजेट्स की लत छोड़ें। गैजेट्स को कहे 'ना'

अहंकार से करें किनारा

अहंकार 'मैं' भाव होता है। जहां-जहां 'मैं' 'मैं' स्थापित होता है वहां वहां अभिमान का जन्म होता है। "मैं" सब कुछ जानता हूं यह सूक्ष्म भाव ही हमें दंभी बनाता है। ये विचार वही पैदा होता है, जहां अज्ञानता है। अहं भाव के आगे व्यक्ति अपने से बाहर कुछ भी नहीं देख पाता है, वह अंधा ही हो जाता है।

मद की श्रेणी में रखा जाता है अहंकार को। अन्य नशे तो फिर भी उतर जाते हैं किंतु यह नशा व्यक्ति को जीवन भर अपने इशारों पर नचाता रहता है। ये व्यक्ति को ऐसे जकड़ लेता है कि वो जीते जी इससे बाहर ही नहीं आ पाता या उसे बाहर आने की लालसा ही नहीं जगती। शराब, सिगरेट, बीड़ी, चरस, गांजा आदि का नशा करने वाला जानता है कि वो जो नशा कर रहा है वो खराब है लेकिन अभिमान की खुमारी उसे कब बरबाद कर देती है उसे एहसास ही नहीं हो पाता।

व्यक्ति को अपने ज्ञान पर, बौद्धिक व मानसिक क्षमता पर, उच्च जाति, उच्च कुल, अपनी भक्ति-शक्ति पर, दानवीरता पर, अपनी शारीरिक, राजनीतिक, आर्थिक व सामाजिक शक्ति पर धन-वैभव पर, तप करने की क्षमता पर, अपनी खूबसूरती, अच्छी कद-काठी पर, अपने स्टेटस पर, पद आदि पर अहंकार हो सकता है और भी न जाने किन-किन छोटी-बड़ी बातों पर व्यक्ति दंभ पाल बैठता है।

अहंकारी व्यक्तियों के हाव-भाव, बॉडी लैंग्वेज, अतिआत्मविश्वास सदैव अपने को श्रेष्ठ व दूसरों को कमतर सिद्ध करने में लगे रहते हैं। घमंडी व्यक्तियों को कोई भी अपना मित्र नहीं बनाना चाहता, उनकी

संगत नहीं करना चाहते। ऐसे व्यक्तियों का साथ सदैव तनाव ही देता है, खुशियां नहीं। जो व्यक्ति हमें अवसाद देता हो, उससे दूरियां बनाकर रखना ही श्रेयस्कर होता है।

सदैव 'मैं' 'मैं' का प्रलाप स्वास्थ्य के लिए भी हितकर नहीं होता। कहते हैं न कि बकरी 'मैं' 'मैं' करती है, उसकी खाल उधेड़ दी जाती है, 'मैना' को दूध रोटी खिलाई जाती है। सच ही है फुटबॉल सदा लात खाती है क्योंकि उसमें हवा भरी होती है।

ऐसे व्यक्ति अपने स्टेटस को कुछ यूं बयान करते हैं - मैं तो खाली ब्रांडेड कपड़े ही पहनता हूं, मैं तो केवल फ्लाइट से ही सफर करता हूं, मैं तो कीमती मोटरकारें ही खरीदता हूं, मेरे बच्चे कभी बस में सफर नहीं करते, मेरे बच्चे तो फलां बोर्डिंग स्कूल में पढ़ते हैं, मैं तो फलां होटल से नीचे में तो खाना खाता ही नहीं, आखिर मेरा भी कोई स्टेटस है कि नहीं? दंभी व्यक्ति को भारतीय कहलाने में भी शर्म महसूस होती है। ऐसे व्यक्ति अपने आगे सबको बौने समझते हैं। दूसरों की खिल्ली उड़ाना, उपहास करना, किसी को भी स्वीकार नहीं करना इनके व्यक्तित्व का हिस्सा होता है। ज्ञानी कहते हैं कि अभिमान करने से नीच कुल या तिर्यंच गति व विनय करने से उच्च कुल की प्राप्ति होती है।

आपने कभी छोटे-मोटे सो-कॉल्ड दानवीरों के व्यवहार पर गौर किया है? दो चार अखबार वालों को, फोटोग्राफर्स को, ढोल नगाड़ों के साथ कुछ रुपल्लों की साड़ियां, कंबलें दान करते हैं, अगले दिन फोटो सहित समाचार पत्रों में खबर छपती है। कुछ सज्जन तो संतों के प्रवचन स्थलों को भी अपनी दानवीरता के किस्से सुनाने का मंच बना लेते हैं, जो उनके अहम को तुष्ट करता है। अरे! यदि आप सचमुच किसी की मदद करना चाहते हैं तो चुपचाप बिना किसी को बताए सहायता कर दीजिए ना? लेने वाले के स्वाभिमान को भी ठेस नहीं लगेगी, साथ ही दान करने का पुण्य भी प्राप्त होगा।

कई बार ये भी देखने में आता है कि व्यक्ति थोड़ा पढ़-लिख जाता है तो अपने को शिक्षाविद समझने लगता है। कुछ दवाइयों के नाम, प्राणायाम योग सीख जाता है तो झट अपने नाम के आगे डॉक्टर लगाने से परहेज नहीं करता। 15 दिन का फैशन डिजाइनर का कोर्स कर लिया तो अपने आगे 'फैशन डिजाइनर' का तमगा लगा लेते हैं। हद तो तब देखी गई जब एक सेवानिवृत्त विद्यालय शिक्षक धड़ल्ले से बेखौफ होकर अपने नाम के आगे प्रोफेसर लगाने से भी नहीं हिचकिचाए। स्वयं पी.एच.डी. नहीं होते लेकिन घोषणा करते हैं कि मैंने इतने लोगों को पी.एच.डी. करवा दी है। ये उनके अंदर अहं भाव होने की पुष्टि है।

क्या हम ऐसी सच्ची झूठी बातों से ही बड़े बन सकते हैं? नहीं, कदापि नहीं। आचरण के द्वारा ही हम सबसे आदर एवं प्रेम पा सकते हैं। सद्विचार, सादा जीवन और सकारात्मक मानसिकता से ही समाज में स्थान बना सकते हैं। दूसरों को भी अपने समान समझें व उन्हें तवज्जो दें तो हम अहंकार विसर्जित कर सकते हैं। अपनी गलतियों को स्वीकार कर उन्हें सुधारने की हिम्मत दिखाएं। दूसरों की गलतियों को माफ कर अहंकार को दफना दें। क्षमा हमारा सबसे बड़ा भाव है जो हमें अनेक समस्याओं से निजात दिलाता है।

कठिन अवश्य है अहंकार का विसर्जन किंतु असंभव भी नहीं है। दृढ़ संकल्प से सब कुछ हासिल किया जा सकता है। तो क्यों न हम आज ही से अहंकार की विदाई की प्रक्रिया प्रारंभ कर ले?

मातृशक्ति का शंखनाद

वह संसार कैसा होगा जिसमें नारी न हो। कल्पना करने से ही मन में अनेक प्रश्न जन्म लेते हैं और उन सभी प्रश्नों का घूम-फिर कर एक ही जवाब आता है कि नारी वह विभूति है जो संसार को गरिमामय में बनाती है। नारी शक्ति व ऊर्जा का अपार स्त्रोत है। नारी ही है जो संस्कारों का बीजारोपण करती है। उसका लालन-पालन कर पोषित करती है, पुख्ता बनाती है।

यह तो सर्वमान्य तथ्य है ही। माँ ही हमारी पहली गुरु होती है जो हमें जीवन के सभी गुर बखूबी सिखाती है। वह हमें कर्तव्यों व अधिकारों तथा संस्कारों से रूबरू करवाती है। हमें ज्ञान का पाठ तो पढ़ाती ही है, जीवन की चुनौतियों को दृढ़ता से सामना करने का सबक भी सिखाती है।

कोरोना महामारी ने सब कुछ बदल कर रख दिया। कई बेरोजगार हो गए तो कोई अवसाद का शिकार हो गया, लेकिन ऐसे विषम हालात में भी नारी शक्ति ने अपना धैर्य नहीं खोया। वह आगे बढ़ती रही बिना थके, बिना रुके। आंकड़े बताते हैं कि कोरोना महामारी के बाद भी महिलाओं ने ऑनलाइन कार्य करना सीखा। 44% महिलाएं सन् 2021 में नई टेक्नालॉजी अपनाने में आगे रही जबकि 2019 में ऑनलाइन लर्निंग 37 % ही थी। कोरोना काल में दुनिया सहम गयी थी, तब भी नारी ने मोर्चे संभाल रखे थे। बेखौफ होकर उसने गृहिणी, नर्स, डॉक्टर, वैज्ञानिक, टीचर, सफाई कर्मचारी के रूप में अपने कर्तव्य का निर्वहन बखूबी किया।

मातृशक्ति ने शंखनाद कर दिया है कि वह बदल रही है। वह हर चुनौती का सामना करने को तत्पर व आतुर नजर आ रही है। यदि स्त्री ने ठान लिया है किसी कार्य को करने का, तो दुनिया की कोई ताकत उसे पीछे नहीं धकेल सकती। गत वर्षों में महिला सशक्त होकर उभरी है। राजनीतिक, आर्थिक, सामाजिक, पारिवारिक, शैक्षिक, सांस्कृतिक, खेलकूद, पर्वतारोहण के साथ ही सेना में भर्ती होकर देश की सुरक्षा के लिए भी महिलाओं ने अपनी मजबूत पकड़ की मिसाल पेश की है। आमतौर पर हमारे समाज में पुजारियों का क्षेत्र केवल पुरुषों का माना जाता है, मगर उसमें भी महिलाओं ने अपनी महत्वपूर्ण उपस्थिति दर्ज करवाई है। पश्चिम बंगाल में तो युवा वर्ग महिला पुजारियों से ही शादी करवाना पसंद कर रहा है।

फोर्ब्स की रिपोर्ट में कहा गया है कि चुनौतियों से निपटने में महिलाएं आगे रहती है। इमोशनल सपोर्ट व लीडरशिप देने में महिलाएं माहिर होती है। पुरुषों ने खुद माना है कि वर्क प्लेस पर महिला बॉस के साथ काम करने में वे ज्यादा सहज व कंफर्टेबल महसूस करते हैं। एक अन्य शोध में भी यह पाया गया कि लेडी बॉस कर्मचारियों को इमोशनल सपोर्ट देती है। वे टीम के कर्मचारियों का तनाव कम कर उनके साथ अच्छा व्यवहार कर टीम को बेहतर कार्य करने के लिए प्रेरित करती है। वे कठोर निर्णय लेने में भी हिचकिचाती नहीं है।

वहीं, यह भी सच है कि समाज में महत्वपूर्ण भूमिका निभाने तथा गरिमामयी उपस्थिति दर्ज करवाने तथा अथाह संभावनाओं को खुद में समेटे होने के बाद भी महिला को अभी वह सम्मान नहीं मिल पा रहा है, जिसकी वह अधिकारिणी है।

अफसोसनाक यह भी है कि बलात्कार, सामूहिक बलात्कार, एसिड अटैक, अपहरण, हत्या, मारपीट के मामले अभी रुके नहीं हैं, रोज होते हैं। मगर इन घिनौनी हरकतों के खिलाफ समाज के हर तबके

ने विरोध किया, आवाज उठायी। परिणाम स्वरूप कई अपराधियों को कठोर से कठोर सजा दी गई व दी जा रही है।

समाज बदल रहा है, सोच बदल रही है, परिस्थितियां बदल रही है, स्त्री स्वयं बदल रही है, समय अवश्य लग सकता है लेकिन स्त्री-शक्ति को अब लक्ष्य प्राप्ति से कोई नहीं रोक सकता। समाज बहुत बदला है। पुरुषों में सकारात्मक सोच आई है तो स्त्रियों में भी अपनी पहचान बनाने का जज्बा मुखर हुआ है। स्त्री को समाज में सम्मानजनक स्थान मिलना प्रारंभ हो चुका है। किंतु सदियों से जो स्थिति स्त्रियों की रही, उसे सुधारने में समय लग सकता है। समाज के हर व्यक्ति की सोच में बदलाव अपेक्षित है। अणुव्रत आचार संहिता का सूत्र कि “मैं मानवीय एकता में विश्वास करूंगा” तभी संभव हो पाएगा जब हम स्त्री को भी मानव अधिकारों का हकदार समझेंगे।

स्त्रियों के प्रति सम्मान, समानता का अभाव तथा संवेदनशीलता अपनाने के लिए इन प्रयासों की दिशा में कदम बढ़ाने की जरूरत है-

- पुरुष स्त्रियों के व्यक्तित्व पर नियंत्रण करने के विचार को ही मन से निकाल दें।
- समाज भ्रूण हत्या का सर्वथा त्याग कर दे।
- समाज हर स्त्री को उसके जीवन जीने के तरीके के चुनाव की स्वतंत्रता दें।
- स्त्री को आर्थिक स्वतंत्रता प्राप्त हो।
- स्त्रियों के प्रति नकारात्मक विचारों को, विकृत मानसिकता को न पनपने दें।
- महिलाएं स्वयं आत्मविश्वास से परिपूर्ण रहें। सबल बनें। दूसरों पर निर्भर रहने की आदत छोड़ दें।
- बलात्कार पीड़िता या अन्य तरीके से प्रताड़ित महिला को हीन निगाह से न देखें। उसे समाज में उचित स्थान मिलना चाहिए।

- महिलाएं अपने निर्णय स्वयं लें। समाज को आगे बढ़ाने में सकारात्मक, प्रगतिशील फैसलों को क्रियान्वित करें।
- जब भी किसी महिला को लगे कि उसके साथ भेदभाव हो रहा है या कुछ गलत हो रहा है तो वह तुरंत बिना संकोच के अपनी आवाज बुलंद करे व उचित कार्यवाही के लिए कदम उठाये।
- वहीं पुरुष यह कभी न भूले कि उसकी मां भी एक स्त्री है। इसलिए वे महिलाओं के साथ मर्यादित व्यवहार करें।
- महिलाओं को अपने अधिकारों और कानून की जानकारी होना आवश्यक है। तभी वे उनकी मांग कर पायेंगी।
- महिला ही महिला की शत्रु है, इस कथन को झूठलाने का हरसंभव प्रयास करना होगा।
- स्त्रियां स्वयं अपनी शिक्षा, स्वास्थ्य एवं रुचियों के प्रति जागरूक रहें।
- महिलाएं अपने आप को आत्मनिर्भर बनायें पुरुषों पर आश्रित बनने को ही अपनी नियति न समझें।
- महिलाएं सृजनशील होती हैं। अपनी इस शक्ति को एक नई उड़ान दें।
- समान काम के लिए समान वेतन की मांग कई वर्षों से उठ रही थी, जो अब क्रियान्विति के स्तर पर है। ऐसे में महिलाएं समान काम के लिए समान वेतन की आवाज जरूर उठाएं।

समय ने करवट ली है, रूढ़ीवादी, पारिवारिक व्यवस्थाओं में जकड़े रहने की अपेक्षा स्त्री ने नया मुकाम तलाश लिया है। अपने गुणों व असीमित संभावनाओं को तलाशने की छटपटाहट ने आहट दे दी है। स्त्री अपने को साबित करने के लिए कटिबद्ध है तो कोई कारण नहीं कि इसमें सफल न हो। कई बार उसके पाँव डगमगायेंगे, संतुलन खोने लगेगा, आत्मविश्वास कमजोर पड़ने लगेगा, किंतु अगले ही पल वह पुनः अपने कदमों को साध कर मंजिल पा ही लेगी।

वाणी पर कर्फ्यू लगाएं

वर्तमान समय में मानव को अभिव्यक्ति के अनेक अवसर एवं मंच उपलब्ध है। लोकतंत्र में किसी भी व्यक्ति को अपनी भावनाएं व्यक्त करने का अधिकार प्राप्त है, फिर चाहे वो अभिव्यक्ति सकारात्मक हो अथवा नकारात्मक।

वस्तुतः सारा संसार शब्दों के तानों-बानों से ही बुना गया है। यदि हमें संघर्ष टालना हो तो मौन से उत्तम विकल्प कुछ नहीं। मौन को तो तप की संज्ञा दी गई है। मौन तप है तो विवेकपूर्ण वाणी बोलना महातप की श्रेणी में आता है। यदि मौन न भी रह सकें तो कम से कम ऐसी भाषा तो बोल ही सकते हैं जो मधुर हो, प्रियकारी हो। आक्रामक, हिंसक, तीखी, कड़वी व विवाद उत्पन्न करने वाली वाणी न बोलें। कठोर वचनों को, टेढ़े-मेढ़े तानों को कोई पसंद नहीं करता। बांसुरी इसीलिए प्रिय लगती है कि वह सीधी है, बुलवाने पर बोलती है व सदैव मीठा ही बोलती है।

यदि हम किसी व्यक्ति की पहचान करना चाहते हैं तो नि:संदेह उसकी वाणी से परख सकते हैं। व्यक्ति कितना सुसंस्कृत है, कितना पानीदार है, वाणी ही बताएगी। शब्दों का चयन, सभ्य, शालीन भाषा उसके सदाचारी होने का प्रमाण देती है। सभी धर्मों में 'कम बोलो, धीरे बोलो व मीठा बोलो' का उपदेश दिया गया है। मन की स्थिरता ध्यान से होती है, वाणी की स्थिरता मौन से और काया की स्थिरता कायोत्सर्ग से। अतः वचनों को तोलकर विवेकपूर्ण भाषा का प्रयोग करें, जिससे अपने आसपास का वातावरण स्वस्थ एवं सोहाद्रपूर्ण बन सके।

कई बार गृह कलह भी अनियंत्रित भाषा के कारण ही पनपते हैं। यह वो बाण होते हैं जो सीधे दिल पर जाकर जाकर लगते हैं व उसके दिए गए घाव कभी भरते नहीं हैं, वे नासूर बन जाते हैं। अतः वाणी पर कर्फ्यू लगाना आवश्यक है, वाणी के प्रति जागरूक रहना अपेक्षित है। कड़वी वाणी न हमें शांति देती है न ही दूसरों को।

अतः हमारे वचन ठंडक देने वाले होने चाहिए। वस्तुतः शब्दों में इतनी ताकत होती है कि वह संघर्ष भी करवा सकते हैं व सृजन भी। वाणी से उत्पन्न संघर्षों की कहानियों से इतिहास भरा पड़ा है। वाणी की शक्ति को कभी कम नहीं आंका जाना चाहिए। मधुर वचनों से हम सभी का हृदय जीत सकते हैं। दुश्मन से भी हितकारी वचन बोलकर हम उसे मित्र बना सकते हैं।

शांति के बोल सामने वाले के लिए तो हितकर होते ही हैं, किंतु साथ ही हमें भी बहुत सुकून देते हैं। मन शांत रहने से हमारा स्वास्थ्य भी अच्छा रहता है। जो ज्ञानी पुरुष होते हैं, वे कम से कम शब्दों में अपनी अभिव्यक्ति कर देते हैं। वे जो भी बोलते हैं तथ्यपरक होता है। वह हवा में बात नहीं करते।

अतः शब्दों की अपार शक्ति की तरफ ध्यान देने की आवश्यकता है। आवश्यकता पड़ने पर ही बोलना चाहिए, अनर्गल प्रलाप करने से बचना चाहिए। वाणी अहंकारी न हो, विनयवान होकर बात रखनी चाहिए। ओछे शब्द, द्विअर्थी शब्द, असभ्य अशिष्ट शब्दों के प्रयोग से बचना चाहिए। वाणी सदैव धर्म संयत हो, अधर्म को प्रतिष्ठित करने का प्रयास नहीं करना चाहिए। वाणी चातुर्य से आप सबके प्रिय बन सकते हैं। कम बोल कर आप सबका ध्यान अपनी ओर खींच सकते हैं। सही ही कहा है प्रिय वाणी औषधि का कार्य करती है।

वर्तमान में नेता, अभिनेता, बुद्धिजीवी, साहित्यकार, शिक्षक, सोशल वर्कर्स की महत्ती जिम्मेदारी बनती है कि वे समाज, देश में संयमित,

नियंत्रित, शालीन, सभ्य, मीठी, मधुर व सच्ची वाणी का प्रचार-प्रसार करें। जुमलेबाजी को छोड़कर यथार्थ के धरातल पर सुसंस्कृत वाणी का प्रयोग करें। हाहाकारी बयानों से बचें। लंबी जुबान लक्ष्य तक नहीं पहुंचा सकती वरन् भटका अवश्य सकती है। विवादास्पद बोल, आरोप-प्रत्यारोप आदि को फैशन न बनने दें।

अतः वाणी का सही उपयोग कर हम एक सृजनशील समाज का निर्माण कर सकते हैं, विध्वंस को रोक सकते हैं। हर कोई दूसरों को पैसे आदि से मदद न भी कर सके तो भी कम से कम अच्छे वचन बोल कर उसको राहत तो पहुंचा ही सकते हैं।

वाणी पर कर्फ्यू आज की आवश्यकता है। तो क्यूं न हम अपने व्यक्तित्व का सबसे महत्वपूर्ण आभूषण बनाएं अपनी वाणी को!

बाढ़ ही खा रही खेत

कदाचित शिक्षा ही एक ऐसा क्षेत्र है जिससे समाज सदा सदाचार की ही अपेक्षा करता है। गुरुजी हों, शिष्य हों या विद्या का मंदिर हों, इससे जुडें अन्य सभी व्यक्तियों से नैतिकता की ही उम्मीद रखते हैं। शिक्षा एक पुनीत पवित्र कार्य माना जाता रहा है। नैतिकता का पाठ पढ़ाना शिक्षक का दायित्व व धर्म रहा है। विद्या दान महादान में गिना जाता है। गुरु शिष्य को सहर्ष विद्यादान देकर उसे सुनागरिक बनाते रहे हैं। विद्यार्थी के लिए गुरु सदैव आदर्श रहे हैं। व विद्यार्थी गुरु के ही पदचिन्हों पर चलना चाहता है।

उपर्युक्त सुस्थितियां समाज में तब तक थी, जब तक की शिक्षा का व्यवसायीकरण नहीं हुआ था। आज शिक्षा एक फलते फूलते व्यवसाय में बदल चुकी है जैसे-जैसे शिक्षा का व्यवसायीकरण होता गया, वैसे-वैसे शिक्षा के आयाम बदलते चले गए। आज शिक्षा के मायने पूरी तरह बदल चुके हैं। न तो शिक्षा प्रदान करना पुनीत कार्य माना जा रहा है, न ही वर्तमान आधुनिक शिक्षकों को आदरणीय गुरु की श्रेणी में रखा जा सकता है। न ही शिष्य अपने शिक्षकों को अपना आदर्श मानते हैं। सारा सिनेरियो ही बदल चुका है।

सारे शिक्षक ऐसे नहीं होते हैं, हां! आज भी अधिकांश गुरुजी व शिक्षण संस्थाएं अपने स्तर पर बहुत ईमानदारी व निष्ठा से कार्य कर रहे हैं, वे साधुवाद के पात्र हैं व उनको नमन करते हैं।

लेकिन कहावत है ना कि एक मछली सारे पानी को गंदा करती है। यही बात यहां चरितार्थ हो रही है। मुट्ठी भर शिक्षकों, संस्थाओं एवं

कर्मचारियों के अनैतिक व गैरकानूनी कार्यों के कारण सारा महकमा बदनाम होता है।

आज प्राइमरी स्तर से लेकर विश्वविद्यालय स्तर तक की शिक्षा का चेहरा पूरी तरह बदल चुका है। न तो उसमें पवित्रता की, न नैतिकता की, न समर्पण की सुगंध है, बचा है तो केवल बदरंग, भ्रष्टाचार से लिपा-पुता चेहरा। पूरी व्यवस्था पर ही प्रश्न चिन्ह खड़े हो रहे हैं।

देश के कई मा.शि. बोर्ड पर निष्पक्षता, गोपनीयता पर प्रश्न चिह्न लगते रहे हैं, नंबर बढ़वाने के गोरखधंधे में कई प्रतिभावान विद्यार्थियों की आशा पर कुठाराघात लगता है। मेरिट में आने वाले विद्यार्थियों के मन में भी शंका घर कर जाती है तो कम अंक पाने वाले विद्यार्थियों के मन भी परीक्षा परिणाम के प्रति शंकालु हो जाते हैं। जिस मा.शि. बोर्ड पर लाखों विद्यार्थियों का भविष्य जुड़ा होता है। वो सारा चौपट होता नजर आने लगा है। कैसे इन परीक्षा व्यवस्थाओं पर विश्वास किया जाए? ईमानदार, कर्तव्यनिष्ठ अधिकारियों, कर्मचारियों का मनोबल भी गिर जाता है।

प्राइवेट विद्यालयों में मोटी मोटी फीसें तो ले ही जाती है। साथ ही स्टेशनरी व अन्य सामग्री बेचने का धंधा भी अब चरम पर है। प्रत्येक प्राइवेट विद्यालय अपने स्तर पर पुस्तकें, स्टेशनरी व अन्य सामग्री यथा यूनिफॉर्म, बेग, शूज इत्यादि बेचते हैं। गत वर्षों में विद्यालयों पर स्टेशनरी बेचने पर पाबंदी लगाई गई तो इन्होंने अपनी स्टेशनरी विक्रेता तैयार कर दिए। स्टेशनरी के दलाल अपने घरों पर बड़े-बड़े गोदाम बना कर घरों से ही स्टेशनरी वितरित करते हैं।

विद्यालय व दलाल मिलकर भारी मुनाफा कमाते हैं। बाजार भाव से लगभग दोगुनी कीमत पर स्टेशनरी बिकती है। पब्लिशर, स्टेशनरी विक्रेता (दलाल) व विद्यालय प्रशासन में खासी 'सांठ गांठ' होती है व ये कमीशन की बंदरबांट कर लेते हैं। अभिभावक इस कमीशन

खोरी के धंधे से अनभिज्ञ नहीं है लेकिन मजबूरी में अपना मुंह बंद रखते हैं। इन्हें दोगुनी कीमत पर किताबें, स्टेशनरी व अन्य सामग्री खरीदनी पड़ती है व वे लाचार व बेबस होकर अपनी जेब पर डाका डालने देते हैं।

- मई 2015 के दैनिक भास्कर समाचार पत्र में एक सर्वे के माध्यम से खबर छपी थी कि बढ़ती विद्यालयी फीसें व बढ़ते स्टेशनरी के खर्चों से घबराकर दंपति दो बच्चों के स्थान पर एक ही बच्चा पैदा करने में अपने खेर समझते हैं, जाहिर है वो दो बच्चों के खर्चे उठाने में असमर्थ हैं।
- कई कमजोर विद्यार्थियों को प्राइवेट विद्यालय अपने विद्यालय में प्रथम तो वे प्रवेश ही नहीं देते हैं, यदि प्रवेश मिल भी जाता है तो उसे कक्षा आठ के पूर्व ही टी.सी. काट देते हैं। तर्क यह दिया जाता है कि वे कमजोर विद्यार्थी उनके विद्यालय का बोर्ड परीक्षा परिणाम खराब कर देते हैं। विद्यालय प्रशासन उन बालकों को अनुत्तीर्ण होने के उपरांत भी उसे उत्तीर्ण कर टी.सी. थमा देते हैं। ये कमजोर बच्चों के प्रति अन्याय नहीं तो और क्या है?
- कई शिक्षक दूर दराज के क्षेत्र में कार्य नहीं करना चाहते हैं। यदि उसकी पोस्टिंग, दूर दराज के क्षेत्र में हो जाती है वो वे अपने एवज में गांव के ही किसी पढ़े-लिखे व्यक्ति को लगा देते हैं। विभाग को तो वे धोखा देते ही हैं। विद्यार्थियों के प्रति भी जवाबदेही से मुकरते हैं। वे वेतन पूरा उठा लेते हैं व एवजी शिक्षक को भी कुछ पैसा दे देते हैं। शिक्षक ही ऐसी कारगुजारी करने से गुरेज नहीं करते, यह त्रासदी ही है।
- पी.एस.सी. (पब्लिक सर्विस कमीशन) के प्रतियोगी परीक्षाओं के प्रश्न पत्र तो यदा-कदा लीक होते ही रहते हैं। यह पेपर्स कैसे लीक हो जाते हैं? कोई न कोई तो सूत्रधार होता ही होगा

ना? कई बड़े अधिकारी अपने पुत्र पुत्रियों को पेपर्स उपलब्ध करवाने हेतु अपने पद का दुरुपयोग करते भी देखे गए हैं? पेपर्स लीक होने से लेकर, नकल करने से लेकर साक्षात्कार होने तक गोरखधंधा चलता ही रहता है। अरे कुएं में ही भांग घुली हुई है क्या? निष्पक्ष सिलेक्शन पर तो प्रश्न चिन्ह है ही?

- मा.शि. बोर्ड हो या विश्वविद्यालय, महाविद्यालय की प्रायोगिक परीक्षाओं में भी परीक्षक द्वारा छात्रों से पैसे लेने की बातें सामने आती ही रहती है। ऐसे में प्रतिभावान छात्र एवं सामान्य छात्र को एक ही तुला में तोल लिया जाता है। तो तुला होती है पैसों की। बच्चे कहां न्याय की उम्मीद करें?
- अधिकांश प्राइवेट विद्यालय किसी न किसी कोचिंग इंस्टिट्यूट से टाइअप किए रहते हैं। ऐसे में अभिभावकों पर दोहरी मार मार पड़ती है। विद्यालय की फीस के साथ-साथ कोचिंग इंस्टीट्यूट की फीस भी भरनी पड़ती है। विद्यालयों का कोचिंग क्लासेस की मिली भगत से अभिभावक व बच्चे अपने को ठगा सा महसूस करते हैं।
- विद्यालय, महाविद्यालयों में छात्रों की कम उपस्थिति को पूरी करने हेतु शिक्षक छात्रों से पैसे ले लेते हैं ये सूचनाएं भी छपती रहती है अखबारों में।
- सबसे घृणास्पद तो यह है कि जिन अध्यापकों के भरोसे अभिभावक अपनी बच्चियों को विद्यालय भेजते हैं वे ही उनकी इज्जत लूटने में संकोच नहीं करते? जिन्हें हम रक्षक समझते थे वही भक्षक बन बैठे। हालांकि बहुत कम प्रतिशत शिक्षक होते हैं ऐसे। शेष शिक्षक अपनी नैतिकता के दायरे में रहकर ही अपने कर्तव्यों का पालन करते हैं।
- महाविद्यालयों, विश्वविद्यालयों में भी भ्रष्टाचार अपनी जड़ें मजबूत कर चुका है। यहां भी पेपर लीक होना, नंबर बढ़वाना, नकल करवाना आम बातें हो चुकी है।

- पी.एच.डी. की प्रवेश परीक्षा में भी कई बार अपने चहेतों को मनमाने अंक देकर प्रवेश दिलवा दिया जाता है। जबकि योग्य अभ्यर्थी प्रवेश से वंचित रह जाता है। ऐसे कई उदाहरण हमारे समक्ष आते ही रहते हैं।
- पी.एच.डी. मार्गदर्शकों द्वारा शोधार्थियों से बेगार करवाने की खबरें सुर्खियां होती है, शोधार्थी दबी जुबान में अपनी व्यथा व्यक्त भी करते रहे हैं। लेकिन हद तो जब हो जाती है जब कुछ पी.एच.डी. गाइड की ही महिला शोधार्थियों का यौन शोषण करने लगते हैं। लेकिन संतोष की बात यह है कि अब महिला अभ्यर्थी अपने शोषण के खिलाफ आवाज उठाने लगी है।

सोचने वाली बात है कि जब बाड़ ही खेत को खाने लगे तो क्या करें कोई? बदलते सामाजिक सोच को धन्यवाद देना होगा कि कम प्रतिशत में ही सही, लेकिन विरोध के स्वर बुलंद होने लगे हैं। छात्र/छात्राएं/अभिभावक पुरजोर तरीके से शोषण के खिलाफ एकजुट हो गए हैं। ये सभी बधाई के पात्र हैं।

जयपुर में अभिभावकों ने प्राइवेट विद्यालयों में जबरन पुस्तकें खरीदवाने, स्टेशनरी बेचने आदि के खिलाफ धरना दिया था, जो शुभ संकेत है। प्राइवेट विद्यालयों को अब अपनी स्टेशनरी की दुकानों व अन्य गोरखधंधा को समय रहते बंद कर देना चाहिए, अन्यथा यह विरोध के स्वर आंदोलन का रूप धारण कर ने में देर नहीं करेंगे।

- शिक्षा को गढ़ने का दायित्व शिक्षक प्रशिक्षण महाविद्यालयों/विद्यालयों का होता है। पिछले वर्षों में कुकुरमुत्तों की तरह बी.एड. कॉलेज खुल गए हैं। निर्धारित फीस तो वे वसूलते हैं। लेकिन इन सबके साथ यूनिफार्म, स्टेशनरी, बैग आदि भी महाविद्यालय ही प्रोवाइड करवाता है। गरीब छात्राध्यापकों

को महाविद्यालय से ही सामग्री खरीदनी अनिवार्य है। क्यों? इसका कोई संतोषप्रद उत्तर प्रशासन के पास नहीं होता। यह गोरखधंधा उन्हें कमाई जो देता है। वर्तमान में कॉलेजों में कमोबेश 2 महीने ही छात्राध्यापक महाविद्यालय में उपस्थिति देता है। पाठ्यक्रम की खानापूर्ति कर वह घर लौट जाता है। क्या लेवल-2 माह की उपस्थिति से वह एक कुशल शिक्षक बन पाता है? क्यों वह शिक्षण की बारीकियों को समझ पाता है? उत्तर 'ना' में ही होगा। ऐसे तैयार किए गए शिक्षक जब विद्यालयों में जाते हैं उनसे किसी करिश्मे की उम्मीद करना बेमानी ही होगा।

- सच तो यह है कि सारी व्यवस्थाओं में, मानसिक सोच में, कार्यप्रणाली में आमूलचूल परिवर्तन की दरकार है। 'चलता है' की सोच छोड़नी होगी व खुलकर विरोध दर्ज करवाना होगा। हम शपथ लें ले कि न तो हम कोई गैर कानूनी कार्य करेंगे न ही दूसरों को इसकी इजाजत देंगे। यदि हम ईमानदारी से इस शपथ को निभाएं तो देखिएगा कोई भी बाढ़ खेत को खाने का दुस्साहस नहीं कर पाएगी।

ड्रग्स का मक्कड़जाल

21वीं सदी में भारत में खूब विकास हुआ, तो कई सामाजिक बुराइयां भी पनपी है। इनमें से एक है- नशीली दवाओं का सेवन। नशीली दवाओं का सेवन पूर्व में भी होता रहा है किंतु बहुत कम। आधुनिक युग में समस्त वर्ग, वय के लोगों में इसका सेवन व्यापक स्तर पर हो रहा है। उच्चवर्गीय संपन्न समाज में इसको मौन स्वीकृति व मान्यता भी मिल रही है।

वस्तुतः व्यसनी होना मनुष्य की विकृत मानसिकता का परिचायक है। जाहिर है कि ड्रग्स लेने वाला व्यक्ति धार्मिक, सदाचारी व नैतिकतावादी नहीं हो सकता।

सर्वज्ञात है कि ड्रग्स का सेवन व्यक्तिगत रूप से शारीरिक व मानसिक क्षति पहुंचाता है। सभ्य समाज में प्रतिष्ठा धूमिल होती है सो अलग। समय-समय पर ज्ञात होता है कि नशे के कारण दुर्घटनाएं, बलात्कार, यौन शोषण, व्यभिचार आदि अपराध घटित होते हैं। गरीब तबके के लोगों द्वारा नशा करना पारिवारिक, आर्थिक बर्बादी करने वाला साबित होता है।

ड्रग्स पूर्व में व्यक्ति को मानसिक रूप से आनंद देने वाला प्रतीत होता है, लेकिन बाद में ये ड्रग्स व्यक्ति को अपने नियंत्रण में ले लेता है। व्यक्ति अपना मानसिक संतुलन खो बैठता है, बेभान हो जाता है। व्यक्ति ड्रग्स के इस मक्कड़जाल में बुरी तरह फंस जाता है। वह चाह कर भी इस चंगुल से सरलता से बच नहीं सकता। बड़ी दयनीय एवं शोचनीय अवस्था का शिकार बन बैठता है।

नशेड़ियों का अंत भी अत्यंत दयनीय, पीड़ादायक होता है। नशा हमेशा से निंदनीय, अकरणीय, असामाजिक कार्य माना गया है।

भारत में व विश्व के अन्य देशों में नशीली दवाओं के सेवन व इनका व्यापार करना प्रतिबंधित है, अपराध है व कठोर कानून के तहत दंड का भी प्रावधान है। किंतु यह कटु सत्य है कि भारत में कठोर कानून बनाने, कड़ी सजा का प्रावधान व रोकथाम के लिए विभिन्न सरकारी व ऑटोनोमस एजेंसियां होने के बावजूद भी ड्रग्स का सेवन, ड्रग्स की तस्करी, व्यापार खुल्लम-खुल्ला व धड़ल्ले से चल रहा है। प्रतिवर्ष कई लाख व्यक्ति भांग का, ड्रग्स का, चरस, अफीम आदि नशीली दवाओं का सेवन करते हैं, पकड़े भी जाते हैं किंतु कितनों को सजा मिल पाती है?

नशीली दवाओं का सेवन करने वाले व्यक्तियों के मुकाबले रोकथाम व सजा देने वाली सरकारी व गैर-सरकारी एजेंसियां एवं व्यवस्थाएं नाकाफी है।

देश में ड्रग्स सेवन जैसे क्रूज ड्रग्स केस के मुद्दे सुर्खियों में छाए रहते हैं। देश के रईसों की संतानों के ड्रग्स सेवन की घटनाओं को लेकर देश के टीवी के समाचार चैनलों में खूब चर्चा रही, गरमागरम बहस भी परोसी गई। हम सब जानते हैं कि ऐसे केस का क्या परिणाम निकलेगा। देश में इतने बड़े कानून होने के बाद भी कोई ठोस कार्यवाही नहीं हो पाती, क्योंकि कई राजनीतिक पार्टियां इनको बचाने के लिए एड़ी-चोटी का जोर लगा देती है।

दु:खद है कि इतने संवेदनशील मुद्दे को लेकर भी राजनीतिक पार्टियां रोटियां सेकने से बाज नहीं आती। परिणामत: केवल रईसजादे ही नहीं वरन् हर वर्ग, हर आयु के व्यक्ति ड्रग्स सेवन कर रहे हैं, वो भी बिना किसी भय व रोक-टोक के।

युवा वर्ग ड्रग्स के रास्ते कभी जाएं ही नहीं इसके लिए अभिभावकों को सतर्क रहने की आवश्यकता है। अभिभावक बालकों की परवरिश अच्छी तरह करें। उन्हें बचपन से सुश्रावक बनने पर जोर दें। अच्छे संस्कारों का निर्माण करें। अभिभावक स्वयं भी नशा मुक्त जीवन जीएं। बालकों को पर्याप्त समय दें, उनके साथ दोस्ताना व्यवहार करें। उनके साथ खेलें ताकि बच्चा अभिभावकों के साथ खुल सके एवं समस्या होने पर निःसंकोच अपनी बात कह सके। समय-समय पर बालक को अच्छे-बुरे की पहचान कराते रहें। साथ ही बालक के क्रियाकलापों पर, मित्र मंडली पर भी निगाह रखें। घर का वातावरण स्वस्थ, गरिमामय एवं धर्ममय बनाएं।

बालक, युवा स्वयं अपने स्तर पर भी सतर्क रहें कि वो स्वयं कभी ड्रग्स सेवन न करें। अपने ऊपर विश्वास बनाए रखें। सत्संग करें एवं खराब मित्र मंडली से दूरी बनाकर रहें। सबसे अहम भूमिका स्वयं युवा को ही निभानी होगी कि वे हर हाल, हर परिस्थिति में नशे को 'ना' कहें। आत्मविश्वास, साहस, दृढ़निश्चय रखकर युवा इस दलदल में न फंसे।

समाज को भी इसमें अहम भूमिका निभानी होगी। सामाजिक संगठन नशामुक्त समाज बनाने के लिए बीड़ा उठाएं, मुहिम चलाएं, जन-आंदोलन करें। जन-जागरण करने में समाज की महती भूमिका सदैव रही है। नशे में फंसे हुए व्यक्ति की तरफ मदद के हाथ बढ़ाएं, उसे तिरस्कृत न करें। उससे घृणा न करें वरन् उसे अपनाकर नशामुक्त बनने हेतु प्रेरित करें। हर संभव मेडिकल सहायता एवं मानसिक संबल दें। आर्थिक सहायता की आवश्यकता हो तो वह भी प्रदान करें। समाज नकारात्मकता को त्याग कर उसके प्रति सकारात्मक दृष्टिकोण अपनाएं।

राष्ट्रीय स्तर पर नशा निवारण हेतु सरकारें अनेक प्रयास करती है। रिहैबिलेशन सेंटर्स, काउंसलिंग आदि पर राष्ट्र में कार्य हो रहे हैं, किंतु ये पर्याप्त नहीं हैं। इस मुहिम को गति देने की आवश्यकता है।

युवा, अभिभावक, समाज व राष्ट्र सब मिलकर नशामुक्ति के लिए कटिबद्ध हो जाएं तो इस देश से ड्रेस का नशा काफूर होने में देर नहीं लगेगी।

शिक्षक आचरण : संदेह के घेरे में

एक राज्य के माध्यमिक शिक्षा बोर्ड के सीनियर सेकेंडरी के परीक्षा परिणाम घोषित किए गए। परीक्षा परिणाम चौंकाने वाले थे। जहां छात्रों के सत्रांक व विज्ञान की प्रायोगिक परीक्षाओं में 90% से 100% अंक प्राप्त हुए, वहीं उन्हीं विद्यार्थियों के सैद्धांतिक परीक्षा में 1% व 2% अंक प्राप्त हुए। ये परिणाम सत्रांक व प्रायोगिक परीक्षाओं में हुई धांधली की ओर इंगित करते हैं। विद्यालय प्रशासन, अध्यापकों, प्रैक्टिकल एग्जामिनर की मिलीभगत के बिना यह संभव नहीं हो सकता।

क्या मैसेज दिया अध्यापकों ने विद्यार्थियों को? केवल नकारात्मक ही ना? क्या क्या कारगुजारियां करते हैं शिक्षक, क्या-क्या पैंतरे नहीं अपनाते? कितनी शक्ति का व्यय हुआ इस गैर नैतिक कार्य में? यदि यही शक्ति शिक्षकों ने कक्षा कक्ष में पढ़ाई करवाने में लगाई होती, विद्यार्थियों से मेहनत करवाने में लगाई होती तो परिणाम सकारात्मक होते ना?

वस्तुतः किसी भी छात्र के व्यक्तित्व निर्माण एवं सर्वांगीण विकास में शिक्षक महत्वपूर्ण भूमिका निभाते हैं। माता-पिता के पश्चात गुरु ही छात्र को गढ़ते हैं, संवारते हैं, शिक्षित करते हैं वह सही दिशा में आगे बढ़ने हेतु प्रेरित करते हैं।

ज्ञानियों की दृष्टि में कुछ लोग विद्या में, तो कुछ मनुष्य आचरण में श्रेष्ठ होते हैं, किंतु विशिष्ट व्यक्ति वो है जो इन दोनों में ही उत्तम व श्रेष्ठ हो।

अर्थात गुरु वो हो जो विद्या में अपना सर्वोच्च स्थान प्राप्त करें किंतु आचरण में भी वो अनुकरणीय हो। क्योंकि किसी भी छात्र पर गुरु का प्रभाव बहुत पड़ता है। गुरु मित्र, मात, सगा, तात, भूप, भ्रात, रवि, चंद्र, पति, इंद्रदेव है जो शिष्य के प्रति सदैव हितकारी ही होते हैं, उपकारी होते हैं व ज्ञान देने के साथ-साथ आनंद भी देते हैं।

निश्चित रूप से शिक्षक का उत्तरदायित्व निभाना चुनौती भरा होता है। वर्तमान में अधिकांश शिक्षक अपना दायित्व कुशलतापूर्वक एवं ईमानदारी से वहन करते हैं। विद्यार्थियों में संस्कार निर्माण के लिए प्रयत्नशील होते हैं। वे सच में साधुवाद के पात्र हैं, उन्हें हमारा नमन।

दुर्भाग्य से हमारे देश में कुछ प्रतिशत शिक्षकों का ऐसा भी है जो अपनी मर्यादा लांघ चुके हैं, कर्तव्यों को भूल चुके हैं, संदिग्ध गतिविधियों एवं अपराधिक क्रियाकलाप में लिप्त हैं। खेद का विषय है कि शिक्षा जैसे पुनीत कार्य में भ्रष्टाचार ने सेंध मार ही दी है। ये शिक्षक विद्यार्थियों के भविष्य से खिलवाड़ कर रहे हैं। वास्तव में ये शिक्षक समाज को कलंकित करते हैं, बदनाम करते हैं।

ऐसे शिक्षक जो शिक्षक के नाम पर धब्बा है, प्राथमिक विद्यालय से लेकर यूनिवर्सिटी तक मिल जाते हैं। समाज के साथ, देश के साथ, माता-पिता के साथ, विद्यार्थियों के साथ, छल करते हैं, उन्हें धोखा देते हैं, गुमराह करते हैं। गलत गतिविधियां संचालित करते इन कतिपय शिक्षकों को जरा भी शर्म नहीं आती, हिचक नहीं होती।

ऐसे संस्कार विहीन, मानवीय मूल्यों से शून्य शिक्षक कैसी-कैसी गतिविधियों से लिप्त रहकर शिक्षक आचार संहिता की धज्जियां उड़ा रहे हैं, आइए देखते हैं-

- कक्षा कक्ष में जाकर पढ़ाना इनको अच्छा नहीं लगता ये बालकों को कोचिंग इंस्टीट्यूट्स में जाने को प्रेरित करते हैं क्योंकि वहां से इन्हें अच्छा पैसा मिलता है।

- ये शिक्षक विद्यालय, महाविद्यालय के ऑफिशियल आवर्स में ही सब्जी लाना, बैंक जाना, रिश्तेदारों से मिलना जैसे कार्य करते हैं।
- ये शिक्षक कभी भी अपना पाठ्यक्रम पूर्ण नहीं करवाते। विद्यार्थियों को पासबुक्स के भरोसे छोड़ देते हैं।
- परीक्षा में सामूहिक नकल करने के समाचार छपते ही रहते हैं। प्रशासन की देखरेख में बकायदा प्रश्न पत्र हल करवाए जाते हैं।
- कई सामूहिक नकल करवाने के प्रकरण प्रस्तुत होते रहते हैं जिसमें प्रशासन की खासी भूमिका रहती है।
- विद्यालय हो या महाविद्यालय प्रैक्टिकल परीक्षाओं में छात्रों से पैसे इकट्ठे कर एग्जामिनर को भेंट देना आम प्रैक्टिस है। एग्जामिनर तब ही अच्छे अंक देता है जब उसे वांछित रकम प्राप्त हो जाती है।
- बोर्ड की कॉपियां जांचने का मामला हो या महाविद्यालय की, यहां भी तो धांधली चलती है। प्राइवेट विद्यालय तो पता कर ही लेते हैं कि उनके विद्यालय की कॉपियां किस परीक्षक के पास गई हैं तो वहां पहुंच जाते हैं मोटी रकम लेकर, छात्रों को मेरिट तक दिलवा देते हैं। ऐसे कई मामले उजागर हो चुके हैं, मेरिट लिस्ट तक संदेह के घेरे में रहती है।
- कई पेपर आउट करने के मामले भी उजागर होते हैं। बोर्ड में हो या विश्वविद्यालयों में, पेपर आउट करवाने की पूरी मशीनरी कार्य करती है। इसमें प्रोफेसर्स, पेपर सेंटर्स, कोचिंग इंस्टिट्यूट, पब्लिशर्स, छात्र नेता एवं परीक्षा विभाग जैसे गोपनीय विभाग के अधिकारी तक संलग्न पाए जाते हैं। सुखद यह है कि मामले सामने आते ही कार्यवाही की जाती है।
- विश्वविद्यालयों, महाविद्यालयों में पीएचडी गाइड शोधार्थी का कैसे-कैसे शोषण करते हैं यह किसी से छिपा नहीं है। घरेलू कार्य से लेकर यौन शोषण तक।

- कभी-कभी तो पीएचडी करने वाले को अपने शोध का टॉपिक तक पता नहीं होता। कट एंड पेस्ट की प्रक्रिया चलती है, बाजार में पीएचडी की थीसिस लिखने वाले मिल जाते हैं। ये कैसी शोधे हैं?
- विश्वविद्यालय के डीन, प्रोफेसर भी छात्राओं के यौन शोषण करते देखे गए हैं। यदि कोई साहसी छात्रा शिकायत दर्ज भी करवाती है तो कॉलेज प्रशासन जांच कमेटी बनाकर अपनी जिम्मेदारी से मुक्त हो जाती है। जांच कमेटी द्वारा प्रस्तुत रिपोर्ट में प्रायः ये डीन व प्रोफ़ेसर को क्लीन चिट मिल जाती है। ऐसे में अपराधियों के हौसले और भी बुलंद होते चले जाते हैं।
- प्राइवेट विद्यालय तो दुकानों में ही तब्दील हो गए हैं ऐसा कहे तो कोई अतिशयोक्ति नहीं होगी। यह शिक्षक वेशभूषा, स्टेशनरी, जूते, बैग सभी दुगुने तिगने दामों में धड़ल्ले से बेचते हैं। मनमानी मोटी फीसें वसूल कर ये शिक्षक अपनी जेबें भर रहे हैं।
- परीक्षा कक्ष में मुन्ना भाइयों की भी कमी नहीं है। कई प्रतियोगी परीक्षाओं में कैंडिडेट की जगह कोई अन्य परीक्षा देने चला जाता है। कई सुपरवाइजर इन्हें पकड़ते हैं तो कुछ अनदेखा कर देते हैं।
- विद्यालयों में नाबालिग छात्राओं का यौन शोषण भी शिक्षक द्वारा किया जा रहा है। सरकारों द्वारा विद्यालयों में महिला प्रकोष्ठ की स्थापना कर इस समस्या पर काबू पाने के प्रयास किए जा रहे हैं।
- कई विद्यालयों में शिक्षक अपने स्थान पर एवजी शिक्षक लगा देता है, जाहिर है ये विद्यालय प्रशासन की मिलीभगत के बिना संभव नहीं होता। शिक्षक अपने निजी व्यवसाय को चलाने में व्यस्त रहता है।

- निजी विद्यालयों में छात्र-छात्राओं के एडमिशन में स्कूल प्रबंधकों द्वारा सरकार को खासी चपत लगाई जा रही है।

प्रश्न यह है कि ऐसे अपराधिक प्रवृत्ति वाले शिक्षकों की खेप कहां तैयार होती है? यह शोध का विषय है एवं तुरंत प्रभाव से इस पर अंकुश लगाया जाना अपेक्षित है।

- घर बैठे डिग्री प्राप्त करने का गोरख धंधा खूब फल-फूल रहा है। ऐसे डिग्रीधारी शिक्षकों से क्या अपेक्षा की जा सकती है? ये शिक्षक समाज को संस्कार विहीन ही बना सकते हैं जो स्वयं संस्कारवान नहीं, नैतिकता वादी नहीं, उससे ऐसी संस्कारों का विद्यार्थियों में रोपने की आशा करना बेमानी है।
- इन सब धांधलियों में सबसे ज्यादा पिसता वो विद्यार्थी है जो वास्तव में मेहनत करता है, प्रतिभाशाली है, सिंसियर है। कुछ असामाजिक तत्वों के कारण इन छात्रों का भविष्य भी मंझदार में झूलता नजर आता है। वर्ष पर्यंत यह छात्र मेहनत करते हैं। जब पेपर आउट हो जाता है तो वो पेपर पोस्टपोंड कर दिए जाते हैं। आगे की प्रतियोगी परीक्षाओं के लिए जो विद्यार्थी तैयारी कर रहे होते हैं उनका सारा टाइम टेबल गड़बड़ा जाता है। कितने तनाव से गुजरते होंगे ये विद्यार्थी?

क्या इन शिक्षकों को अपने कर्तव्यों का, मर्यादाओं का जरा भी ध्यान नहीं है? परीक्षा जैसे गोपनीय विषय भी गोपनीय न रहे, गोपनीय शाखा के प्रभारी भी पेपर आउट करने में संलग्न पाए गए। सारे कुएं में ही भांग घुल गई है क्या? इनको गुरु कहने में भी संकोच होता है शर्म आती है।

कहां गए वो समर्पित शिक्षक? वो आज्ञाकारी शिष्य? वो गुरु व विद्यार्थी का विश्वास का रिश्ता? वह मधुर रिश्ता? वह मार्गदर्शक व अनुयाई का रिश्ता?

वर्तमान गूगल युग में वास्तव में गुरु शिष्य के सारे समीकरण बदल चुके हैं। वो सब बीते समय की बातें हैं। आजकल तो सब चलता है का जमाना आ गया है। नैतिकता, मर्यादाएं कब धूल में मिल गई पता ही नहीं चला। किंतु अपवाद सब जगह होते हैं आज भी कुछ प्रतिशत शिक्षक सच्चे गुरु के रूप में अपना दायित्व का निर्वहन कर रहे हैं। अब इन गुरुजनों के कंधों पर ही यह भार है कि वह गुरु की महिमा को पुनः स्थापित करें।

गुरु से समाज ने सदैव ही नैतिकता की, मानवीय मूल्यों की, जीवन मूल्यों की, संस्कार निर्माण की स्थापना करने की अपेक्षा की है। समाज को सही दिशा देने का गुरुतर दायित्व भी शिक्षक पर ही होता है। ये गुरुतर दायित्व निभाना ही होगा सद्‌गुरु जी को। वे आगे आएं, अपराधिक प्रवृत्ति वाले शिक्षकों का सामाजिक बहिष्कार करें। शिक्षकों की ऐसी बीमार पौध को उखाड़ फेंके व नई सोच के साथ नई पौध को तैयार करें जो समाज को पुनः संस्कारवान पीढ़ी दे सकें, समाज को सही दिशा दे सकें।

यदि सद्‌गुरुजनों को अपराधिक प्रवृत्ति वाले शिक्षकों में सुधार की गुंजाइश दिखे तो उन्हें भी सुधरने का एक अवसर अवश्य दें, इतने उदारमना तो हो ही सकते हैं। केंद्र सरकार, राज्य सरकार शिक्षकों, विद्‌यार्थियों, विद्‌यालय, महाविद्‌यालय प्रशासन पर दृढ़ इच्छाशक्ति से लगाम कसे। शिक्षा की नींव से लेकर शिखर पर पुनरावलोकन की आवश्यकता है। आइए नई पौध को तैयार करने के लिए बीज को रोपित करें।

अनित्य भावना

इस पृथ्वी पर जिस जीव ने जन्म लिया है, उसकी मृत्यु निश्चित है, इस तथ्य से मनुष्य अनभिज्ञ नहीं है। जैसा आज है वैसा कल नहीं होगा। परिवर्तन इस सृष्टि का नियम है। धन वैभव, सगे संबंधी, रिश्ते-नाते, सुख-दुख, यौवन, शरीर सतत् परिवर्तनशील है। अनित्य है, अस्थिर व क्षण भंगुर हैं। मानव सब कुछ जानते हुए भी इस तथ्य से आंखें मूंदे रहता है। सारे संसार को स्थिर मानकर इस जाल में फंसा रहता है, दु:खी सुखी होता रहता है व मोह में पड़कर कर्मबंध करता चला जाता है। फिर वह जन्म मरण के चक्र से बाहर नहीं आ पाता है।

महापुरुषों ने मानव को चेताया है कि यदि कोई पदार्थ नित्य है तो वो केवल आत्मा है। इसलिए शरीर की व इससे संबंधित समस्त भौतिक पदार्थों एवं रिश्ते नातों को अनित्य जानो। अनित्य भावना का सतत् चिंतन करना श्रेयस्कर है।

ज्ञानियों ने संदेश दिया कि संसार का प्रत्येक सुख नश्वर है, समस्त भौतिक सुखों का अंत निश्चित है। माता-पिता, पुत्र पुत्री नाते रिश्ते, घर, वैभव, मानव शरीर सभी नाशवान है। जब यह शरीर ही अनित्य है तो इससे संबंधित प्रत्येक पदार्थ नित्य कैसे हो सकता है? अतः अनित्य भावना को सदैव पल्लवित एवं पोषित करते रहना चाहिए।

संसार के पदार्थों की और जीवन की अनित्यता, क्षणभंगुरता, नष्टशीलता का चिंतन मनन करना अनित्य भावना है। जगत के समस्त जीव-जानवर, पशु पक्षी, कीट पतंगे, मनुष्य, भौतिक पदार्थ, मकान, दुकान, महल, झोंपड़ी, कुंआ, तालाब, हीरे-मोती, स्वर्ण, रजत

आदि समस्त परिवर्तनशील, क्षणिक एवं और अशाश्वत हैं। फिर भी अज्ञानी मनुष्य इन पदार्थों को शाश्वत एवं नित्य मान बैठता है। अपने शरीर को शाश्वत मानकर उसे सुंदर बनाने के कई प्रयत्न करता है। मूढ़ मनुष्य इस शरीर पर मुग्ध हो इठलाता है। वह इस तथ्य पर विचार ही नहीं करता कि जिस देह को मैं इतना पोषित करता हूं। सजाता हूं वह किसी भी क्षण नष्ट हो जाएगी। वह यह भूल जाता है कि यह शरीर अशुचि, व्याधियों एवं रोगों का भंडार है। जिस देह को हम आभूषणों से सुसज्जित करते हैं उसका वास्तविक रूप कितना मैला व कुरूप है। भरत चक्रवर्ती को अपने देह का दर्पण में वास्तविक प्रतिबिंब देखकर उनका आत्म विवेक जागृत हो उठा। पुद्गल पदार्थ, विनाश शील है, यह शरीर मेरा नहीं, यह प्रीति फिर किसलिए? जब तक विवेक जागृत है देह में शक्ति है तब तक इन नाशवान पदार्थों पर से अपना स्वामित्व त्याग दें। केवल आत्मा ही शाश्वत सत्य है अतः इसकी खोज में लग जा। भरत चक्रवर्ती की विचार तरंगों ने अनित्य भावना का रूप लिया व उनको वहीं केवल ज्ञान प्राप्त हो गया।

यह शरीर अनित्य है। शरीर का प्रतिक्षण विनाश हो रहा है। समुद्र में लहरें क्षण-क्षण में ऊपर उठती है व पुनः सागर में समा जाती है वैसे ही मानव का आयुष्य प्रतिक्षण क्षीण हो रहा है। इसलिए इसे अविचि मरण कहा गया है। जैसे कच्चे धागे के साथ तलवार बंधी रहती है उसी प्रकार हमारा आयुष्य बंधा रहता है किसी भी क्षण यह क्षय हो सकता है अतः ज्ञानी पुरुष कहते हैं कि हे चेतन! कर्मो के कारण जीव का शरीर के साथ संयोग जुड़ा हुआ है। समस्त कर्मों के खपाने पर जीव सदा शरीर से मुक्त हो जाता है। अतः आयुष्य पूर्ण हो जाए उसका अंत आ जाए उसके पूर्व चेतो। समस्त कषायों, पापों, कुसंस्कारों, कर्मों का क्षय कर लो। फिर सदा के लिए आत्मिक सुखों में रमण कर सकें एवं मोक्ष को प्राप्त कर सकें।

भगवान ने फरमाया कि मनुष्य भव अत्यंत दुर्लभ है अतः इस भव में देह का मोह छोड़ दो, इससे राग मोह को त्याग दो, क्योंकि यह देह अनित्य क्षण भंगुर है। केवल मनुष्य भव में ही हम इस विवेक के साथ आत्मा का कल्याण कर सकते हैं। अतः अनित्य भावना सदैव मानस पटल पर रह कर हमें सचेत, सचेष्ट कर चेतावनी देती है कि पल भर भी इस विनाशकारी शरीर का मोह मत कर व सर्वशक्तिशाली, नित्य शाश्वत आत्मा की साधना कर मोक्ष को प्राप्त करो।

आ, अब लौट चलें

ये किस मोड़ पर आ गए हम? पर्यावरण व प्राकृतिक संसाधनों का क्रूर दोहन करते-करते? जून 2013 में प्रकृति ने फिर अपना कोप दिखाया। हिमाचल प्रदेश, उत्तरांचल आदि प्रदेशों में समय से पूर्व बरसी बारिश ने कहर ढ़ा दिया। तेज बारिश ने बाढ़ का रौद्र रूप धारण कर लिया। क्या चट्टाने, क्या इमारते, क्या सड़कें सबको रौंदती हुई बाढ़ ने सब कुछ तहस-नहस कर दिया। कई इमारतें ताश के पत्तों की तरह भरभराकर जल में समा गई। केदारनाथ तीर्थ व आसपास का पूरा इलाका तबाह हो गया। महाभारत काल के केदारनाथ तीर्थ मंदिर को भी क्षति पहुंची। भारी जानमाल का नुकसान हुआ, हजारों करोड़ रुपए बर्बाद हो गए।

कौन जिम्मेदार है इन विकट परिस्थितियों एवं भयावह विनाश का? कौन जिम्मेदारी लेगा इतने व्यापक जानमाल के क्षति की?

केवल यह कह कर पल्ला नहीं झाड़ा जा सकता कि यह एक प्राकृतिक विभीषिका थी। प्राकृतिक आपदा थी। नहीं, इस विनाश के हम ही उत्तरदायी हैं।

हमने ही प्राकृतिक संसाधनों का अंधाधुंध दोहन कर पर्यावरण को असंतुलित कर दिया है। इसी के परिणाम स्वरुप जलवायु परिवर्तन, ऋतु परिवर्तन, तापमान में परिवर्तन हुआ है। सुनामी, बाढ़, तूफान, भूकंप, समयपूर्व बारिश सब इसी की देन है। हमने विकास के नाम पर प्रकृति के साथ छेड़छाड़ कर विनाश को आमंत्रित कर लिया है।

हमारी असीमित इच्छाओं, आकांक्षाओं एवं लालसाओं की पूर्ति में इतने मगन हो गए कि हम ध्यान चूक गए कि हमारे प्राकृतिक संसाधन सीमित हैं। विकास के नाम पर हम पर्यावरण की बलि चढ़ाते गए। असीमित उपभोग संस्कृति ने पर्यावरण को प्रदूषित कर दिया।

बढ़ती जनसंख्या और अंधाधुंध उपयोग संस्कृति के परिणाम स्वरुप प्राकृतिक संसाधनों की कमी होने लगी है। वैज्ञानिकों ने चेताया है कि भविष्य में हमारे बच्चों के लिए पैसे तो खूब होंगे, मगर शुद्ध हवा, पानी, आहार, इंधन आदि के लाले पड़ जाएंगे।

भारत ने गत दशकों में विस्मयकारी, चमत्कारी विकास किया है। अनंत भौतिक सुख सुविधाओं का अंबार लग गया है। औद्योगिक विकास, तकनीकी विकास एवं दूरसंचार क्रांति ने तो मानव जीवन ही बदल कर रख दिया है।

मानव ने इतना विकास इसलिए किया था ना कि मनुष्य सुखी हो? मनुष्य के मन में शांति हो? वह अपना जीवन सुख व शांति से गुजर बसर कर सके? लेकिन यह सुख व चैन विकास की आंधी में कहीं खो गया है। विकास की अनियंत्रित बाढ़ उसे अपने साथ ही बहा ले गई। हां! विकास ने एक अवांछित तोहफा अवश्य दिया है वो है अनवरत तनाव का। जी हां, आज का युवा इस युग में तनाव के साथ जीने को बाध्य है। तनावपूर्ण जीवन जीने का आदी हो गया है।

जो विकास पर्यावरण संतुलन पर चोट कर किया जाएगा, वह निश्चित रूप से मनुष्य को विनाश की ओर ही धकेलेगा। कब तक हम प्रकृति के साथ मनमाना कर सकते हैं। प्रकृति भी अपना न्याय करती आई है। हजार बार मनुष्य प्रकृति पर चोट करता है तो प्रकृति भी पलट कर एक गहरी चोट करती है जिससे उबर पाना मनुष्य के लिए अत्यंत दुष्कर होता है। सौ बार सुनार की, तो एक बार लुहार की।

भूकंप, सुनामी, बाढ़, आंधी, तूफान के रूप में प्रकृति अपना न्याय करती आई है।

विकास हो अवश्य, किंतु पर्यावरण को अक्षुण्ण बनाए रखते हुए। अंधाधुन अनावश्यक विकास पर अंकुश लगना चाहिए। इसके लिए मानव को अपने संसाधनों के उपयोग उपभोग को सीमित करना होगा। अपनी इच्छाओं, आकांक्षाओं की सीमा बांधनी ही होगी। अपनी आदतें सुधार नी ही होंगी। कुछ छोड़ने व त्यागने के दृष्टिकोण को विकसित करना होगा, व्रतों में विश्वास करना होगा।

वस्तुतः विकास ने गलत दिशा पकड़ ली है। परिणामत: पर्यावरणीय असंतुलन एवं प्रदूषण का दानव तांडव कर रहा है। इसे रोकना समीचीन है। वापस लौटना अवश्यंभावी हो गया है। अपने बुनियादी सत्यों की ओर। यदि हम आज पुनः नहीं लौटे, वापसी नहीं की तो यह पर्यावरण का जहरीलापन हमारे बर्दाश्त के बाहर हो जाएगा। मनुष्य का अस्तित्व ही खतरे में पड़ जाएगा। अतः समय की मांग है कि हम अब भी संभल जाए लौट चलें, प्राकृतिक संसाधनों एवं पर्यावरण के दोहन पर पूर्ण विराम लगाएं।

आइए, अब लौट चलें। पर्यावरणविदों के सिद्धांतों की ओर। वैज्ञानिकों ने तो समय रहते चेता दिया था कि मनुष्य इस जीवन दायिनी प्रकृति के साथ किसी प्रकार की छेड़खानी न करें, अन्यथा इसके घातक परिणाम उसे भुगतने होंगे। प्रभु ने पर्यावरण संतुलन एवं संरक्षण के अनेक सूत्र दिए, जो मानव के लिए आज भी कल्याणकारी है।

अधिकांश धर्मों का अहिंसा मूल सिद्धांत है। अहिंसा के समस्त जगत के प्राणी मात्र की रक्षा निहित है। अहिंसा के साथ-साथ अपरिग्रह का सिद्धांत भी पर्यावरण व प्राकृतिक संसाधन के संरक्षण का संदेश देता है। अपरिग्रह असीम उपयोग पर ब्रेक लगाता है। जियो और जीने दो का सिद्धांत स्वत: ही पर्यावरण संकट व असंतुलन को रोकते हैं।

वस्तुतः देखा जाए तो धर्म के मूलसूत्र पर्यावरण सुरक्षा की वकालात करते हैं। प्रभु ने स्पष्ट किया कि जगत के जल, वायु, पृथ्वी, अग्नि एवं वनस्पति में भी जीव है, प्राण है। यही मिलकर पर्यावरण बनाते हैं। इनकी सुरक्षा रक्षा व बचाव ही धर्म का मूल आधार है। कोई भी धर्मावलंबी ना किसी जीव की हिंसा करता है, न कराता है और न ही करते हुए का अनुमोदन करता है।

धार्मिक ग्रंथों में अहिंसा को अत्यधिक महत्व दिया गया है तो आहार में केवल शाकाहार को ही स्वीकृति दी गई है। मांसाहार का निषेध है। पर्यावरणीय संतुलन को बनाए रखने के लिए शाकाहार को अपनाना समय की मांग है।

आइए, लौट चलें हम अपनी सहज, सरल संस्कृति की ओर। पर्यावरण को संरक्षित करती संस्कृति की ओर। कंक्रीट के बने वनों से घने वटवृक्षों, वनों की छांव की और। बड़ी-बड़ी यंत्र चलित मशीनों के शोर से कल कल करती नदियां झरनों की ओर। असीम उपभोक्तावादी संस्कृति से व्रतों, प्रत्याख्यानों एवं संतोषप्रवृत्ति की संस्कृति की ओर। आपाधापी, अर्थोपार्जन संस्कृति से शांत, सुख, सुकून देने वाली जिंदगी की ओर। असीमित भौतिक संसाधनों यथा मकानों, गाड़ियों, टी.वी. मोबाइल, कंप्यूटर, हीरे जवाहरातों से सीधी सादी जिंदगी गरिमापूर्ण जीवन की ओर। आइए, लौट चलें फिर उसी शुद्ध जीवनदायिनी पर्यावरण की ओर।

Lightning Source UK Ltd.
Milton Keynes UK
UKHW051107060223
416527UK00011B/486